발행일 2021. 11. 25. **1쇄 인쇄일** 2021. 11. 18.
신고번호 제2017-000193호 **펴낸곳** 한국교육방송공사 경기도 고양시 일산동구 한류월드로 281
기획 및 개발 송아롬 김나진 윤영란 이상호 이원구 이재우 최영호
표지디자인 ㈜무닉 **편집** 더 모스트 **인쇄** 팩컴코리아㈜
인쇄 과정 중 잘못된 교재는 구입하신 곳에서 교환하여 드립니다.

수학 마스터

교재의 난이도 및 활용 안내

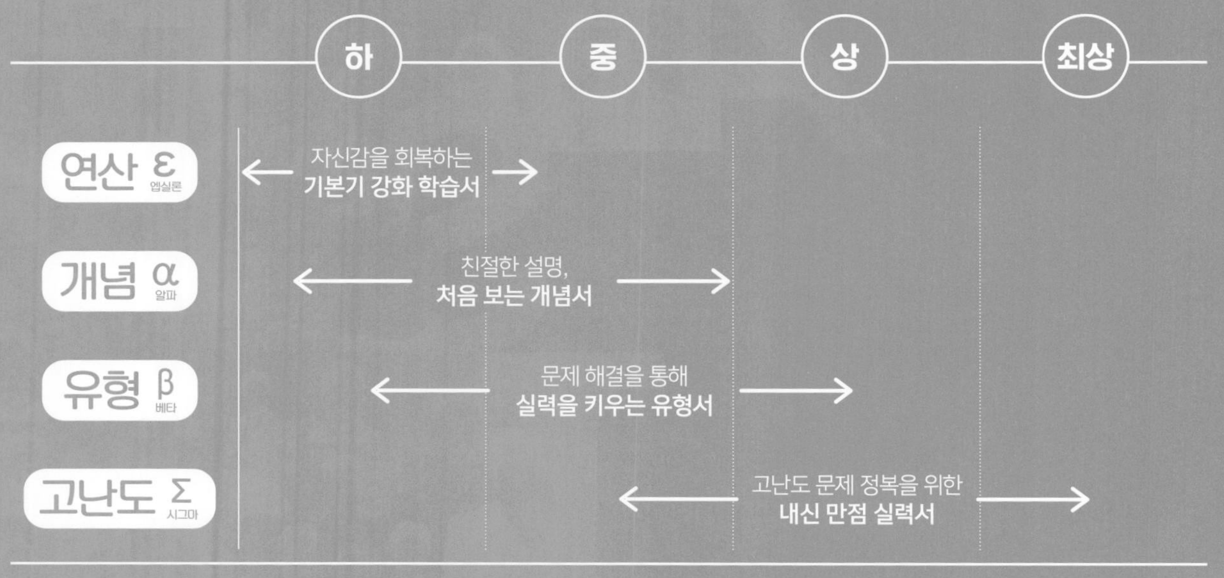

수학 마스터

중학 수학의 기초력 강화

연산 ε 엡실론

중학 수학 1·1

정답과 풀이는 EBS 중학사이트(mid.ebs.co.kr)에서 다운로드 받으실 수 있습니다.

교재 내용 문의 — 교재 내용 문의는 EBS 중학사이트 (mid.ebs.co.kr)의 교재 Q&A 서비스를 활용하시기 바랍니다.

교재 정오표 공지 — 발행 이후 발견된 정오 사항을 EBS 중학사이트 정오표 코너에서 알려 드립니다. 교재학습자료 → 교재 → 교재 정오표

교재 정정 신청 — 공지된 정오 내용 외에 발견된 정오 사항이 있다면 EBS 중학사이트를 통해 알려 주세요. 교재학습자료 → 교재 → 교재 선택 → 교재 Q&A

수학 마스터

중학 수학의 기초력 강화

연산 ε 엡실론

중학 수학 1·1

Structure 이 책의 구성과 특징

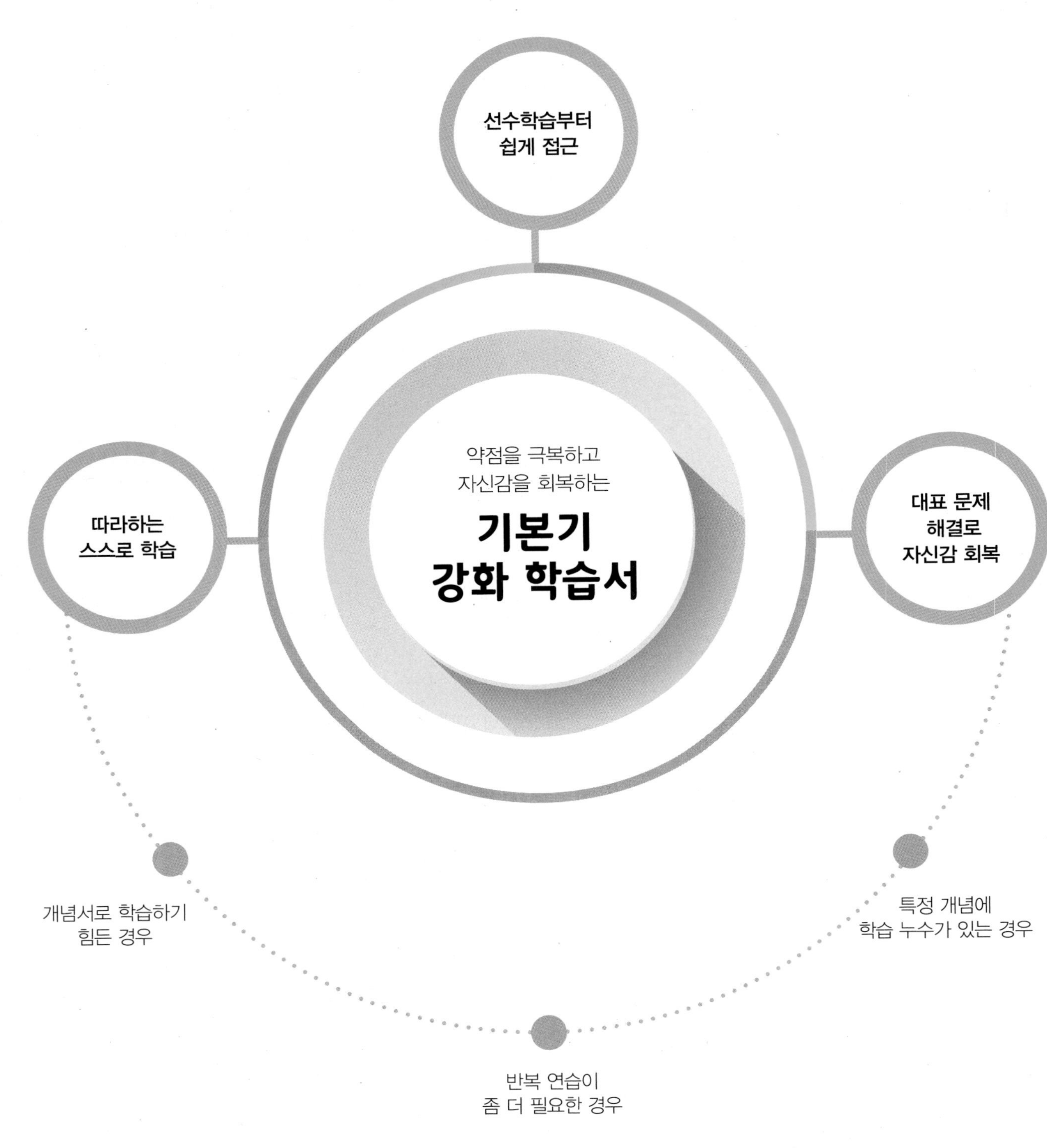

1 개별 문제 연습

❶ **개념 이해**: 학습의 누수가 없이 쉽게 따라갈 수 있도록 개념을 잘게 쪼개어 점진적으로 학습하는 스몰 스텝 학습

❷ **ε 따라하기**: 유형별로 자세하고 친절하게 문제 해결을 안내하여 풀이 방법을 습득, 적용할 수 있게 하는 스스로 학습 시스템

❸ 유형별 집중 연습 문제

❹ **대표 문제**: 계산 연습으로만 끝마치는 것이 아니라 개념이 적용된 핵심 문제의 형태를 경험하고 학습하는 내공 다지기 시스템

1. 소인수분해

❶ **01 약수와 배수** 정답과 풀이 2쪽

(1) **약수**: 어떤 수를 나누어떨어지게 하는 수 예 9의 약수: 1, 3, 9
(2) **배수**: 어떤 수를 1배, 2배, 3배, … 한 수 예 3의 배수: 3, 6, 9, …
(3) **곱을 이용하여 약수와 배수의 관계 알아보기**

$8=1\times8$　$8=2\times4$ → 8은 1, 2, 4, 8의 배수이고, 1, 2, 4, 8은 8의 약수이다.

약수 구하기

다음 수의 약수를 모두 구하시오.

❷ ε 따라하기
10 → $10=1\times10=2\times5$ ← 두 수의 곱으로 나타낸다.
따라서 10의 약수는 1, 2, 5, 10이다.

❸ 01 14

02 25

03 33

04 35

05 42

06 50

07 63

배수 구하기

어떤 수의 배수를 가장 작은 수부터 차례로 쓴 것이다. 15번째의 수를 구하시오.

08 4, 8, 12, 16, 20, …

09 7, 14, 21, 28, 35, …

10 12, 24, 36, 48, 60, …

11 18, 36, 54, 72, 90, …

❹ 12 대표 문제
56을 어떤 수로 나누었을 때 나누어떨어지게 하는 수는 모두 몇 개인가?
① 6개　② 7개　③ 8개
④ 9개　⑤ 10개

6 수학 마스터 연산 ε(엡실론)

2 소단원 확인 문제

교과서 핵심 실전 문제로 소단원별 개념 학습 수준을 파악하는 이해도 평가 문제

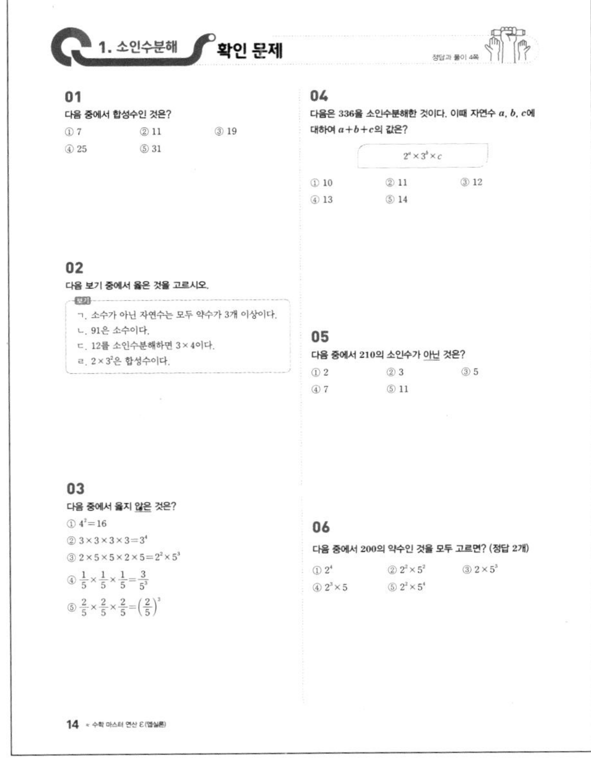

1. 소인수분해 확인 문제 정답과 풀이 4쪽

01
다음 중에서 합성수인 것은?
① 7　② 11　③ 19
④ 25　⑤ 31

02
다음 보기 중에서 옳은 것을 고르시오.

보기
ㄱ. 소수가 아닌 자연수는 모두 약수가 3개 이상이다.
ㄴ. 91은 소수이다.
ㄷ. 12를 소인수분해하면 3×4이다.
ㄹ. 2×3^2은 합성수이다.

03
다음 중에서 옳지 않은 것은?
① $4^2=16$
② $3\times3\times3\times3=3^4$
③ $2\times5\times5\times2\times5=2^2\times5^3$
④ $\frac{1}{5}\times\frac{1}{5}\times\frac{1}{5}=\frac{3}{5^3}$
⑤ $\frac{2}{5}\times\frac{2}{5}\times\frac{2}{5}=\left(\frac{2}{5}\right)^3$

04
다음은 336을 소인수분해한 것이다. 이때 자연수 a, b, c에 대하여 $a+b+c$의 값은?

$2^a\times3^b\times c$

① 10　② 11　③ 12
④ 13　⑤ 14

05
다음 중에서 210의 소인수가 아닌 것은?
① 2　② 3　③ 5
④ 7　⑤ 11

06
다음 중에서 200의 약수인 것을 모두 고르면? (정답 2개)
① 2^4　② $2^2\times5^2$　③ 2×5^3
④ $2^3\times5$　⑤ $2^2\times5^4$

14 수학 마스터 연산 ε(엡실론)

Contents 이 책의 차례

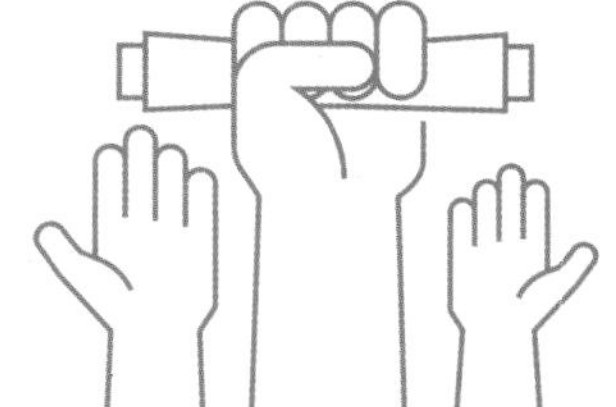

소인수분해

1. 소인수분해

2. 최대공약수와 최소공배수

01 약수와 배수

정답과 풀이 2쪽

(1) 약수: 어떤 수를 나누어떨어지게 하는 수 ㉵ 9의 약수: 1, 3, 9
(2) 배수: 어떤 수를 1배, 2배, 3배, ⋯ 한 수 ㉵ 3의 배수: 3, 6, 9, ⋯
(3) 곱을 이용하여 약수와 배수의 관계 알아보기

$8=1\times8$　　$8=2\times4$ → 8은 1, 2, 4, 8의 배수이고, 1, 2, 4, 8은 8의 약수이다.

약수 구하기

다음 수의 약수를 모두 구하시오.

10 → $10=1\times10=2\times5$ ← 두 수의 곱으로 나타낸다.
따라서 10의 약수는 1, 2, 5, 10이다.

01 14

02 25

03 33

04 35

05 42

06 50

07 63

배수 구하기

어떤 수의 배수를 가장 작은 수부터 차례로 쓴 것이다. 15번째의 수를 구하시오.

08 4, 8, 12, 16, 20, ⋯

09 7, 14, 21, 28, 35, ⋯

10 12, 24, 36, 48, 60, ⋯

11 18, 36, 54, 72, 90, ⋯

12 대표 문제

56을 어떤 수로 나누었을 때 나누어떨어지게 하는 수는 모두 몇 개인가?

① 6개　② 7개　③ 8개
④ 9개　⑤ 10개

02 소수와 합성수

정답과 풀이 2쪽

(1) **소수:** 1보다 큰 자연수 중에서 1과 자기 자신만을 약수로 가지는 수
예) 2의 약수는 1, 2이므로 2는 소수이다.
(2) **합성수:** 1보다 큰 자연수 중에서 소수가 아닌 수
예) 6의 약수는 1, 2, 3, 6이므로 6은 합성수이다.
(3) 1은 소수도 아니고 합성수도 아니다.

자연수 { 1 / 소수 → 약수가 2개 / 합성수 → 약수가 3개 이상 }

소수와 합성수의 판별

다음 수가 소수인지 합성수인지 구분하여 ○표 하시오.

15 → 15의 약수: 1, 3, 5, 15 (1과 15 이외의 약수가 있다.)
따라서 15는 소수가 아닌 합성수이다.

01 13 (소수 , 합성수)

02 21 (소수 , 합성수)

03 23 (소수 , 합성수)

04 27 (소수 , 합성수)

05 34 (소수 , 합성수)

06 39 (소수 , 합성수)

07 41 (소수 , 합성수)

08 47 (소수 , 합성수)

09 57 (소수 , 합성수)

10 59 (소수 , 합성수)

소수와 합성수의 성질

다음 중 옳은 것은 ○표, 옳지 않은 것은 ×표를 ( ) 안에 써넣으시오.

11 소수는 모두 홀수이다. ( )

12 합성수의 약수는 3개이다. ( )

13 가장 작은 합성수는 4이다. ( )

14 10 이하의 소수는 4개이다. ( )

15 모든 자연수는 소수이거나 합성수이다. ( )

16 약수의 개수가 1개인 소수가 있다. ( )

17 대표 문제

다음 설명 중에서 옳은 것은?

① 가장 작은 소수는 1이다.
② 짝수 중 소수는 2뿐이다.
③ 6 이하의 합성수는 3개이다.
④ 51은 소수이다.
⑤ 합성수는 모두 짝수이다.

03 거듭제곱

정답과 풀이 2쪽

(1) **거듭제곱**: 같은 수를 여러 번 곱한 것을 간단히 나타낸 것
(2) **밑**: 거듭제곱에서 곱한 수
(3) **지수**: 거듭제곱에서 곱한 수의 개수

$5\times5\times5=5^3$ (지수: 3, 밑: 5)

거듭제곱의 밑과 지수

다음 수의 밑과 지수를 각각 쓰시오.

01 3^7 밑: ________, 지수: ________

02 10^3 밑: ________, 지수: ________

03 $\left(\frac{1}{3}\right)^5$ 밑: ________, 지수: ________

거듭제곱의 표현 (1)

다음을 거듭제곱으로 나타내시오.

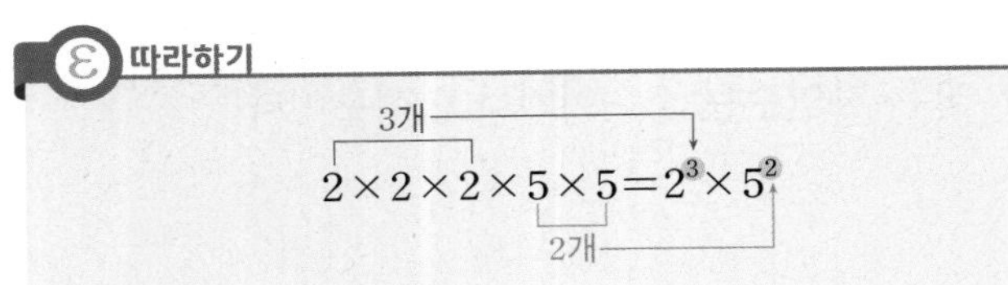

04 $7\times7\times7\times7\times7$

05 $11\times11\times11$

06 $2\times2\times3\times3\times3\times3$

07 $3\times3\times3\times5\times5\times7\times7\times7$

거듭제곱의 표현 (2)

다음을 거듭제곱으로 나타내시오.

3개

$\frac{1}{2}\times\frac{1}{2}\times\frac{1}{2}=\left(\frac{1}{2}\right)^3$

08 $\frac{1}{5}\times\frac{1}{5}$

09 $\frac{2}{3}\times\frac{2}{3}\times\frac{2}{3}\times\frac{2}{3}\times\frac{2}{3}$

10 $\frac{3}{5}\times\frac{3}{5}\times\frac{1}{7}\times\frac{1}{7}\times\frac{1}{7}$

11 $\frac{1}{11}\times\frac{1}{11}\times\frac{1}{11}\times\frac{1}{11}\times\frac{1}{13}\times\frac{1}{13}$

12 $\frac{1}{3\times3\times3\times3}$

Tip 분모에만 같은 수가 여러 번 곱해져 있을 때에는 분모만 거듭제곱으로 나타낸다.

13 $\frac{1}{2\times2\times5\times5\times5}$

14 대표 문제

다음 중에서 옳은 것은?

① $2^3=2\times3$ ② $2^3=3^2$
③ $2^3=6$ ④ $2^3=2+2+2$
⑤ $2^3=2\times2\times2$

04 소인수분해

정답과 풀이 3쪽

(1) **인수:** 자연수 a, b, c에 대하여 $a=b\times c$일 때, a의 약수 b, c를 a의 인수라고 한다.
예 $15=1\times15=3\times5$ → 1, 3, 5, 15는 15의 인수이다.
(2) **소인수:** 소수인 인수 예 15의 인수 중 3, 5는 소수이므로 15의 소인수는 3, 5이다.
(3) **소인수분해:** 1보다 큰 자연수를 그 수의 소인수만의 곱으로 나타내는 것 예 $20=2^2\times5$

인수와 소인수 구하기

다음 수의 인수와 소인수를 각각 모두 구하시오.

따라하기

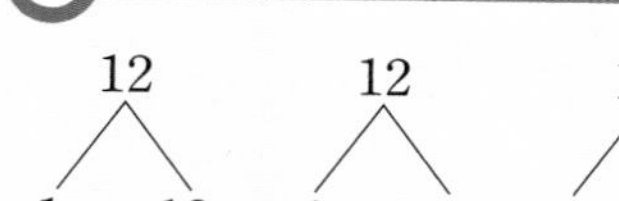
12 → 1 × 12   12 → 2 × 6   12 → 3 × 4 ← 곱해서 12가 되는 수를 찾는다.

→ 12의 인수: 1, 2, 3, 4, 6, 12
12의 소인수: 2, 3 ← 인수 중에서 소수인 것을 찾는다.

01 22   22

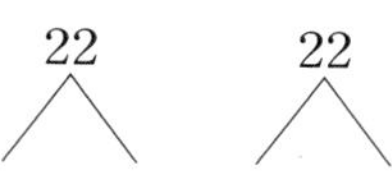

→ 22의 인수: ____________________
22의 소인수: ____________________

02 30   30   30   30

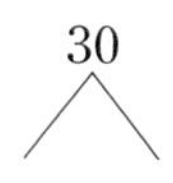

→ 30의 인수: ____________________
30의 소인수: ____________________

03 75   75   75

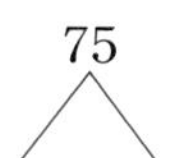

→ 75의 인수: ____________________
75의 소인수: ____________________

소수의 곱으로 소인수분해하기

다음과 같은 방법으로 수를 소인수분해하시오.

따라하기

$60=2\times30$ ← (소수)×(수) 꼴로 분해한다.

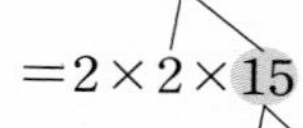

$=2\times2\times15$

$=2\times2\times3\times5$ ← 소인수만 남을 때까지 분해한다.

→ $60=2^2\times3\times5$ ← 같은 소인수는 거듭제곱으로 나타낸다.

04 $24=$

→ $24=$ ____________________

05 $84=$

→ $84=$ ____________________

06 $108=$

→ $108=$ ____________________

가지치기 방법으로 소인수분해하기

다음과 같은 방법으로 수를 소인수분해하시오.

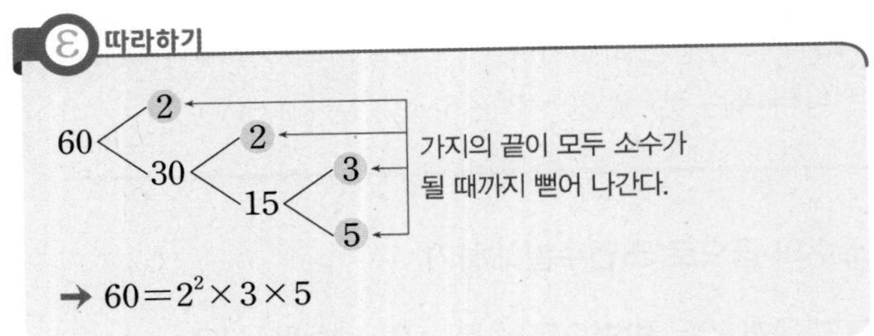

07 28

→ 28=

08 42

→ 42=

09 150

→ 150=

10 243

→ 243=

소수로 나누는 방법으로 소인수분해하기

다음과 같은 방법으로 수를 소인수분해하시오.

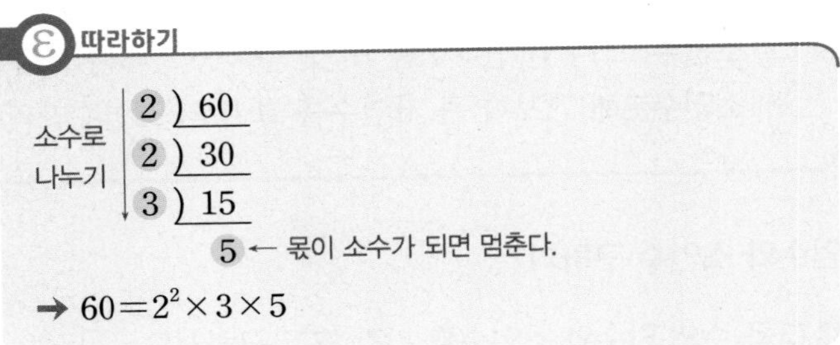

11) 54

→ 54=

12) 102

→ 102=

13) 180

→ 180=

14 대표 문제

135를 소인수분해하면 $3^a \times 5^b$이다. 이때 자연수 a, b에 대하여 $a+b$의 값은?

① 3 ② 4 ③ 5 ④ 6 ⑤ 7

05 제곱인 수

정답과 풀이 3쪽

(1) 제곱인 수: 1, 4, 9, 16, …과 같이 어떤 수를 제곱하여 얻은 수

(2) 제곱인 수의 성질: 제곱인 수를 소인수분해하면 각 소인수들의 지수가 모두 짝수이다.

예) $16=2^4$, $36=2^2\times3^2$

(3) 제곱인 수 만들기: 주어진 수를 소인수분해하여 홀수인 지수가 짝수가 되도록 적당한 수를 곱하거나 나눈다.

예) $12=2^2\times3$ ➔ 3을 곱하면 $2^2\times3\times3=2^2\times3^2=36=6^2$ ← 제곱인 수

3으로 나누면 $2^2\times3\div3=2^2$ ← 제곱인 수

곱하여 제곱인 수 만들기

다음 수가 어떤 자연수의 제곱이 되도록 할 때, 곱할 수 있는 가장 작은 자연수를 구하시오.

따라하기

$2^2\times3^3$ ➔ $2^2\times3^{③}\times3$ ← 홀수인 지수가 짝수가 되도록 하는 가장 작은 자연수 3을 곱한다. (지수가 홀수)

$=2^2\times3^4$

$=324=18^2$ ← 제곱인 수

따라서 곱할 수 있는 가장 작은 자연수는 3이다.

01 $2^3\times7$

02 $2\times3^2\times5$

03 45

Tip 먼저 45를 소인수분해한다.

04 140

05 216

나누어 제곱인 수 만들기

다음 수가 어떤 자연수의 제곱이 되도록 할 때, 나눌 수 있는 가장 작은 자연수를 구하시오.

따라하기

$2^2\times3^3$ ➔ $2^2\times3^{③}\div3$ ← 홀수인 지수가 짝수가 되도록 하는 가장 작은 자연수 3으로 나눈다. (지수가 홀수)

$=2^2\times3^2$

$=36=6^2$ ← 제곱인 수

따라서 나눌 수 있는 가장 작은 자연수는 3이다.

06 $2^3\times5^3$

07 $2^2\times3\times5^2$

08 $2\times3^2\times7$

09 84

10 160

06 소인수분해를 이용하여 약수 구하기

정답과 풀이 4쪽

자연수 A가 $A=a^m \times b^n$(a, b는 서로 다른 소수, m, n은 자연수)으로 소인수분해될 때

(1) A의 약수: (a^m의 약수)$\times$(b^n의 약수)
　　└ $1, a, a^2, \cdots, a^m$　└ $1, b, b^2, \cdots, b^n$

(2) A의 약수의 개수: $(m+1)\times(n+1)$ ← 소인수의 각 지수에 1을 더하여 곱한다.

예 $20=2^2\times5$에서

- 20의 약수 → (2^2의 약수)$\times$(5의 약수) → 1×1, 1×5, 2×1, 2×5, $2^2\times1$, $2^2\times5$
- 20의 약수의 개수 → $(2+1)\times(1+1)=6$
　　2^2의 약수의 개수 ┘　└ 5의 약수의 개수

a^m의 약수와 약수의 개수 구하기

다음 수의 약수와 약수의 개수를 구하시오.

ε 따라하기

2^3 — 약수: $1, 2, 2^2, 2^3$
2^3 — 약수의 개수: 4 ← 지수에 1을 더한다. $3+1=4$

01 2^4 — 약수: ____________
　　약수의 개수: ____________

02 7^2 — 약수: ____________
　　약수의 개수: ____________

03 3^5 — 약수: ____________
　　약수의 개수: ____________

소인수분해를 이용하여 약수 구하기

소인수분해를 이용하여 약수를 구하는 과정이다. 표의 빈칸에 알맞은 수를 써넣고 주어진 수의 약수를 모두 구하시오.

ε 따라하기

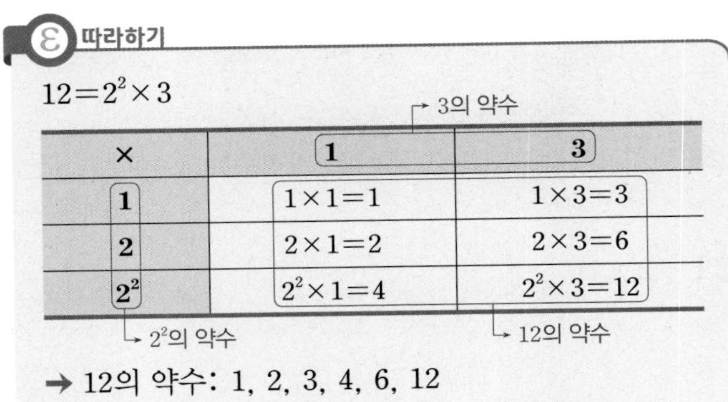

$12=2^2\times3$

×	1	3
1	$1\times1=1$	$1\times3=3$
2	$2\times1=2$	$2\times3=6$
2^2	$2^2\times1=4$	$2^2\times3=12$

→ 12의 약수: 1, 2, 3, 4, 6, 12

04 $15=3\times5$

×	1	5
1	1	
3		15

→ 15의 약수: ____________

05 $18=2\times3^2$

×	1	3	3^2
1	1		
2	2		

→ 18의 약수: ____________

소인수분해

06 36=__________

×			

➜ 36의 약수: __________

07 40=__________

×		

➜ 40의 약수: __________

08 75=__________

×			

➜ 75의 약수: __________

09 100=__________

×			

➜ 100의 약수: __________

약수의 개수 구하기

다음 수의 약수의 개수를 구하시오.

따라하기

2×5^2의 약수의 개수

➜ $(1+1)\times(2+1)$ ← 지수에 1을 더해서 곱한다.

$=2\times3=6$

10 3×7

11 $2^3\times5^4$

12 $2^4\times3^6$

13 96

Tip 먼저 96을 소인수분해한다.

14 104

15 500

16 대표 문제

다음 중에서 $2^2\times3^3$의 약수가 아닌 것은?

① 2×3 ② 2^2 ③ 2×3^4

④ 2×3^2 ⑤ $2^2\times3^3$

확인 문제

정답과 풀이 4쪽

01

다음 중에서 합성수인 것은?

① 7 ② 11 ③ 19
④ 25 ⑤ 31

02

다음 보기 중에서 옳은 것을 고르시오.

보기
ㄱ. 소수가 아닌 자연수는 모두 약수가 3개 이상이다.
ㄴ. 91은 소수이다.
ㄷ. 12를 소인수분해하면 3×4이다.
ㄹ. 2×3^2은 합성수이다.

03

다음 중에서 옳지 않은 것은?

① $4^2=16$
② $3\times3\times3\times3=3^4$
③ $2\times5\times5\times2\times5=2^2\times5^3$
④ $\frac{1}{5}\times\frac{1}{5}\times\frac{1}{5}=\frac{3}{5^3}$
⑤ $\frac{2}{5}\times\frac{2}{5}\times\frac{2}{5}=\left(\frac{2}{5}\right)^3$

04

다음은 336을 소인수분해한 것이다. 이때 자연수 a, b, c에 대하여 $a+b+c$의 값은?

$$2^a\times3^b\times c$$

① 10 ② 11 ③ 12
④ 13 ⑤ 14

05

다음 중에서 210의 소인수가 아닌 것은?

① 2 ② 3 ③ 5
④ 7 ⑤ 11

06

다음 중에서 200의 약수인 것을 모두 고르면? (정답 2개)

① 2^4 ② $2^2\times5^2$ ③ 2×5^3
④ $2^3\times5$ ⑤ $2^2\times5^4$

2. 최대공약수와 최소공배수

01 공약수와 최대공약수

정답과 풀이 5쪽

(1) **공약수**: 두 개 이상의 자연수의 공통인 약수
(2) **최대공약수**: 공약수 중에서 가장 큰 수
(3) 두 개 이상의 자연수의 공약수는 모두 최대공약수의 약수이다.

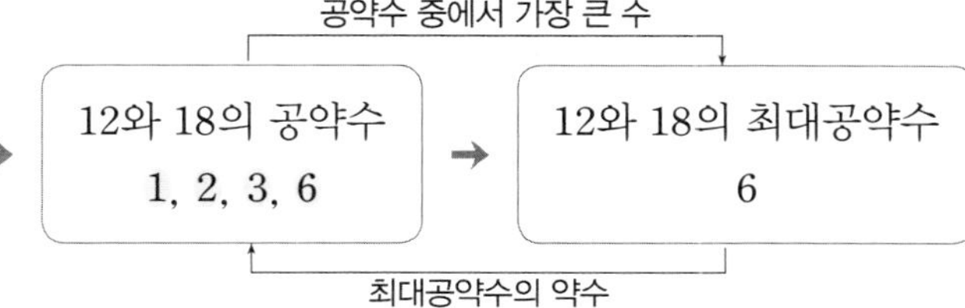

(4) **서로소**: 최대공약수가 1인 두 자연수
예 3과 10은 최대공약수가 1이므로 서로소이다.

공약수와 최대공약수 구하기

주어진 자연수의 약수, 공약수, 최대공약수를 각각 구하시오.

01 8, 28
(1) 8의 약수: ______
(2) 28의 약수: ______
(3) 8과 28의 공약수: ______
(4) 8과 28의 최대공약수: ______

02 30, 45
(1) 30의 약수: ______
(2) 45의 약수: ______
(3) 30과 45의 공약수: ______
(4) 30과 45의 최대공약수: ______

03 27, 63, 81
(1) 27의 약수: ______
(2) 63의 약수: ______
(3) 81의 약수: ______
(4) 27, 63, 81의 공약수: ______
(5) 27, 63, 81의 최대공약수: ______

최대공약수를 알 때 공약수 구하기

두 자연수의 최대공약수가 다음과 같을 때, 두 수의 공약수를 모두 구하시오.

따라하기
두 자연수의 최대공약수가 14이다.
→ 14의 약수: 1, 2, 7, 14
→ 최대공약수가 14인 두 자연수의 공약수는 1, 2, 7, 14이다. ← 최대공약수의 약수를 찾는다.

04 25

05 32

06 80

07 99

08 대표 문제
두 자연수 A, B의 최대공약수가 16일 때, 다음 중에서 A, B의 공약수가 아닌 것은?

① 1 ② 2 ③ 4
④ 6 ⑤ 8

서로소인 두 자연수 찾기

다음 중 두 수가 서로소인 것은 ○표, 서로소가 아닌 것은 ×표를 (   ) 안에 써넣으시오.

따라하기

5, 9
→ 5와 9의 최대공약수는 1이다.
→ 5와 9는 서로소이다.

09 10, 42 (   )

10 14, 35 (   )

11 8, 27 (   )

12 28, 81 (   )

13 7, 34 (   )

14 13, 22 (   )

15 33, 77 (   )

다음 설명 중 옳은 것은 ○표, 옳지 않은 것은 ×표를 (   ) 안에 써넣으시오.

16 1은 모든 자연수와 서로소이다. (   )

17 서로 다른 두 소수는 항상 서로소이다. (   )

18 18과 45는 서로소이다. (   )

19 서로 다른 두 홀수는 항상 서로소이다. (   )

20 두 수가 서로소이면 두 수 중에서 적어도 하나는 소수이다. (   )

21 서로소인 두 수의 공약수는 2개이다. (   )

22 대표 문제

다음 중에서 35와 서로소인 것의 개수는?

3, 7, 12, 25, 30, 42

① 1 ② 2 ③ 3
④ 4 ⑤ 5

02 최대공약수 구하기

정답과 풀이 5쪽

방법 1 공약수로 나누기

① 1이 아닌 공약수로 각 수를 나눈다.
② 몫이 서로소가 될 때까지 계속 나눈다.
③ 나누어 준 공약수를 모두 곱한다.

18과 30의 공약수 → 2) 18 30
9와 15의 공약수 → 3) 9 15
3 5 ← 서로소

(최대공약수) $=2\times3=6$

방법 2 소인수분해 이용하기

① 각각의 자연수를 소인수분해한다.
② 공통인 소인수를 모두 곱한다.
이때 공통인 소인수의 지수가 같으면 그대로 곱하고, 지수가 다르면 지수가 작은 것을 택하여 곱한다.

소인수분해하기 $18=2\times3^2$, $30=2\times3\times5$

(최대공약수) $=2\times3=6$

지수가 같으면 그대로 / 지수가 다르면 작은 것

공약수로 나누어 최대공약수 구하기

공약수로 나누어 다음 수들의 최대공약수를 구하시오.

따라하기

① 1이 아닌 공약수로 나누기
2) 28 42
7) 14 21
2 3 ← ② 몫이 서로소

(최대공약수) $=2\times7=14$ ← ③ 나누어 준 공약수 모두 곱하기

01) 18 42

→ 최대공약수: ______

02) 24 36

→ 최대공약수: ______

03) 45 60

→ 최대공약수: ______

04) 18 27 36

→ 최대공약수: ______

Tip 세 수의 공약수가 1이 될 때까지 계속 나눈다.

05) 24 60 96

→ 최대공약수: ______

06) 42 56 140

→ 최대공약수: ______

07) 63 84 105

→ 최대공약수: ______

소인수분해를 이용하여 최대공약수 구하기

소인수분해를 이용하여 다음 수들의 최대공약수를 구하시오.

ε 따라하기

① 소인수분해하기 $12=2^2\times3$, $42=2\times3\times7$

(최대공약수)$=2\times3=6$ ← ② 공통인 소인수 모두 곱하기

↑ 지수가 다르면 작은 것 ↑ 지수가 같으면 그대로

08
32=
56=
(최대공약수)=

09
36=
48=
(최대공약수)=

10
54=
72=
(최대공약수)=

11
63=
105=
(최대공약수)=

12
126=
180=
(최대공약수)=

13
8=
12=
20=
(최대공약수)=

Tip 세 수의 공통인 소인수만을 모두 곱한다.

14
18=
42=
72=
(최대공약수)=

15
27=
45=
99=
(최대공약수)=

16
48=
84=
108=
(최대공약수)=

17
60=
96=
132=
(최대공약수)=

18
75=
90=
300=
(최대공약수)=

최대공약수 구하기

다음 수들의 최대공약수를 구하시오.

19 $2^4\times3$, $2^3\times3^2$

20 $2^3\times3$, $2^2\times5$

21 $3^2\times5$, $3^3\times5\times7$

22 $2\times3\times7$, $3^2\times5\times7$

23 $2\times5^2\times7$, $2^2\times5\times7^3$

24 2×3^2, $2^2\times3$, $2^3\times3^3$

25 3×5^3, $2\times3^2\times5^2$, $2^3\times3^3\times5^2$

26 $2^4\times3^2\times5$, $2^2\times3\times5^3$, $3\times5^2\times7^2$

27 30, 72

Tip 먼저 각 수를 소인수분해한다.

28 42, 56

29 54, 144

30 18, 60, 90

31 36, 84, 300

32 66, 110, 132

33 대표 문제

두 수 36, 90의 최대공약수를 $2^a\times3^b$이라 할 때, 자연수 a, b에 대하여 $a+b$의 값은?

① 2 ② 3 ③ 4 ④ 5 ⑤ 6

03 공배수와 최소공배수

정답과 풀이 7쪽

(1) **공배수**: 두 개 이상의 자연수의 공통인 배수
(2) **최소공배수**: 공배수 중에서 가장 작은 수
(3) 두 개 이상의 자연수의 공배수는 모두 최소공배수의 배수이다.

예

4의 배수: 4, 8, 12, 16, 20, 24, ⋯ 6의 배수: 6, 12, 18, 24, 30, 36, ⋯	→	4와 6의 공배수 12, 24, ⋯	→	4와 6의 최소공배수 12

(공배수 중에서 가장 작은 수 / 최소공배수의 배수)

공배수와 최소공배수 구하기

주어진 자연수의 배수, 공배수, 최소공배수를 각각 구하시오.

01 8, 12
(1) 8의 배수: ________
(2) 12의 배수: ________
(3) 8과 12의 공배수: ________
(4) 8과 12의 최소공배수: ________

02 6, 9, 18
(1) 6의 배수: ________
(2) 9의 배수: ________
(3) 18의 배수: ________
(4) 6, 9, 18의 공배수: ________
(5) 6, 9, 18의 최소공배수: ________

03 10, 15, 20
(1) 10의 배수: ________
(2) 15의 배수: ________
(3) 20의 배수: ________
(4) 10, 15, 20의 공배수: ________
(5) 10, 15, 20의 최소공배수: ________

최소공배수를 알 때 공배수 구하기

두 자연수의 최소공배수가 다음과 같을 때, 두 수의 공배수를 작은 것부터 차례로 3개 구하시오.

ε 따라하기

두 자연수의 최소공배수가 10이다.
→ 10의 배수: 10, 20, 30, ⋯
→ 최소공배수가 10인 두 자연수의 공배수는 10, 20, 30, ⋯이다. ← 최소공배수의 배수를 찾는다.

04 4

05 9

06 14

07 30

08 대표 문제

두 자연수 A, B의 최소공배수가 8일 때, 다음 중에서 A, B의 공배수가 아닌 것은?

① 16 ② 24 ③ 36
④ 40 ⑤ 48

04 최소공배수 구하기

정답과 풀이 7쪽

방법 1 공약수로 나누기

① 1이 아닌 공약수로 각 수를 나눈다.

② 몫이 서로소가 될 때까지 계속 나눈다.

③ 나누어 준 공약수와 마지막 몫을 모두 곱한다.

18과 30의 공약수 → 2) 18 30

9와 15의 공약수 → 3) 9 15

3 5 ← 서로소

(최소공배수) $=2\times3\times3\times5=90$

방법 2 소인수분해 이용하기

① 각각의 자연수를 소인수분해한다.

② 공통인 소인수와 공통이 아닌 소인수를 모두 곱한다. 이때 공통인 소인수의 지수가 같으면 그대로 곱하고, 지수가 다르면 지수가 큰 것을 택하여 곱한다.

소인수분해하기 $18=2\times3^2$, $30=2\times3\times5$

(최소공배수) $=2\times3^2\times5=90$

지수가 같으면 그대로 / 지수가 다르면 큰 것 / 공통이 아닌 소인수

공약수로 나누어 최소공배수 구하기

공약수로 나누어 다음 수들의 최소공배수를 구하시오.

따라하기

① 1이 아닌 공약수로 나누기

2) 12 18

3) 6 9

2 3 ← ② 몫이 서로소

(최소공배수) $=2\times3\times2\times3=36$ ← ③ 나누어 준 공약수와 몫 모두 곱하기

01) 15 21

→ 최소공배수: ____________

02) 16 24

→ 최소공배수: ____________

03) 30 45

→ 최소공배수: ____________

04) 4 6 8

→ 최소공배수: ____________

Tip 나눗셈을 이용하여 세 수의 최소공배수를 구할 때, 몫인 세 수의 1이 아닌 공약수가 없더라도 두 수의 공약수가 있다면 두 수의 공약수로 나누고 나머지 한 수는 그대로 써 준다.

05) 15 25 45

→ 최소공배수: ____________

06) 18 54 90

→ 최소공배수: ____________

07) 28 35 70

→ 최소공배수: ____________

소인수분해를 이용하여 최소공배수 구하기

※ 소인수분해를 이용하여 다음 수들의 최소공배수를 구하시오.

ε 따라하기

① 소인수분해하기 $\begin{cases} 20 = 2^2 \quad\quad \times 5 \\ 30 = 2 \times 3 \times 5 \end{cases}$

(최소공배수) $= 2^2 \times 3 \times 5 = 60$ ← ② 공통인 소인수와 공통이 아닌 소인수 모두 곱하기

↑ 지수가 다르면 큰 것 ↑ 공통이 아닌 소인수 ↑ 지수가 같으면 그대로

08

$12=$

$42=$

(최소공배수)$=$

09

$18=$

$24=$

(최소공배수)$=$

10

$28=$

$40=$

(최소공배수)$=$

11

$36=$

$90=$

(최소공배수)$=$

12

$42=$

$56=$

(최소공배수)$=$

13

$6=$

$9=$

$21=$

(최소공배수)$=$

14

$8=$

$20=$

$25=$

(최소공배수)$=$

15

$10=$

$15=$

$24=$

(최소공배수)$=$

16

$14=$

$32=$

$56=$

(최소공배수)$=$

17

$35=$

$49=$

$70=$

(최소공배수)$=$

18

$45=$

$63=$

$105=$

(최소공배수)$=$

최소공배수 구하기

다음 수들의 최소공배수를 구하시오.

19 2×3^2, $2^3\times3$

20 $2^2\times3$, 3×5

21 $3^2\times7$, $3\times5\times7$

22 $2\times5\times7$, $2^2\times5^2$

23 $2^2\times3\times11$, $2\times3^2\times11$

24 2×3^2, 3×5^2, $2^2\times5^2$

25 3×7, $3^2\times5$, 5×7

26 $2^3\times3$, $2\times3\times5$, 2×5^2

27 12, 33

Tip 먼저 각 수를 소인수분해한다.

28 20, 55

29 36, 60

30 16, 20, 50

31 27, 63, 84

32 45, 99, 165

33 대표 문제

두 수 54, 60의 최소공배수를 $2^a\times3^b\times5^c$이라 할 때, 자연수 a, b, c에 대하여 $a+b+c$의 값은?

① 3 ② 4 ③ 5
④ 6 ⑤ 7

05 최대공약수와 최소공배수의 관계

정답과 풀이 8쪽

두 자연수 A, B의 최대공약수가 G, 최소공배수가 L일 때,
$A=G\times a$, $B=G\times b$(a, b는 서로소)라 하면
(1) $L=G\times a\times b$
(2) $A\times B=(G\times a)\times(G\times b)=G\times(\underbrace{G\times a\times b}_{L})=G\times L$ ← (두 수의 곱)=(최대공약수)×(최소공배수)

$$G\,\underline{)\,A\quad B}$$
$$a\quad b$$
서로소

두 수의 곱과 최대공약수와 최소공배수의 관계

두 자연수의 최대공약수와 최소공배수가 다음과 같을 때, 두 자연수의 곱을 구하시오.

ε 따라하기

최대공약수: 3, 최소공배수: 6
→ (두 자연수의 곱)=(최대공약수)×(최소공배수)
$=3\times6$
$=18$

01 최대공약수: 4, 최소공배수: 60

02 최대공약수: 3, 최소공배수: 42

03 최대공약수: 6, 최소공배수: 36

04 두 자연수의 곱이 320이고 최소공배수가 40일 때, 두 자연수의 최대공약수를 구하시오.

05 두 자연수의 곱이 504이고 최대공약수가 6일 때, 두 자연수의 최소공배수를 구하시오.

최대공약수와 최소공배수를 이용하여 수 구하기

06 다음은 두 자연수 A, 27의 최대공약수가 9이고 최소공배수가 54일 때, A의 값을 구하는 과정이다. □ 안에 알맞은 수를 써넣으시오.

$A\times27=$(최대공약수)×(최소공배수)
$=9\times$□
따라서 $A=$□

07 두 자연수 A, 40의 최대공약수가 8이고 최소공배수가 120일 때, A의 값을 구하시오.

08 대표 문제

다음은 두 자리 자연수 A, $B(A<B)$의 최대공약수가 6이고 최소공배수가 36일 때, A, B의 값을 구하는 과정이다. □ 안에 알맞은 수를 써넣으시오.

A, B의 최대공약수가 6이므로
$A=6\times a$, $B=6\times b$(a, b는 서로소, $a<b$)
라 하면 A, B의 최소공배수가 36이므로
$6\times a\times b=$□, $a\times b=$□
(i) $a=1$, $b=6$일 때, $A=6$, $B=$□
(ii) $a=2$, $b=3$일 때, $A=12$, $B=$□
이때 A, B는 두 자리 자연수이므로
$A=$□, $B=$□

06 최대공약수의 활용

정답과 풀이 9쪽

다음과 같은 표현이 있으면 최대공약수를 활용하여 문제를 해결할 수 있다.

가능한 한 많은 가능한 한 큰 최대한	+	똑같이 나누어 주는 같은 간격으로 나누는 빈틈없이 채우는
→ 최대		→ 공약수

똑같이 나누어 주기

01 다음은 사과 18개와 귤 24개를 가능한 한 많은 학생들에게 남김없이 똑같이 나누어 주려고 할 때, 나누어 줄 수 있는 학생 수를 구하는 과정이다. □ 안에 알맞은 것을 써넣으시오.

① 사과 18개를 똑같이 나누어 줄 수 있는 학생 수 → □의 약수

② 귤 24개를 똑같이 나누어 줄 수 있는 학생 수 → □의 약수

③ 사과와 귤을 똑같이 나누어 줄 수 있는 학생 수는 18과 24의 □이다.

④ 사과와 귤을 가능한 한 많은 학생들에게 똑같이 나누어 줄 수 있는 학생 수는 18과 24의 □이므로 구하는 학생 수는 □이다.

02 연필 20자루와 지우개 30개를 가능한 한 많은 학생들에게 남김없이 똑같이 나누어 주려고 할 때, 나누어 줄 수 있는 학생 수를 구하시오.

03 남학생 27명과 여학생 45명을 최대한 많은 모둠으로 나누려고 한다. 각 모둠에 속한 남학생 수와 여학생 수를 각각 같게 할 때, 만들 수 있는 모둠 수를 구하시오.

정사각형으로 직사각형 채우기

04 다음은 오른쪽 그림과 같이 가로의 길이가 80 cm, 세로의 길이가 60 cm인 직사각형 모양의 벽에 가능한 한 큰 정사각형 모양의 타일로 겹치지 않게 빈틈없이 채우려고 할 때, 타일의 한 변의 길이를 구하는 과정이다. □ 안에 알맞은 것을 써넣으시오.

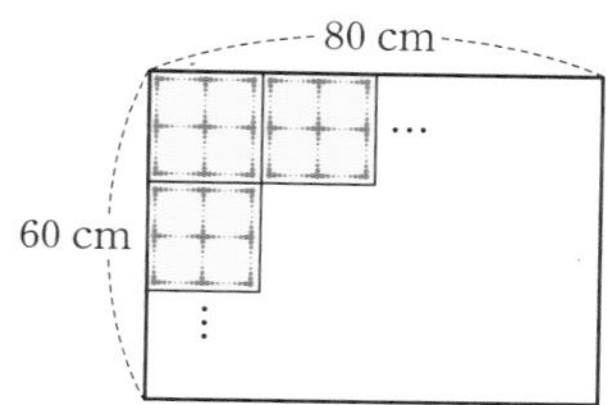

① 가로 80 cm를 빈틈없이 채울 수 있는 타일의 한 변의 길이 → □의 약수

② 세로 60 cm를 빈틈없이 채울 수 있는 타일의 한 변의 길이 → □의 약수

③ 타일의 한 변의 길이는 80과 60의 □이다.

④ 가능한 한 큰 타일의 한 변의 길이는 80과 60의 □이므로 구하는 한 변의 길이는 □cm이다.

05 가로의 길이가 126 cm, 세로의 길이가 90 cm인 직사각형 모양의 게시판에 가능한 한 큰 정사각형 모양의 종이로 겹치지 않게 빈틈없이 채우려고 할 때, 종이의 한 변의 길이를 구하시오.

나누어떨어지게 하는 자연수 구하기

06 다음은 어떤 자연수로 36과 54를 나누면 모두 나누어떨어질 때, 이러한 자연수 중에서 가장 큰 수를 구하는 과정이다. □ 안에 알맞은 것을 써넣으시오.

① 어떤 자연수로 36을 나누면 나누어떨어진다. → 어떤 자연수는 □의 약수
② 어떤 자연수로 54를 나누면 나누어떨어진다. → 어떤 자연수는 □의 약수
③ 어떤 자연수는 36과 54의 □이다.
④ 가장 큰 자연수는 36과 54의 □이므로 구하는 수는 □이다.

07 어떤 자연수로 28과 42를 나누면 모두 나누어떨어진다. 이러한 자연수 중에서 가장 큰 수를 구하시오.

08 어떤 자연수로 74와 98을 나누면 모두 나머지가 2이다. 이러한 자연수 중에서 가장 큰 수를 구하시오.

두 분수가 자연수가 되도록 하는 분모 구하기

09 다음은 두 분수 $\frac{12}{n}$, $\frac{40}{n}$이 자연수가 되도록 하는 가장 큰 자연수 n의 값을 구하는 과정이다. □ 안에 알맞은 것을 써넣으시오.

① $\frac{12}{n}$가 자연수가 되도록 하는 자연수 n의 값 → □의 약수
② $\frac{40}{n}$이 자연수가 되도록 하는 자연수 n의 값 → □의 약수
③ 자연수 n의 값은 12와 40의 □이다.
④ 가장 큰 자연수 n의 값은 12와 40의 □이므로 구하는 값은 □이다.

10 두 분수 $\frac{24}{n}$, $\frac{60}{n}$이 자연수가 되도록 하는 가장 큰 자연수 n의 값을 구하시오.

11 두 분수 $\frac{72}{n}$, $\frac{90}{n}$이 자연수가 되도록 하는 자연수 n의 개수를 구하시오.

07 최소공배수의 활용

정답과 풀이 9쪽

다음과 같은 표현이 있으면 최소공배수를 활용하여 문제를 해결할 수 있다.

처음으로 다시 가능한 한 작게 최소한	+	동시에 출발하는 다시 만나는 다시 맞물리는
→ 최소		→ 공배수

처음으로 다시 동시에 출발할 때까지 걸리는 시간

01 어느 버스 터미널에서 A 버스는 32분마다, B 버스는 80분마다 출발한다고 한다. 다음은 두 버스가 동시에 출발한 후 처음으로 다시 동시에 출발할 때까지 걸리는 시간을 구하는 과정이다. □ 안에 알맞은 것을 써넣으시오.

> ① A 버스가 출발한 후 다시 출발할 때까지 걸리는 시간 → □의 배수
> ② B 버스가 출발한 후 다시 출발할 때까지 걸리는 시간 → □의 배수
> ③ 두 버스가 동시에 출발할 때까지 걸리는 시간은 32와 80의 □이다.
> ④ 두 버스가 동시에 출발한 후 처음으로 다시 동시에 출발할 때까지 걸리는 시간은 32와 80의 □이므로 구하는 시간은 □분이다.

02 어느 기차역에서 A 기차는 75분마다, B 기차는 90분마다 출발한다고 한다. 두 기차가 동시에 출발한 후 처음으로 다시 동시에 출발할 때까지 걸리는 시간을 구하시오.

03 어느 놀이공원에서 A 놀이 기구는 12분마다, B 놀이 기구는 15분마다 운행한다고 한다. 오전 9시에 두 놀이 기구가 동시에 운행을 시작한 후 처음으로 다시 동시에 운행하는 시각을 구하시오.

직사각형으로 가장 작은 정사각형 만들기

04 다음은 가로의 길이가 6 cm, 세로의 길이가 21 cm인 직사각형 모양의 종이를 겹치지 않게 빈틈없이 붙여서 가능한 한 작은 정사각형을 만들려고 할 때, 정사각형의 한 변의 길이를 구하는 과정이다. □ 안에 알맞은 것을 써넣으시오.

> ① 만들 수 있는 정사각형의 한 변의 길이는 6과 21의 □이다.
> ② 가능한 한 작은 정사각형의 한 변의 길이는 6과 21의 □이므로 구하는 한 변의 길이는 □cm이다.

05 가로의 길이가 8 cm, 세로의 길이가 20 cm인 직사각형 모양의 타일을 겹치지 않게 빈틈없이 붙여서 가능한 한 작은 정사각형을 만들려고 할 때, 다음 물음에 답하시오.

(1) 정사각형의 한 변의 길이를 구하시오.

(2) 필요한 타일의 개수를 구하시오.

두 톱니가 처음으로 다시 맞물리는 경우

06 오른쪽 그림과 같이 톱니의 개수가 각각 12, 16인 두 톱니바퀴 A, B가 서로 맞물려 돌아가고 있다. 다음은 두 톱니바퀴가 회전하기 시작하여 처음으로 다시 같은 톱니에서 맞물릴 때까지 맞물린 톱니의 개수를 구하는 과정이다. □ 안에 알맞은 것을 써넣으시오.

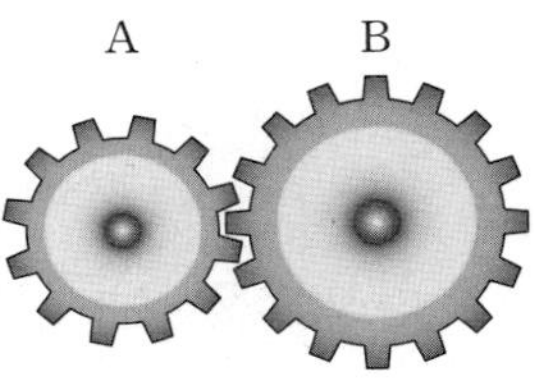

① 톱니바퀴 A가 한 바퀴 회전할 때마다 맞물린 톱니의 개수 → □의 배수
② 톱니바퀴 B가 한 바퀴 회전할 때마다 맞물린 톱니의 개수 → □의 배수
③ 두 톱니바퀴가 같은 톱니에서 맞물릴 때까지 맞물린 톱니의 개수는 12와 16의 □이다.
④ 두 톱니바퀴가 회전하기 시작한 후 처음으로 다시 같은 톱니에서 맞물릴 때까지 맞물린 톱니의 개수는 12와 16의 □이므로 구하는 개수는 □이다.

07 톱니의 개수가 각각 9, 15인 두 톱니바퀴 A, B가 서로 맞물려 돌아가고 있을 때, 다음 물음에 답하시오.

(1) 두 톱니바퀴가 회전하기 시작하여 처음으로 다시 같은 톱니에서 맞물릴 때까지 맞물린 톱니의 개수를 구하시오.

(2) 두 톱니바퀴가 회전하기 시작하여 처음으로 다시 같은 톱니에서 맞물리는 것은 A, B가 각각 몇 바퀴 회전한 후인지 구하시오.

두 자연수로 나누었을 때 모두 나누어떨어지는 자연수 구하기

08 다음은 어떤 자연수를 14, 21의 어느 것으로 나누어도 나누어떨어질 때, 이러한 자연수 중에서 가장 작은 수를 구하는 과정이다. □ 안에 알맞은 것을 써넣으시오.

① 어떤 자연수를 14로 나누면 나누어떨어진다. → 어떤 자연수는 □의 배수
② 어떤 자연수를 21로 나누면 나누어떨어진다. → 어떤 자연수는 □의 배수
③ 어떤 자연수는 14와 21의 □이다.
④ 가장 작은 자연수는 14와 21의 □이므로 구하는 수는 □이다.

09 어떤 자연수를 18, 45의 어느 것으로 나누어도 나누어떨어진다. 이러한 자연수 중에서 가장 작은 수를 구하시오.

10 어떤 자연수를 20, 35의 어느 것으로 나누어도 나누어떨어진다. 이러한 자연수 중에서 가장 작은 수를 구하시오.

두 분수가 자연수가 되도록 하는 분자 구하기

11 다음은 두 분수 $\frac{n}{24}$, $\frac{n}{36}$이 자연수가 되도록 하는 가장 작은 자연수 n의 값을 구하는 과정이다. □ 안에 알맞은 것을 써넣으시오.

> ① $\frac{n}{24}$이 자연수가 되도록 하는 자연수 n의 값 → □의 배수
>
> ② $\frac{n}{36}$이 자연수가 되도록 하는 자연수 n의 값 → □의 배수
>
> ③ 가장 작은 자연수 n의 값은 24와 36의 □이므로 구하는 값은 □이다.

12 두 분수 $\frac{n}{28}$, $\frac{n}{42}$이 자연수가 되도록 하는 가장 작은 자연수 n의 값을 구하시오.

13 두 분수 $\frac{1}{24}$, $\frac{1}{80}$ 중 어느 것에 곱하여도 그 결과가 자연수가 되는 가장 작은 자연수를 구하시오.

두 분수를 자연수로 만들기

14 다음은 두 분수 $\frac{9}{4}$, $\frac{33}{10}$의 어느 것에 곱하여도 그 결과가 자연수가 되게 하는 가장 작은 기약분수 $\frac{b}{a}$를 구하는 과정이다. □ 안에 알맞은 것을 써넣으시오.

> ① a는 $\frac{9}{4}$, $\frac{33}{10}$의 분자인 9와 33의 □이다.
>
> ② b는 $\frac{9}{4}$, $\frac{33}{10}$의 분모인 4와 10의 □이다.
>
> ③ $\frac{b}{a}$는 □이다.

15 두 분수 $\frac{21}{8}$, $\frac{35}{12}$의 어느 것에 곱하여도 그 결과가 자연수가 되게 하는 가장 작은 기약분수를 구하시오.

16 두 분수 $\frac{14}{9}$, $\frac{16}{15}$의 어느 것에 곱하여도 그 결과가 자연수가 되게 하는 가장 작은 기약분수를 구하시오.

확인 문제

정답과 풀이 10쪽

01

두 수 36, 45의 공약수의 개수는?

① 2 ② 3 ③ 4
④ 5 ⑤ 6

02

다음 보기에서 두 수가 서로소인 것을 모두 고른 것은?

보기
ㄱ. 4, 7 ㄴ. 9, 14
ㄷ. 12, 21 ㄹ. 20, 36

① ㄱ, ㄴ ② ㄱ, ㄷ ③ ㄴ, ㄷ
④ ㄴ, ㄹ ⑤ ㄷ, ㄹ

03

두 수 A, B의 최소공배수가 16일 때, A, B의 공배수 중에서 가장 큰 두 자리 자연수는?

① 80 ② 84 ③ 88
④ 92 ⑤ 96

04

두 수 $2^3\times3^2\times5$, $2\times3^3\times7$의 최대공약수와 최소공배수를 차례로 나열한 것은?

① 2×3^2, $2^3\times3^3$
② 2×3^2, $2^3\times3^3\times5$
③ 2×3^2, $2^3\times3^3\times5\times7$
④ $2^3\times3^3$, $2^3\times3^3\times5$
⑤ $2^3\times3^3$, $2^3\times3^3\times5\times7$

05

쿠키 60개, 초콜릿 72개를 가능한 한 많은 학생들에게 남김없이 똑같이 나누어 주려고 할 때, 나누어 줄 수 있는 학생 수는?

① 12 ② 15 ③ 18
④ 24 ⑤ 30

06

두 모래시계 A, B의 모래가 다 떨어지는 데 각각 32분, 48분이 걸린다. 모래가 다 떨어질 때마다 모래시계를 뒤집을 때, 두 모래시계를 동시에 뒤집은 후 처음으로 다시 동시에 뒤집을 때까지 걸리는 시간은?

① 64분 ② 96분 ③ 128분
④ 160분 ⑤ 192분

정수와 유리수

1. 정수와 유리수

2. 유리수의 덧셈과 뺄셈

3. 유리수의 곱셈과 나눗셈

01 양수와 음수

정답과 풀이 11쪽

(1) 서로 반대되는 성질의 두 수량을 나타낼 때, 어떤 기준을 중심으로 한 쪽 수량에는 양의 부호 +, 다른 쪽 수량에는 음의 부호 −를 붙여 나타낼 수 있다.

+	이익	증가	영상	해발	~후
−	손해	감소	영하	해저	~전

(2) **양수**: 0보다 큰 수로 양의 부호 +가 붙은 수 예 $+2$, $+\frac{4}{5}$, $+0.1$

(3) **음수**: 0보다 작은 수로 음의 부호 −가 붙은 수 예 -1, $-\frac{2}{3}$, -2.3

부호가 붙은 수로 나타내기

다음을 양의 부호 + 또는 음의 부호 −를 사용하여 나타내시오.

01 지상 10층 → +10층
지하 4층 → ________

02 5 kg 감소 → −5 kg
6 kg 증가 → ________

03 30분 전 → −30분
20분 후 → ________

04 영상 32 ℃ → +32 ℃
영하 15 ℃ → ________

05 9000원 수입 → +9000원
5000원 지출 → ________

06 해저 2000 m → −2000 m
해발 2200 m → ________

양수와 음수 구분하기

다음을 양의 부호 + 또는 음의 부호 −를 사용하여 나타내고, 나타낸 수가 양수인지 음수인지 (　) 안에 써넣으시오.

07 0보다 9만큼 큰 수
→ ________ (　　　)

08 0보다 7만큼 작은 수
→ ________ (　　　)

09 0보다 $\frac{1}{2}$만큼 작은 수
→ ________ (　　　)

10 0보다 4.3만큼 큰 수
→ ________ (　　　)

11 대표 문제

다음 중 양의 부호 + 또는 음의 부호 −를 사용하여 나타낸 것으로 옳은 것은?

① 7년 전 → +7년
② 득점 12점 → −12점
③ 20 % 인하 → +20 %
④ 1000원 손해 → −1000원
⑤ 해발 150 m → −150 m

02 정수

정답과 풀이 11쪽

(1) **양의 정수:** 자연수에 양의 부호 +를 붙인 수

(2) **음의 정수:** 자연수에 음의 부호 −를 붙인 수

(3) **정수:** 양의 정수, 0, 음의 정수를 통틀어 정수라 한다.

참고 양의 정수는 양의 부호 +를 생략해서 나타내기도 하므로 자연수와 같다.

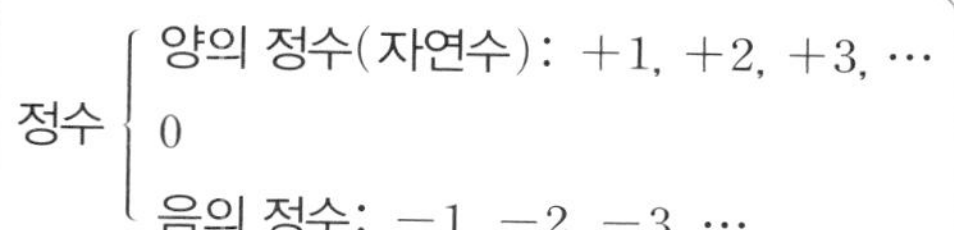

정수 분류하기

다음 수를 보기에서 모두 고르시오.

01 보기

$-5,\ 0,\ +13,\ -21,\ 9,\ +50$

(1) 자연수

(2) 양의 정수

(3) 음의 정수

(4) 양의 정수도 아니고 음의 정수도 아닌 수

02 보기

$+0.5,\ -12,\ +7,\ -\frac{4}{2},\ 0,\ -\frac{1}{4},\ \frac{10}{5}$

(1) 양의 정수

Tip 분수는 약분하여 정수가 되는지를 확인한다.

(2) 음의 정수

(3) 자연수가 아닌 정수

(4) 정수

03 보기

$-3.2,\ 20,\ +\frac{5}{6},\ 0,\ -8,\ +19,\ -\frac{15}{3}$

(1) 양의 정수

(2) 음의 정수

(3) 자연수가 아닌 정수

(4) 정수

다음 중 옳은 것은 ○표, 옳지 않은 것은 ×표를 ( ) 안에 써넣으시오.

04 모든 자연수는 정수이다. ( )

05 0은 정수가 아니다. ( )

06 정수는 양의 정수와 음의 정수로 이루어져 있다. ( )

07 대표 문제

다음 수 중에서 정수는 모두 몇 개인가?

$7,\ -1.8,\ +\frac{5}{3},\ \frac{12}{6},\ 0,\ -21$

① 2개 ② 3개 ③ 4개
④ 5개 ⑤ 6개

03 유리수

정답과 풀이 11쪽

(1) **양의 유리수(양수):** 분자, 분모가 모두 자연수인 분수에 양의 부호 $+$를 붙인 수

(2) **음의 유리수(음수):** 분자, 분모가 모두 자연수인 분수에 음의 부호 $-$를 붙인 수

(3) **유리수:** 양의 유리수, 0, 음의 유리수를 통틀어 유리수라 한다.

참고 모든 정수는 분수 꼴로 나타낼 수 있으므로 유리수이다.

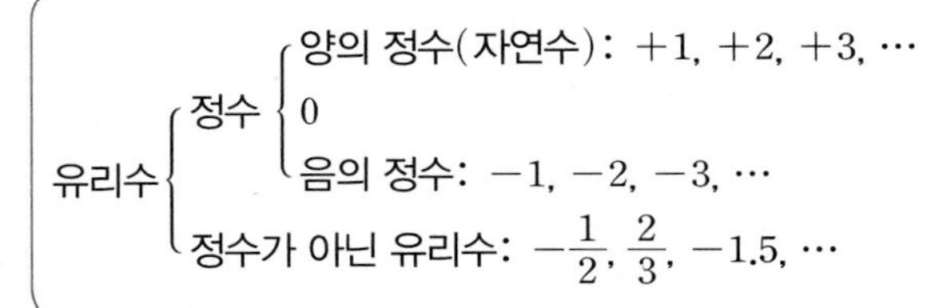

유리수 분류하기

다음 수를 보기에서 모두 고르시오.

보기

$-7,\quad +\frac{2}{2},\quad 0,\quad -\frac{7}{4},\quad 32,\quad -\frac{18}{9},\quad -1.6,\quad +4,\quad \frac{5}{6},\quad +0.95$

01 양의 유리수

02 음의 유리수

03 양의 정수

04 음의 정수

05 정수

06 정수가 아닌 유리수

다음 수에 대하여 옳은 것은 ○표, 옳지 않은 것은 ×표를 ( ) 안에 써넣으시오.

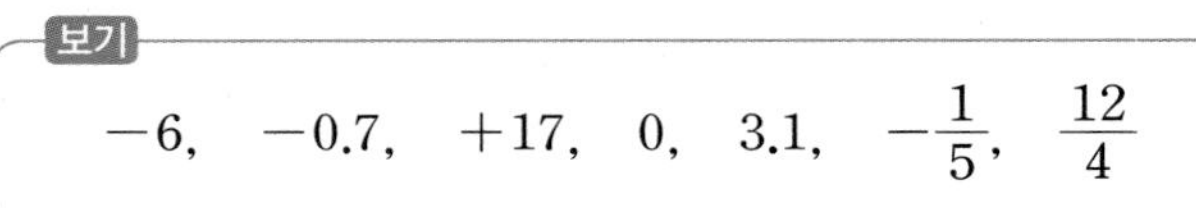

보기

$-6,\quad -0.7,\quad +17,\quad 0,\quad 3.1,\quad -\frac{1}{5},\quad \frac{12}{4}$

07 음의 유리수는 -0.7, $-\frac{1}{5}$의 2개이다. ( )

08 양수는 3개이다. ( )

09 0은 유리수이다. ( )

10 정수가 아닌 유리수는 -0.7, 3.1, $-\frac{1}{5}$, $\frac{12}{4}$의 4개이다. ( )

11 대표 문제

다음 중에서 정수가 아닌 유리수를 모두 고르면? (정답 2개)

① -10 ② $+\frac{4}{9}$ ③ 0

④ -4.5 ⑤ $\frac{21}{7}$

04 수직선

정답과 풀이 11쪽

수직선: 직선 위에 기준이 되는 점을 잡아 그 점에 수 0을 대응시키고, 그 점의 좌우에 일정한 간격으로 점을 잡아 오른쪽에 양수를, 왼쪽에 음수를 대응시킨 직선

예 -4, $+3$, $-\frac{5}{3}$, $+1.5$를 수직선 위에 나타내면 다음과 같다.

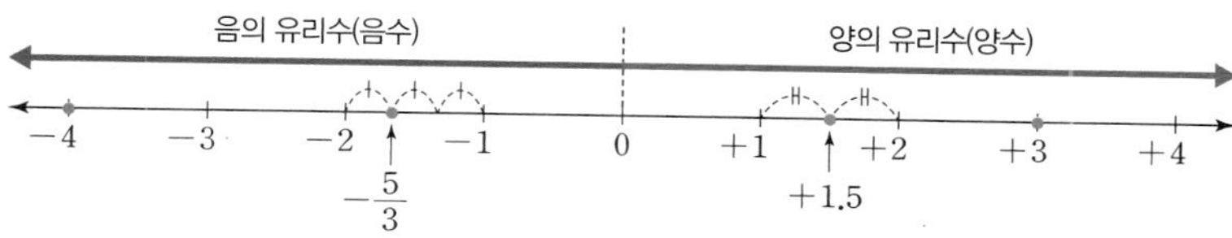

수직선 위의 점이 나타내는 수

다음 수직선 위의 점 A, B가 나타내는 수를 구하시오.

01

02

03

04

수를 수직선 위에 나타내기

다음 수를 수직선 위에 점으로 나타내시오.

05 A: $-\frac{2}{3}$, B: $+\frac{5}{3}$

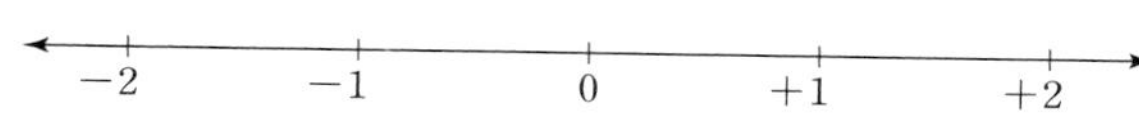

06 A: -2.5, B: $+\frac{5}{2}$

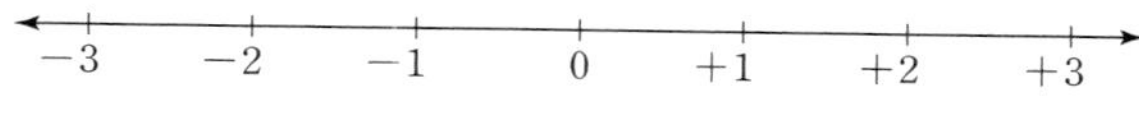

07 A: $-\frac{5}{4}$, B: $+\frac{7}{4}$

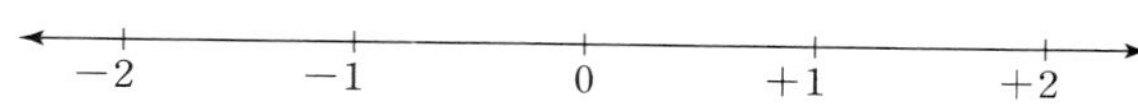

08 대표 문제

다음 수직선 위의 점 A, B, C, D, E가 나타내는 수로 옳지 않은 것은?

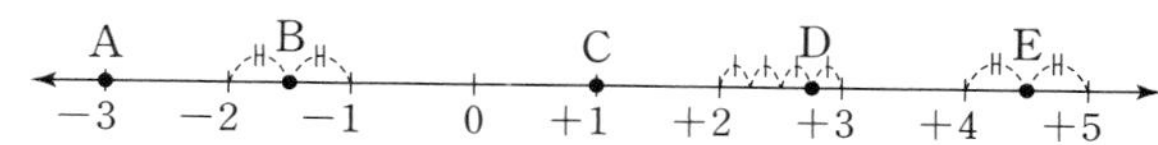

① A: -3　② B: -2.5　③ C: $+1$
④ D: $+\frac{11}{4}$　⑤ E: $+4.5$

05 절댓값

정답과 풀이 12쪽

(1) **절댓값:** 수직선 위에서 0을 나타내는 점과 어떤 수를 나타내는 점 사이의 거리를 그 수의 절댓값이라 하고, 기호 | |를 사용하여 나타낸다.

(2) **절댓값의 성질**

① 양수와 음수의 절댓값은 그 수에서 부호 $+$, $-$를 떼어낸 수와 같다.

② 0의 절댓값은 0이다. ➔ $|0|=0$

③ 원점에서 멀리 떨어질수록 절댓값이 커진다.

참고 절댓값이 $a(a>0)$인 수는 $+a$, $-a$의 2개이다.

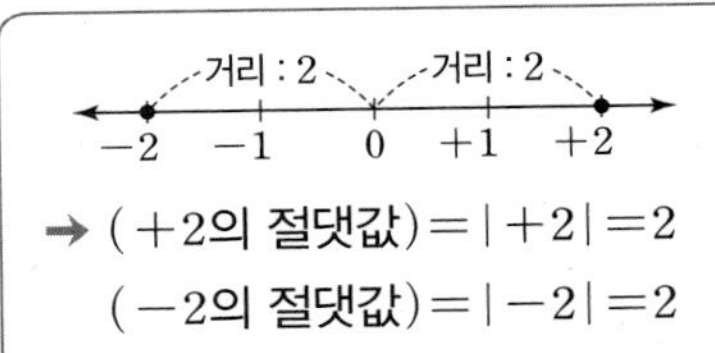

➔ ($+2$의 절댓값)$=|+2|=2$

(-2의 절댓값)$=|-2|=2$

절댓값을 기호를 사용하여 나타내기

다음 수의 절댓값을 기호를 사용하여 나타내고 그 값을 구하시오.

$+3$ ➔ $|+3|=3$ ← 0과 $+3$ 사이의 거리

01 -4 ➔ ____________

02 $+12$ ➔ ____________

03 0 ➔ ____________

04 -5.2 ➔ ____________

05 $+\frac{5}{7}$ ➔ ____________

06 $-\frac{10}{9}$ ➔ ____________

절댓값 구하기

다음 값을 구하시오.

07 -25의 절댓값

08 $+\frac{1}{3}$의 절댓값

09 -10.8의 절댓값

10 $|-1|+|+9|$

11 $|-8|-|-3|$

12 $|-7|-|+4|$

13 대표 문제

다음 중에서 절댓값이 가장 작은 수는?

① -6 ② $+5$ ③ $+2.9$

④ $-\frac{10}{3}$ ⑤ -7

절댓값의 성질

다음을 구하시오.

절댓값이 4인 수
→ 원점으로부터의 거리가 4인 수

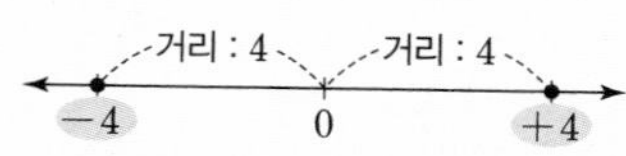

절댓값이 4인 수는 -4, $+4$이다.

14 절댓값이 8인 수

15 절댓값이 11인 음수

16 절댓값이 0인 수

17 절댓값이 $\frac{5}{6}$인 수

18 절댓값이 3.4인 양수

19 -10과 절댓값이 같은 양수

20 $+\frac{8}{9}$과 절댓값이 같은 음수

절댓값이 같고 부호가 반대인 두 수를 수직선 위에 나타내었더니 두 점 사이의 거리가 다음과 같을 때, 두 수를 구하시오.

따라하기

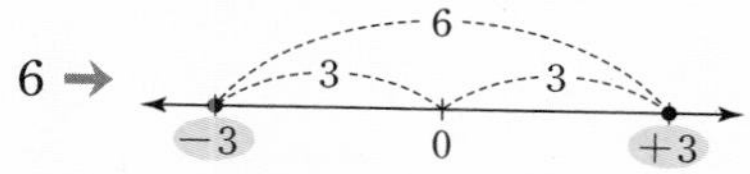

따라서 절댓값이 같고 부호가 반대인 두 수는 -3, $+3$이다.

21 4

22 10

23 18

24 2.8

25 $\frac{6}{5}$

26 대표 문제

수직선에서 절댓값이 6인 수에 대응하는 두 점 사이의 거리는?

① 6 ② 10 ③ 12
④ 14 ⑤ 16

06 수의 대소 관계

정답과 풀이 12쪽

(1) (음수) < 0 < (양수)
(2) (음수) < (양수)
(3) 양수끼리는 절댓값이 큰 수가 크다. 예 $+2<+5$ ← $|+2|<|+5|$
(4) 음수끼리는 절댓값이 큰 수가 작다. 예 $-2>-5$ ← $|-2|<|-5|$

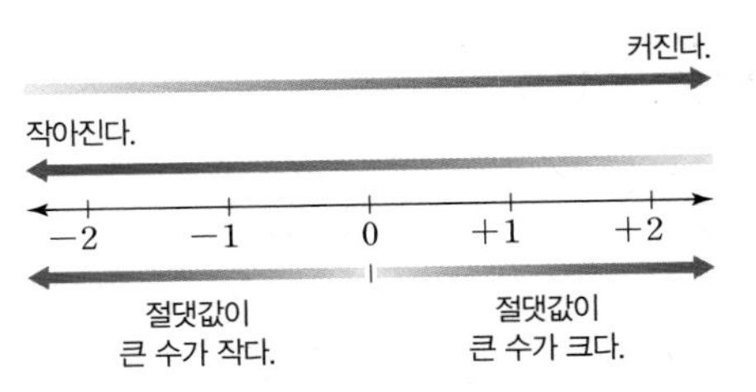

부호가 다른 두 수의 대소 관계

다음 ○ 안에 알맞은 부등호를 써넣으시오.

따라하기

-7 ⓧ< $+3$ ← (음수)<(양수)

01 -4 ○ $+1$

02 0 ○ -5

03 -1.2 ○ $+1.2$

04 $+10$ ○ -20

05 5.3 ○ 0

06 $+\frac{1}{2}$ ○ $-\frac{3}{2}$

07 $-\frac{19}{10}$ ○ $\frac{9}{5}$

부호가 같은 두 수의 대소 관계

다음 ○ 안에 알맞은 부등호를 써넣으시오.

따라하기

$+4$ (>) $+3$ ← 양수끼리는 절댓값이 큰 수가 크다.
→ $|+4|=4$, $|+3|=3$이고
$|+4|>|+3|$이므로 $+4>+3$

08 $+7$ ○ $+9$

09 $+2$ ○ $+2.5$

10 $+\frac{3}{7}$ ○ $+\frac{2}{7}$

11 $+1$ ○ $+0.5$

12 $\frac{2}{3}$ ○ $\frac{4}{5}$

Tip 두 수의 분모를 통분해서 크기를 비교한다.

13 0.7 ○ $\frac{3}{4}$

Tip 소수와 분수의 크기 비교는 소수 또는 분수로 통일해서 크기를 비교한다.

다음 ○ 안에 알맞은 부등호를 써넣으시오.

따라하기

$-4 \, ⓒ \, -3$ ← 음수끼리는 절댓값이 큰 수가 작다.

→ $|-4|=4$, $|-3|=3$이고

$|-4|>|-3|$이므로 $-4<-3$

14 -9 ○ -10

15 -32 ○ -25

16 -0.7 ○ -1

17 $-\frac{2}{5}$ ○ $-\frac{4}{5}$

18 -5.1 ○ -3.5

19 $-\frac{5}{4}$ ○ $-\frac{5}{2}$

Tip 두 수의 분모를 통분해서 크기를 비교한다.

20 $-\frac{1}{6}$ ○ $-\frac{2}{7}$

21 $-\frac{3}{2}$ ○ -1.4

Tip 소수와 분수의 크기 비교는 소수 또는 분수로 통일해서 크기를 비교한다.

세 수 이상의 대소 관계

다음 수를 큰 수부터 차례로 나열하시오.

22 $0, \ \frac{1}{2}, \ -\frac{1}{3}$

23 $-3, \ 0, \ -1, \ -4, \ 1$

24 $3, \ -5, \ -8, \ 7, \ -6$

25 $-3.2, \ -3, \ 0, \ \frac{7}{4}, \ -\frac{1}{2}$

26 $-\frac{3}{4}, \ 0.1, \ 0, \ -\frac{8}{5}, \ -2$

27 대표 문제

다음 중에서 □ 안에 알맞은 부등호가 나머지 넷과 다른 하나는?

① -2 □ -7　② 1.9 □ -0.6

③ 0 □ $-\frac{1}{5}$　④ $-\frac{3}{4}$ □ $-\frac{4}{5}$

⑤ $\frac{4}{3}$ □ $\frac{3}{2}$

07 부등호의 사용

정답과 풀이 13쪽

$x>a$	$x<a$	$x\geq a$	$x\leq a$
x는 a보다 크다. x는 a 초과이다.	x는 a보다 작다. x는 a 미만이다.	x는 a보다 크거나 같다. x는 a보다 작지 않다. x는 a 이상이다.	x는 a보다 작거나 같다. x는 a보다 크지 않다. x는 a 이하이다.

예 x는 -3 초과이고 5 이하이다. → $-3<x\leq5$

부등호를 사용하여 나타내기

다음 ○ 안에 알맞은 부등호를 써넣으시오.

01 x는 5보다 크다.

→ x ○ 5

02 x는 -4 미만이다.

→ x ○ -4

03 x는 6보다 크지 않다.

→ x ○ 6

04 x는 -9보다 크거나 같다.

→ x ○ -9

05 x는 -1 이상이고 7 이하이다.

→ -1 ○ x ○ 7

06 x는 0보다 크고 8보다 작거나 같다.

→ 0 ○ x ○ 8

07 x는 -5 초과이고 -3 미만이다.

→ -5 ○ x ○ -3

다음을 부등호를 사용하여 나타내시오.

08 x는 7 미만이다.

09 x는 -5보다 작지 않다.

10 x는 $\frac{1}{2}$보다 작거나 같다.

11 x는 -6 이상이고 -1 미만이다.

12 x는 $\frac{3}{5}$보다 크고 4보다 작다.

13 x는 -0.5 초과이고 3.5 이하이다.

14 x는 -1.8보다 크거나 같고 $\frac{7}{3}$보다 작거나 같다.

두 수 사이에 있는 정수 구하기

수직선을 이용하여 다음을 구하시오.

따라하기

-2 이상이고 2 미만인 정수

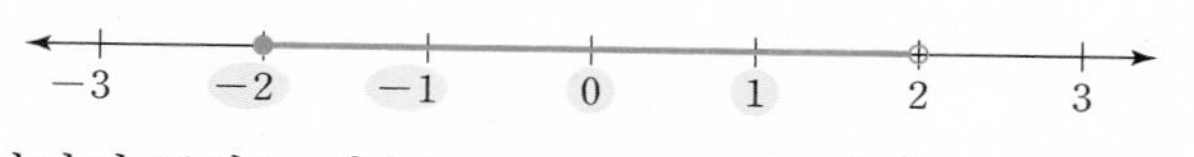

따라서 구하는 정수는 -2, -1, 0, 1이다.

15 -3보다 크고 2보다 작거나 같은 정수

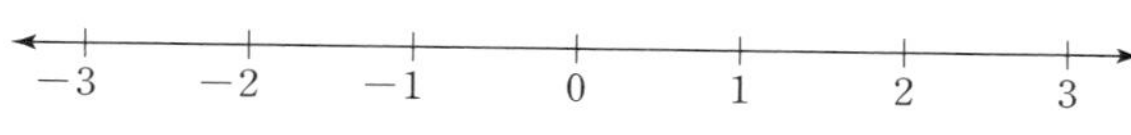

16 -1 초과이고 3 미만인 정수

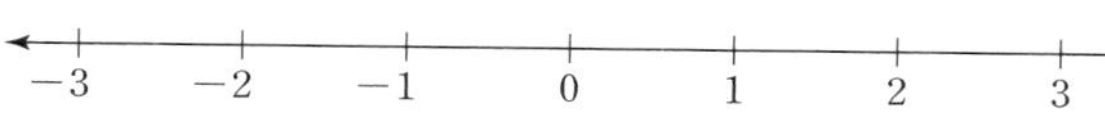

17 $-\frac{9}{4}$ 이상이고 0 이하인 정수

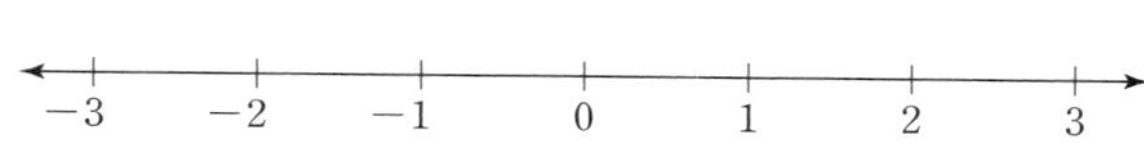

18 -2.5보다 크거나 같고 $\frac{5}{2}$보다 작은 정수

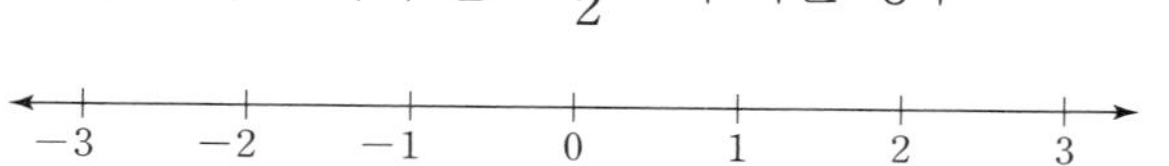

다음을 만족하는 정수 x를 모두 구하시오.

따라하기

$0<x\le 5$

→ x는 0보다 크고 5보다 작거나 같은 정수이므로 1, 2, 3, 4, 5이다.

19 $-4<x<1$

20 $-4.1\le x\le -1$

21 $-\frac{4}{3}<x\le 2$

22 $-\frac{11}{5}\le x<\frac{3}{2}$

23 대표 문제

$-\frac{7}{2}<x\le 1$을 만족하는 정수 x의 개수는?

① 3 ② 4 ③ 5

④ 6 ⑤ 7

확인 문제

정답과 풀이 13쪽

01

다음 중에서 양의 정수를 모두 고르면? (정답 2개)

① $-\frac{12}{3}$　② 0　③ $+15$

④ $+\frac{8}{5}$　⑤ $\frac{27}{9}$

02

다음 중에서 옳지 <u>않은</u> 것을 모두 고르면? (정답 2개)

① 0은 양수이다.

② $+1$은 유리수이다.

③ 1.7은 양의 유리수이다.

④ -23은 음의 유리수이다.

⑤ $-\frac{14}{7}$는 정수가 아닌 유리수이다.

03

다음 수 중에서 절댓값이 두 번째로 작은 수는?

① -2.8　② $-\frac{2}{3}$　③ $-\frac{1}{6}$

④ 0　⑤ $+1$

04

$-\frac{8}{5}$의 절댓값을 a, 절댓값이 $\frac{2}{5}$인 수 중에서 양수를 b라 할 때, $a+b$의 값은?

① -2　② $-\frac{6}{5}$　③ $\frac{4}{5}$

④ $\frac{6}{5}$　⑤ 2

05

다음 중에서 두 수의 대소 관계가 옳지 <u>않은</u> 것은?

① $-0.7<0$　② $\frac{1}{3}>\frac{1}{5}$

③ $-\frac{7}{4}>-\frac{5}{4}$　④ $-3>-6$

⑤ $-\frac{5}{9}<-\frac{4}{9}$

06

다음을 부등호를 사용하여 나타내면?

a는 -5 초과이고 8보다 크지 않다.

① $-5\le a<8$　② $-5\le a\le 8$

③ $-5<a<8$　④ $-5<a\le 8$

⑤ $a\le -5$ 또는 $a>8$

2. 유리수의 덧셈과 뺄셈

01 부호가 같은 두 수의 덧셈

정답과 풀이 13쪽

두 수의 절댓값의 합에 공통인 부호를 붙인다.

(1) (양수)+(양수)=+(두 수의 절댓값의 합) 예 $(+1)+(+5)=+(1+5)=+6$

(2) (음수)+(음수)=−(두 수의 절댓값의 합) 예 $(-1)+(-5)=-(1+5)=-6$

수직선을 이용한 부호가 같은 두 수의 덧셈

※ 수직선을 보고, 다음 □ 안에 알맞은 수를 써넣으시오.

01

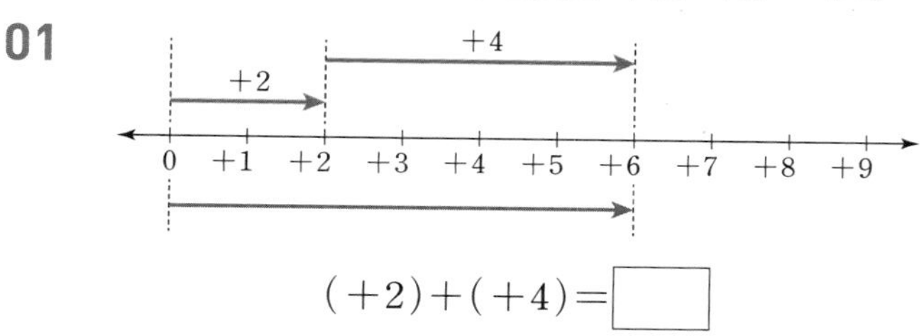

$(+2)+(+4)=$ □

02

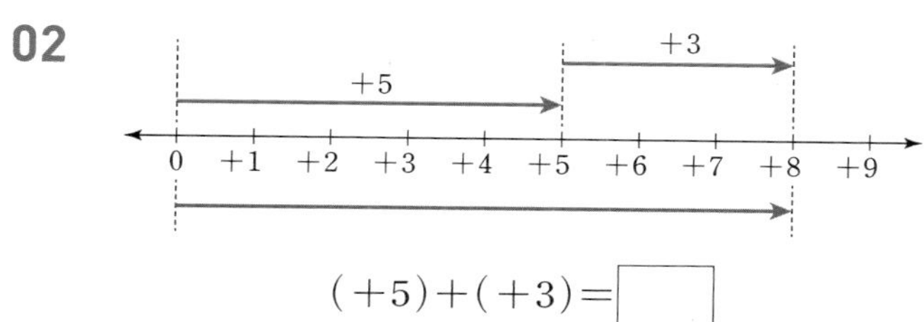

$(+5)+(+3)=$ □

03

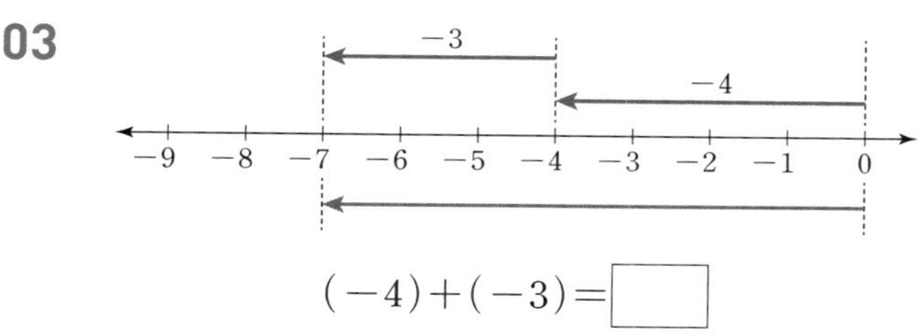

$(-4)+(-3)=$ □

04

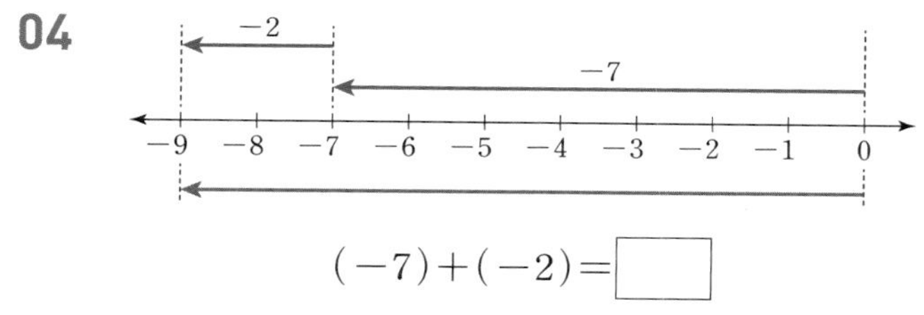

$(-7)+(-2)=$ □

부호가 같은 두 정수의 덧셈

※ 다음을 계산하시오.

따라하기

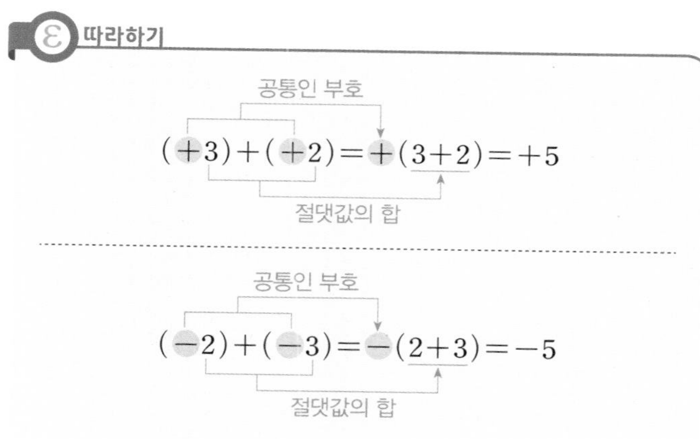

05 $(+1)+(+7)$

06 $(+3)+(+9)$

07 $(+6)+(+11)$

08 $(+13)+(+8)$

09 $(+5)+(+21)$

10 $(+16)+(+19)$

11 $(+20)+(+12)$

12 $(-1)+(-5)$

13 $(-6)+(-4)$

14 $(-9)+(-8)$

15 $(-11)+(-10)$

16 $(-16)+(-4)$

17 $(-17)+(-9)$

18 $(-15)+(-14)$

19 $(-23)+(-6)$

20 $(-19)+(-28)$

부호가 같은 두 유리수의 덧셈

다음을 계산하시오.

ε 따라하기

공통인 부호

$$\left(+\frac{1}{2}\right)+\left(+\frac{3}{2}\right)=+\left(\frac{1}{2}+\frac{3}{2}\right)=+2$$

절댓값의 합

공통인 부호

$$\left(-\frac{1}{2}\right)+\left(-\frac{3}{2}\right)=-\left(\frac{1}{2}+\frac{3}{2}\right)=-2$$

절댓값의 합

21 $\left(+\frac{2}{3}\right)+\left(+\frac{5}{3}\right)$

22 $\left(+\frac{6}{7}\right)+\left(+\frac{4}{7}\right)$

23 $\left(-\frac{2}{5}\right)+\left(-\frac{4}{5}\right)$

24 $\left(-\frac{5}{6}\right)+\left(-\frac{11}{6}\right)$

25 $\left(+\frac{1}{2}\right)+\left(+\frac{1}{4}\right)$

Tip 분모가 다른 분수의 덧셈은 통분한 후 계산한다.

26 $\left(+\frac{5}{6}\right)+\left(+\frac{3}{8}\right)$

27 $\left(-\frac{1}{3}\right)+\left(-\frac{1}{6}\right)$

28 $\left(-\frac{3}{4}\right)+\left(-\frac{7}{10}\right)$

29 $(+0.6)+(+0.8)$

30 $(+4.6)+(+3.2)$

31 $(-0.7)+(-1.8)$

32 $(-4.9)+(-7.3)$

33 $(+0.3)+\left(+\frac{2}{5}\right)$

Tip 소수를 분수로 고쳐서 계산한다.

34 $\left(+\frac{5}{6}\right)+(+1.2)$

35 $(-0.2)+\left(-\frac{1}{2}\right)$

36 $\left(-\frac{2}{7}\right)+(-1.4)$

어떤 수보다 ■만큼 큰 수 구하기

다음을 구하시오.

따라하기

어떤 수보다 ■만큼 큰 수 ➔ (어떤 수)+■

- $+2$보다 $+1$만큼 큰 수 ← $+1$을 더한다.
  ➔ $(+2)+(+1)=+(2+1)=+3$
- -1보다 -2만큼 큰 수 ← -2를 더한다.
  ➔ $(-1)+(-2)=-(1+2)=-3$

37 $+4$보다 $+8$만큼 큰 수

38 -7보다 -3만큼 큰 수

39 $+\frac{1}{2}$보다 $+\frac{1}{3}$만큼 큰 수

40 -0.2보다 -4.5만큼 큰 수

41 대표 문제

다음 중에서 계산 결과가 옳지 않은 것은?

① $(+4)+(+11)=+15$
② $(-8)+(-10)=-18$
③ $(+3.9)+(+6.3)=+10.2$
④ $\left(-\frac{2}{5}\right)+\left(-\frac{2}{3}\right)=-\frac{16}{15}$
⑤ $\left(+\frac{1}{4}\right)+(+0.6)=+\frac{13}{20}$

02 부호가 다른 두 수의 덧셈

정답과 풀이 15쪽

두 수의 절댓값의 차에 절댓값이 큰 수의 부호를 붙인다.

(양수)+(음수), (음수)+(양수) → ●(두 수의 절댓값의 차)

● : 절댓값이 큰 수의 부호

예 $(+5)+(-3)=+(5-3)=+2$

$(-7)+(+2)=-(7-2)=-5$

수직선을 이용한 부호가 다른 두 수의 덧셈

※ 수직선을 보고, 다음 □ 안에 알맞은 수를 써넣으시오.

01

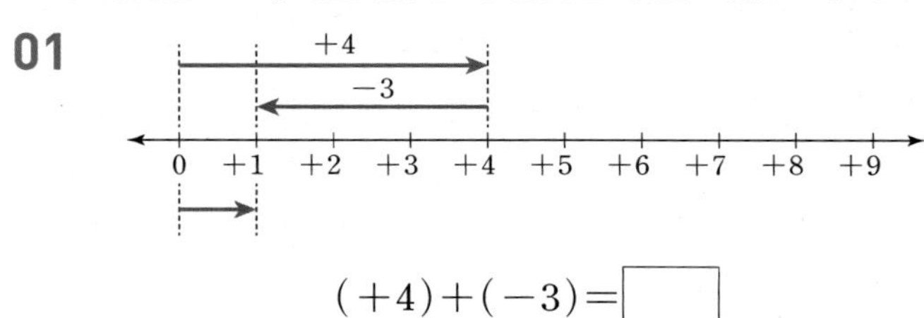

$(+4)+(-3)=$ □

02

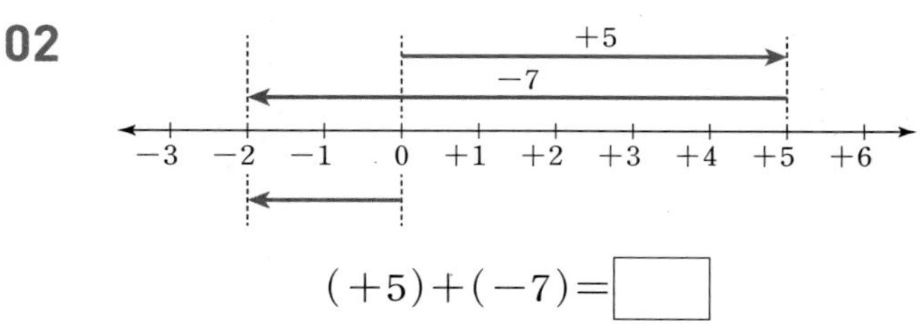

$(+5)+(-7)=$ □

03

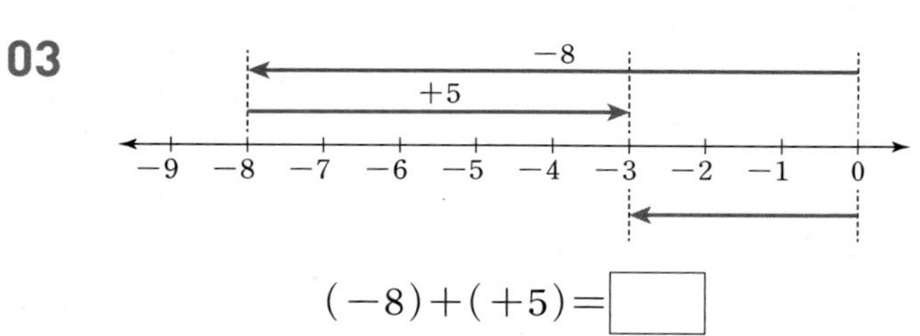

$(-8)+(+5)=$ □

04

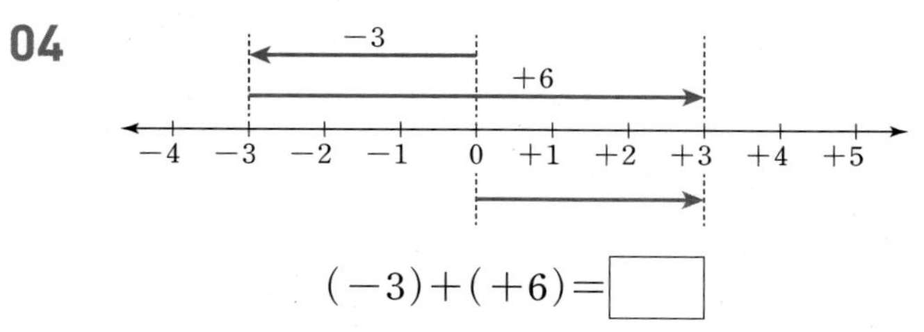

$(-3)+(+6)=$ □

부호가 다른 두 정수의 덧셈

※ 다음을 계산하시오.

ε 따라하기

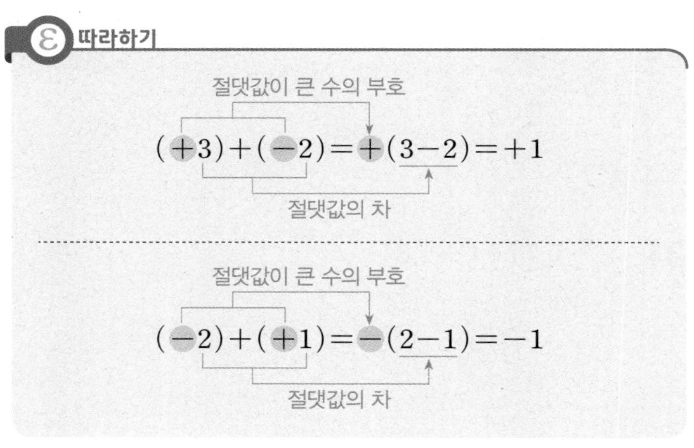

05 $(+8)+(-6)$

06 $(+5)+(-9)$

07 $(+3)+(-10)$

08 $(+6)+(-13)$

09 $(+12)+(-2)$

10 $(+9)+(-27)$

11 $(+15)+(-15)$

12 $(-4)+(+6)$

13 $(-7)+(+5)$

14 $(-8)+(+2)$

15 $(-9)+(+14)$

16 $(-15)+(+5)$

17 $(-18)+(+11)$

18 $(-20)+(+18)$

19 $(-25)+(+27)$

20 $(-30)+0$

부호가 다른 두 유리수의 덧셈

다음을 계산하시오.

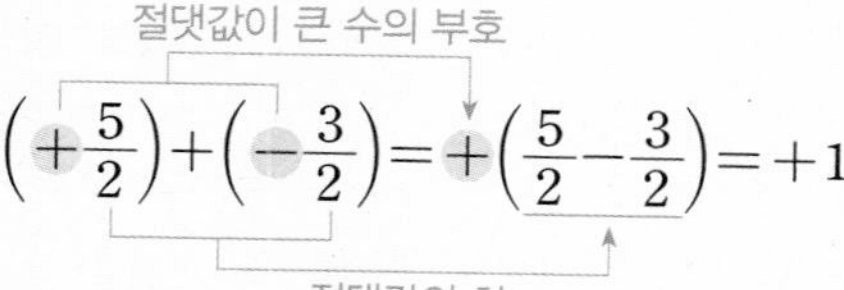

절댓값이 큰 수의 부호

$$\left(+\frac{5}{2}\right)+\left(-\frac{3}{2}\right)=+\left(\frac{5}{2}-\frac{3}{2}\right)=+1$$

절댓값의 차

절댓값이 큰 수의 부호

$$\left(-\frac{5}{2}\right)+\left(+\frac{3}{2}\right)=-\left(\frac{5}{2}-\frac{3}{2}\right)=-1$$

절댓값의 차

21 $\left(+\frac{8}{3}\right)+\left(-\frac{2}{3}\right)$

22 $\left(+\frac{4}{5}\right)+\left(-\frac{1}{5}\right)$

23 $\left(-\frac{11}{9}\right)+\left(+\frac{2}{9}\right)$

24 $\left(-\frac{1}{4}\right)+\left(+\frac{7}{4}\right)$

25 $\left(+\frac{1}{2}\right)+\left(-\frac{1}{3}\right)$

Tip 분모가 다른 분수의 덧셈은 통분한 후 계산한다.

26 $\left(+\frac{3}{4}\right)+\left(-\frac{5}{6}\right)$

27 $\left(-\frac{5}{8}\right)+\left(+\frac{7}{10}\right)$

28 $\left(-\frac{4}{5}\right)+\left(+\frac{11}{15}\right)$

29 $(+0.5)+(-0.4)$

30 $(+2.1)+(-3.6)$

31 $(-0.8)+(+1.9)$

32 $(-7.3)+(+6.4)$

33 $(+0.2)+\left(-\frac{1}{2}\right)$

Tip 소수를 분수로 고쳐서 계산한다.

34 $\left(+\frac{1}{4}\right)+(-1.6)$

35 $(-0.7)+\left(+\frac{2}{5}\right)$

36 $\left(-\frac{3}{8}\right)+(+2.5)$

어떤 수보다 ■만큼 큰 수 구하기

다음을 구하시오.

ε 따라하기

어떤 수보다 ■만큼 큰 수 → (어떤 수)+■

- +2보다 −1만큼 큰 수 ← −1을 더한다.
  → $(+2)+(-1)=+(2-1)=+1$
- −3보다 +1만큼 큰 수 ← +1을 더한다.
  → $(-3)+(+1)=-(3-1)=-2$

37 +2보다 −9만큼 큰 수

38 −6보다 +10만큼 큰 수

39 $+\frac{2}{3}$보다 $-\frac{1}{6}$만큼 큰 수

40 −3.5보다 +5.3만큼 큰 수

41 대표 문제

다음 중에서 계산 결과가 옳은 것을 모두 고르면? (정답 2개)

① $(+5)+(-10)=+5$
② $(-12)+(+15)=-3$
③ $(+2.6)+(-3.1)=-0.5$
④ $\left(+\frac{7}{4}\right)+\left(-\frac{3}{2}\right)=-\frac{1}{4}$
⑤ $\left(-\frac{9}{8}\right)+(+1.1)=-\frac{1}{40}$

03 덧셈의 계산 법칙

정답과 풀이 16쪽

(1) 덧셈의 교환법칙: 두 수 a, b에 대하여 $a+b=b+a$

예 $\underbrace{(+2)+(+3)}_{+5}=\underbrace{(+3)+(+2)}_{+5}$

(2) 덧셈의 결합법칙: 세 수 a, b, c에 대하여 $(a+b)+c=a+(b+c)$

예 $\{\underbrace{(+4)+(-3)}_{+1}\}+(+2)=(+4)+\{\underbrace{(-3)+(+2)}_{-1}\}$ (왼쪽: $+1$과 $(+2)$의 합 $+3$, 오른쪽: $(+4)$와 -1의 합 $+3$)

다음은 덧셈의 계산 법칙을 이용하여 계산하는 과정이다. □ 안에 알맞은 수를 써넣고, (가), (나)에 이용된 덧셈의 계산 법칙을 쓰시오.

01 $(+5)+(-6)+(+1)$
$=(-6)+(+5)+(+1)$) (가)
$=(-6)+\{(\square)+(+1)\}$) (나)
$=(-6)+(\square)$
$=\square$

(가): ____________, (나): ____________

02 $\left(+\frac{2}{5}\right)+\left(+\frac{1}{2}\right)+\left(+\frac{3}{5}\right)$
$=\left(+\frac{2}{5}\right)+(\square)+\left(+\frac{1}{2}\right)$) (가)
$=\left\{\left(+\frac{2}{5}\right)+(\square)\right\}+\left(+\frac{1}{2}\right)$) (나)
$=(\square)+\left(+\frac{1}{2}\right)$
$=\square$

(가): ____________, (나): ____________

03 $(-3.1)+(+1.5)+(-1.9)$
$=(+1.5)+(\square)+(-1.9)$) (가)
$=(+1.5)+\{(\square)+(-1.9)\}$) (나)
$=(+1.5)+(\square)$
$=\square$

(가): ____________, (나): ____________

덧셈의 계산 법칙을 이용하여 다음을 계산하시오.

04 $(-5)+(+6)+(+5)$

05 $(-2)+(+9)+(-5)$

06 $\left(+\frac{4}{7}\right)+(-6)+\left(+\frac{3}{7}\right)$

07 $\left(-\frac{1}{6}\right)+\left(+\frac{2}{3}\right)+\left(-\frac{7}{6}\right)$

08 $\left(+\frac{5}{8}\right)+\left(-\frac{5}{4}\right)+\left(+\frac{9}{8}\right)$

09 $(+1.5)+(-2)+(+2.5)$

10 $(-1.7)+(+4.6)+(-2.2)$

04 두 수의 뺄셈

정답과 풀이 16쪽

두 수의 뺄셈은 빼는 수의 부호를 바꾸어 덧셈으로 고쳐서 계산한다.

예 $(+3)-(+5)=(+3)+(-5)=-(5-3)=-2$

$(-2)-(-3)=(-2)+(+3)=+(3-2)=+1$

$a-(+b)=a+(-b)$

$a-(-b)=a+(+b)$

두 정수의 뺄셈 (1): (어떤 수)−(양의 정수)

다음을 계산하시오.

ε 따라하기

뺄셈을 덧셈으로

$(+3)-(+2)=(+3)+(-2)=+(3-2)=+1$

빼는 수의 부호를 바꾼다.

뺄셈을 덧셈으로

$(-3)-(+2)=(-3)+(-2)=-(3+2)=-5$

빼는 수의 부호를 바꾼다.

01 $(+1)-(+3)$

02 $(+9)-(+8)$

03 $(+11)-(+14)$

04 $(-1)-(+4)$

05 $(-7)-(+10)$

06 $(-10)-(+3)$

두 정수의 뺄셈 (2): (어떤 수)−(음의 정수)

다음을 계산하시오.

ε 따라하기

뺄셈을 덧셈으로

$(+4)-(-3)=(+4)+(+3)=+(4+3)=+7$

빼는 수의 부호를 바꾼다.

뺄셈을 덧셈으로

$(-4)-(-3)=(-4)+(+3)=-(4-3)=-1$

빼는 수의 부호를 바꾼다.

07 $(+1)-(-2)$

08 $(+5)-(-6)$

09 $(+8)-(-10)$

10 $(-4)-(-6)$

11 $(-8)-(-5)$

12 $(-11)-(-7)$

두 정수의 뺄셈 (3): (어떤 수)−(정수)

다음을 계산하시오.

13 $(+4)-(+2)$

14 $(-5)-(+6)$

15 $(+6)-(+9)$

16 $(+2)-(-5)$

17 $(-6)-(-1)$

18 $(+16)-(+20)$

19 $(+21)-(+16)$

20 $(-18)-(+15)$

21 $(+13)-(-18)$

22 $(-10)-(-14)$

23 $(+25)-(+30)$

24 $(-24)-(+19)$

25 $(+32)-(-25)$

26 $(+27)-(+45)$

27 $(-23)-(+16)$

28 $(+9)-(-12)$

29 $(-17)-(-22)$

30 $(-50)-(-41)$

31 대표 문제

다음 중에서 계산 결과가 가장 작은 것은?

① $(+4)-(+3)$　② $(-7)-(-10)$
③ $(-5)-(-8)$　④ $(-13)-(+16)$
⑤ $(+4)-(-2)$

두 유리수의 뺄셈 (1): (어떤 수)−(양의 유리수)

다음을 계산하시오.

ε 따라하기

뺄셈을 덧셈으로

$\left(+\frac{2}{3}\right)-\left(+\frac{1}{3}\right)=\left(+\frac{2}{3}\right)+\left(-\frac{1}{3}\right)$

빼는 수의 부호를 바꾼다.

$=+\left(\frac{2}{3}-\frac{1}{3}\right)=+\frac{1}{3}$

뺄셈을 덧셈으로

$\left(-\frac{2}{3}\right)-\left(+\frac{1}{3}\right)=\left(-\frac{2}{3}\right)+\left(-\frac{1}{3}\right)$

빼는 수의 부호를 바꾼다.

$=-\left(\frac{2}{3}+\frac{1}{3}\right)=-1$

32 $\left(+\frac{3}{2}\right)-\left(+\frac{1}{2}\right)$

33 $\left(+\frac{1}{4}\right)-\left(+\frac{3}{4}\right)$

34 $\left(-\frac{6}{7}\right)-\left(+\frac{4}{7}\right)$

35 $\left(-\frac{4}{9}\right)-\left(+\frac{8}{9}\right)$

36 $\left(+\frac{1}{3}\right)-\left(+\frac{5}{6}\right)$

Tip 분모가 다른 분수의 뺄셈은 통분한 후 계산한다.

37 $(+1.8)-(+5.7)$

38 $(-2.6)-(+4.9)$

두 유리수의 뺄셈 (2): (어떤 수)−(음의 유리수)

다음을 계산하시오.

ε 따라하기

뺄셈을 덧셈으로

$\left(+\frac{3}{4}\right)-\left(-\frac{1}{4}\right)=\left(+\frac{3}{4}\right)+\left(+\frac{1}{4}\right)$

빼는 수의 부호를 바꾼다.

$=+\left(\frac{3}{4}+\frac{1}{4}\right)=+1$

뺄셈을 덧셈으로

$\left(-\frac{3}{4}\right)-\left(-\frac{1}{4}\right)=\left(-\frac{3}{4}\right)+\left(+\frac{1}{4}\right)$

빼는 수의 부호를 바꾼다.

$=-\left(\frac{3}{4}-\frac{1}{4}\right)=-\frac{1}{2}$

39 $\left(+\frac{3}{2}\right)-\left(-\frac{7}{2}\right)$

40 $\left(+\frac{7}{6}\right)-\left(-\frac{5}{6}\right)$

41 $\left(-\frac{3}{7}\right)-\left(-\frac{5}{7}\right)$

42 $\left(-\frac{9}{11}\right)-\left(-\frac{6}{11}\right)$

43 $\left(+\frac{7}{6}\right)-\left(-\frac{5}{8}\right)$

Tip 분모가 다른 분수의 뺄셈은 통분한 후 계산한다.

44 $(+6.5)-(-3.8)$

45 $(-7.1)-(-5.3)$

두 유리수의 뺄셈 (3): (어떤 수)−(유리수)

다음을 계산하시오.

46 $\left(+\frac{5}{2}\right)-\left(+\frac{5}{8}\right)$

47 $\left(-\frac{4}{5}\right)-\left(+\frac{3}{2}\right)$

48 $\left(+\frac{1}{4}\right)-\left(-\frac{3}{10}\right)$

49 $\left(-\frac{6}{5}\right)-\left(-\frac{2}{3}\right)$

50 $(-2.1)-(+1.9)$

51 $(+0.9)-(-0.5)$

52 $(+0.8)-\left(+\frac{4}{3}\right)$

Tip 소수를 분수로 고쳐서 계산한다.

53 $\left(-\frac{7}{8}\right)-(+1.5)$

54 $(+0.5)-\left(-\frac{1}{8}\right)$

55 $\left(-\frac{2}{9}\right)-(-1.8)$

어떤 수보다 ●만큼 작은 수 구하기

다음을 구하시오.

따라하기

어떤 수보다 ●만큼 작은 수 → (어떤 수)−●

• $+3$보다 $+1$만큼 작은 수 ← $+1$을 뺀다.

→ $(+3)-(+1)=(+3)+(-1)=+(3-1)=+2$

• -2보다 -1만큼 작은 수 ← -1을 뺀다.

→ $(-2)-(-1)=(-2)+(+1)=-(2-1)=-1$

56 $+5$보다 $+7$만큼 작은 수

57 -6보다 -5만큼 작은 수

58 $+\frac{5}{8}$보다 $-\frac{3}{8}$만큼 작은 수

59 $-\frac{4}{5}$보다 $+\frac{1}{2}$만큼 작은 수

60 $+4.7$보다 -1.6만큼 작은 수

61 대표 문제

다음 중에서 계산 결과가 -2인 것은?

① $(-1.5)-(-2.5)$
② $(+3.6)-(+1.2)$
③ $\left(+\frac{5}{2}\right)-\left(-\frac{3}{2}\right)$
④ $\left(-\frac{1}{3}\right)-\left(-\frac{5}{6}\right)$
⑤ $\left(-\frac{4}{5}\right)-(+1.2)$

05 덧셈과 뺄셈의 혼합 계산

정답과 풀이 18쪽

덧셈과 뺄셈이 섞여 있는 식은 다음과 같은 순서로 계산한다.
① 뺄셈을 덧셈으로 고친다.
② 덧셈의 교환법칙 또는 결합법칙을 이용하여 계산이 간단해지도록 계산 순서를 적당히 바꾸어 계산한다.

정수의 덧셈과 뺄셈의 혼합 계산

다음을 계산하시오.

따라하기

$(+2)+(-3)-(-4)$
$=(+2)+(-3)+(+4)$ ← 뺄셈을 덧셈으로
$=(+2)+(+4)+(-3)$ ← 덧셈의 교환법칙
$=\{(+2)+(+4)\}+(-3)$ ← 덧셈의 결합법칙
$=(+6)+(-3)=+3$

01 $(+1)+(-3)-(+4)$

02 $(+3)-(-6)+(+2)$

03 $(-7)+(-11)-(-6)$

04 $(+9)-(-5)+(-3)$

05 $(+8)-(-10)+(+5)$

06 $(+1)-(+9)+(-13)$

07 $(+8)+(-6)-(-9)$

08 $(-2)-(-11)+(+7)$

09 $(+17)-(-13)+(-10)$

10 $(-5)-(-20)+(+6)$

11 $(-7)+(-15)-(-10)$

12 $(-3)+(-5)-(-6)+(+8)$

13 $(+2)-(+18)-(-9)+(-13)$

14 $(-18)-(-15)+(-12)-(-10)$

유리수의 덧셈과 뺄셈의 혼합 계산

다음을 계산하시오.

따라하기

$\left(+\frac{1}{2}\right)+\left(+\frac{1}{3}\right)-\left(-\frac{1}{2}\right)$

$=\left(+\frac{1}{2}\right)+\left(+\frac{1}{3}\right)+\left(+\frac{1}{2}\right)$ ← 뺄셈을 덧셈으로

$=\left(+\frac{1}{3}\right)+\left\{\left(+\frac{1}{2}\right)+\left(+\frac{1}{2}\right)\right\}$ ← 덧셈의 계산 법칙 이용하기

$=\left(+\frac{1}{3}\right)+(+1)=+\frac{4}{3}$

15 $\left(+\frac{2}{3}\right)+\left(-\frac{1}{6}\right)-\left(-\frac{1}{3}\right)$

16 $\left(-\frac{7}{4}\right)+\left(-\frac{1}{5}\right)-\left(+\frac{1}{4}\right)$

17 $\left(-\frac{4}{7}\right)+(+2)-\left(+\frac{2}{7}\right)$

18 $\left(+\frac{6}{5}\right)+\left(-\frac{1}{2}\right)-\left(+\frac{1}{5}\right)$

19 $\left(-\frac{3}{8}\right)-\left(+\frac{3}{4}\right)-\left(-\frac{7}{8}\right)$

20 $\left(+\frac{3}{5}\right)-\left(+\frac{7}{3}\right)+\left(-\frac{1}{3}\right)-\left(+\frac{6}{5}\right)$

21 $\left(-\frac{7}{10}\right)+\left(+\frac{3}{2}\right)-\left(+\frac{3}{10}\right)-\left(-\frac{5}{2}\right)$

22 $(-0.6)+(-1.1)-(-0.9)$

23 $(+3.5)-(+5)+(-4.5)$

24 $(-6.7)-(-2.1)+(-1.5)$

25 $(-1.3)-(-2.1)+(+3.6)-(+4.7)$

26 $(+1.6)+(+4.2)-(+2.5)-(+3.3)$

27 대표 문제

$\left(+\frac{3}{5}\right)+\left(-\frac{7}{4}\right)-(-5)+\left(-\frac{17}{20}\right)$을 계산하면?

① -5　② -3　③ 0
④ $+3$　⑤ $+5$

06 부호가 생략된 수의 계산

정답과 풀이 20쪽

부호가 생략된 수의 계산은 생략된 양의 부호 +와 괄호를 살려서 계산한다.

예 $6-8=(+6)-(+8)$ ← 생략된 양의 부호와 괄호를 넣는다.
$=(+6)+(-8)$ ← 뺄셈을 덧셈으로 고친다.
$=-2$

$\frac{1}{3}-\frac{2}{3}=\left(+\frac{1}{3}\right)-\left(+\frac{2}{3}\right)$
$=\left(+\frac{1}{3}\right)+\left(-\frac{2}{3}\right)=-\frac{1}{3}$

부호가 생략된 수의 계산 (1): 정수의 계산

다음을 구하시오.

ε 따라하기

양의 부호 +와 괄호 넣기

$5-7+2=(+5)-(+7)+(+2)$
$=(+5)+(-7)+(+2)$) 뺄셈을 덧셈으로
$=(-7)+(+5)+(+2)$) 덧셈의 교환법칙
$=(-7)+\{(+5)+(+2)\}$) 덧셈의 결합법칙
$=(-7)+(+7)$
$=0$

01 $2-6$

02 $-5+7$

03 $-8-10$

04 $-7+5-12$

05 $2-9+21$

06 $31-25-11$

07 $5-9-15$

08 $-8-3+13$

09 $-10+9-3$

10 $-24+16+6-5$

11 $-15+7-12+8$

12 $4+2-17-20$

13 $-12-5+7-18$

14 $-3-6-10+7$

부호가 생략된 수의 계산 (2): 유리수의 계산

다음을 구하시오.

따라하기

양의 부호 +와 괄호 넣기

$$\frac{1}{2}+2-\frac{3}{2}=\left(+\frac{1}{2}\right)+(+2)-\left(+\frac{3}{2}\right)$$

빼셈을 덧셈으로

$$=\left(+\frac{1}{2}\right)+(+2)+\left(-\frac{3}{2}\right)$$

덧셈의 계산 법칙 이용하기

$$=(+2)+\left\{\left(+\frac{1}{2}\right)+\left(-\frac{3}{2}\right)\right\}$$

$$=(+2)+(-1)=1$$

15 $\frac{2}{7}-\frac{5}{7}$

16 $-\frac{2}{5}-\frac{4}{5}$

17 $-\frac{1}{2}+\frac{5}{6}$

18 $-\frac{1}{5}+1-\frac{9}{5}$

19 $\frac{3}{4}-\frac{3}{5}-\frac{1}{8}$

20 $\frac{4}{7}-\frac{5}{4}+\frac{9}{14}+\frac{3}{2}$

21 $-\frac{3}{2}-\frac{5}{3}-\frac{1}{6}-\frac{1}{2}$

22 $0.3-0.9$

23 $-0.7-2.1$

24 $-3.5+1.5-6$

25 $4.5-4-2.1$

26 $-1.5+\frac{7}{6}-\frac{2}{3}+3$

27 $2-\frac{5}{4}+\frac{11}{6}-\frac{1}{2}$

28 대표 문제

$A=\frac{2}{9}-\frac{5}{6}+\frac{1}{3}$, $B=-\frac{5}{6}+2-\frac{2}{9}$일 때, $A-B$의 값을 구하시오.

확인 문제

정답과 풀이 22쪽

01

다음 중에서 계산 결과가 가장 큰 것은?

① $(+4)+(+5)$ ② $(-3)+(-2)$
③ $(+6)+(-10)$ ④ $(-11)+(+8)$
⑤ $(+7)+(-3)$

02

$\left(-\frac{2}{7}\right)+\left(+\frac{1}{3}\right)$을 계산하면?

① $-\frac{2}{21}$ ② $-\frac{1}{21}$ ③ $+\frac{1}{21}$
④ $+\frac{2}{21}$ ⑤ $+\frac{1}{7}$

03

다음 계산 과정에서 (가), (나)에 이용된 덧셈의 계산 법칙을 말하시오.

$$\begin{aligned}&\left(+\frac{3}{5}\right)+(-1)+\left(+\frac{7}{5}\right)\\&=(-1)+\left(+\frac{3}{5}\right)+\left(+\frac{7}{5}\right) \quad \text{(가)}\\&=(-1)+\left\{\left(+\frac{3}{5}\right)+\left(+\frac{7}{5}\right)\right\} \quad \text{(나)}\\&=(-1)+(+2)\\&=+1\end{aligned}$$

04

두 수 A, B가 다음과 같을 때, A, B의 값을 차례로 구한 것은?

$$A=\left(+\frac{4}{5}\right)-\left(+\frac{1}{2}\right)$$
$$B=\left(-\frac{3}{10}\right)-\left(-\frac{1}{3}\right)$$

① $-\frac{3}{10}$, $-\frac{1}{30}$ ② $-\frac{3}{10}$, $+\frac{1}{30}$
③ $-\frac{1}{30}$, $-\frac{3}{10}$ ④ $+\frac{1}{30}$, $+\frac{3}{10}$
⑤ $+\frac{3}{10}$, $+\frac{1}{30}$

05

다음 중에서 가장 큰 수는?

① -5보다 $+6$만큼 큰 수
② $+2$보다 $+1$만큼 작은 수
③ -5보다 -1만큼 큰 수
④ $+7$보다 $+3$만큼 작은 수
⑤ -3보다 $+8$만큼 큰 수

06

$\frac{3}{4}+1+\frac{1}{6}-2$를 계산하면?

① $-\frac{5}{12}$ ② $-\frac{1}{4}$ ③ $-\frac{1}{12}$
④ $\frac{1}{12}$ ⑤ $\frac{5}{12}$

3. 유리수의 곱셈과 나눗셈

01 두 수의 곱셈

정답과 풀이 23쪽

(1) **부호가 같은 두 수의 곱셈:** 두 수의 절댓값의 곱에 양의 부호 +를 붙인다.
→ (양수)×(양수)=+(두 수의 절댓값의 곱), (음수)×(음수)=+(두 수의 절댓값의 곱)

(2) **부호가 다른 두 수의 곱셈:** 두 수의 절댓값의 곱에 음의 부호 −를 붙인다.
→ (양수)×(음수)=−(두 수의 절댓값의 곱), (음수)×(양수)=−(두 수의 절댓값의 곱)

부호가 같은 두 정수의 곱셈

다음을 계산하시오.

같은 부호, 양의 부호, 절댓값의 곱

$(+2)\times(+4)=+(2\times4)=+8$

같은 부호, 양의 부호, 절댓값의 곱

$(-2)\times(-4)=+(2\times4)=+8$

01 $(+3)\times(+5)$

02 $(+4)\times(+9)$

03 $(+6)\times(+10)$

04 $(-5)\times(-6)$

05 $(-9)\times(-11)$

06 $(-12)\times(-7)$

07 $(-16)\times(-8)$

부호가 같은 두 유리수의 곱셈

다음을 계산하시오.

같은 부호, 양의 부호, 절댓값의 곱

$\left(+\frac{1}{2}\right)\times\left(+\frac{3}{2}\right)=+\left(\frac{1}{2}\times\frac{3}{2}\right)=+\frac{3}{4}$

같은 부호, 양의 부호, 절댓값의 곱

$\left(-\frac{1}{2}\right)\times\left(-\frac{3}{2}\right)=+\left(\frac{1}{2}\times\frac{3}{2}\right)=+\frac{3}{4}$

08 $\left(+\frac{2}{3}\right)\times\left(+\frac{1}{2}\right)$

09 $\left(+\frac{4}{5}\right)\times\left(+\frac{3}{4}\right)$

10 $(+8)\times\left(+\frac{5}{6}\right)$

11 $\left(-\frac{3}{8}\right)\times\left(-\frac{2}{9}\right)$

12 $\left(-\frac{7}{2}\right)\times\left(-\frac{8}{21}\right)$

13 $\left(+\frac{11}{2}\right)\times0$

14 $(+6)\times(+1.3)$

15 $(+2.5)\times(+8)$

16 $(+3.2)\times(+1.5)$

17 $(-5)\times(-2.4)$

18 $(-4.7)\times(-3)$

19 $(-2.2)\times(-3.5)$

20 $\left(+\frac{5}{2}\right)\times(+0.6)$

Tip 소수를 분수로 고쳐서 계산한다.

21 $(+0.2)\times\left(+\frac{10}{13}\right)$

22 $\left(-\frac{5}{8}\right)\times(-1.2)$

23 $(-1.5)\times\left(-\frac{6}{11}\right)$

부호가 다른 두 정수의 곱셈

다음을 계산하시오.

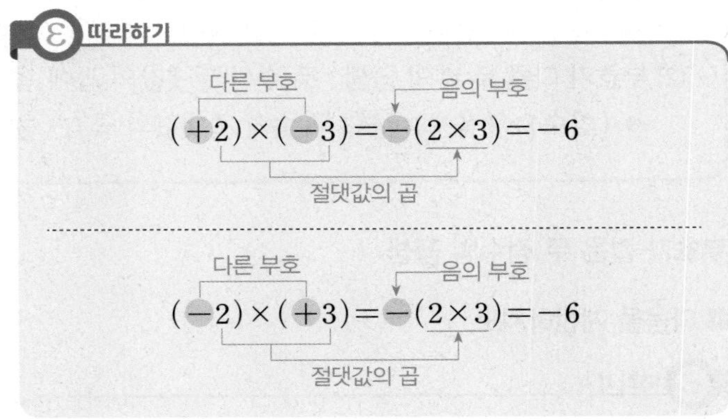

24 $(+5)\times(-2)$

25 $(+4)\times(-9)$

26 $(+6)\times(-8)$

27 $(+11)\times(-7)$

28 $(-3)\times(+7)$

29 $(-6)\times(+5)$

30 $(-8)\times(+9)$

31 $(-10)\times(+5)$

32 $(-15)\times(+12)$

부호가 다른 두 유리수의 곱셈

다음을 계산하시오.

다른 부호 / 음의 부호

$$\left(+\frac{1}{2}\right)\times\left(-\frac{1}{3}\right)=-\left(\frac{1}{2}\times\frac{1}{3}\right)=-\frac{1}{6}$$

절댓값의 곱

다른 부호 / 음의 부호

$$\left(-\frac{1}{2}\right)\times\left(+\frac{1}{3}\right)=-\left(\frac{1}{2}\times\frac{1}{3}\right)=-\frac{1}{6}$$

절댓값의 곱

33 $\left(+\frac{3}{2}\right)\times\left(-\frac{1}{6}\right)$

34 $\left(+\frac{1}{4}\right)\times\left(-\frac{6}{7}\right)$

35 $(+9)\times\left(-\frac{4}{3}\right)$

36 $\left(-\frac{3}{8}\right)\times\left(+\frac{5}{6}\right)$

37 $\left(-\frac{4}{5}\right)\times\left(+\frac{7}{10}\right)$

38 $(-16)\times\left(+\frac{5}{8}\right)$

39 $(+2)\times(-1.4)$

40 $(+3.3)\times(-5)$

41 $(-6)\times(+3.5)$

42 $(-5.2)\times(+7)$

43 $(-1.8)\times(+0.9)$

44 $\left(+\frac{7}{5}\right)\times(-0.5)$

Tip 소수를 분수로 고쳐서 계산한다.

45 $(+0.4)\times\left(-\frac{20}{9}\right)$

46 $\left(-\frac{3}{7}\right)\times(+2.2)$

47 $(-1.6)\times\left(+\frac{5}{12}\right)$

48 대표 문제

다음 중에서 계산 결과가 옳지 않은 것을 모두 고르면? (정답 2개)

① $(+4)\times(+5)=+20$

② $(-2)\times(-9)=-18$

③ $(+8)\times(-0.5)=-0.4$

④ $\left(-\frac{1}{4}\right)\times\left(-\frac{8}{7}\right)=+\frac{2}{7}$

⑤ $(+4.5)\times(-1.2)=-5.4$

02 곱셈의 계산 법칙

정답과 풀이 24쪽

(1) 곱셈의 교환법칙: 두 수 a, b에 대하여 $a\times b=b\times a$

예 $\underbrace{(+2)\times(-3)}_{-6}=\underbrace{(-3)\times(+2)}_{-6}$

(2) 곱셈의 결합법칙: 세 수 a, b, c에 대하여 $(a\times b)\times c=a\times(b\times c)$

예 $\{\underbrace{(+4)\times(-3)}_{-12}\}\times(+2)=(+4)\times\{\underbrace{(-3)\times(+2)}_{-6}\}$

-24 $\qquad$ -24

다음은 곱셈의 계산 법칙을 이용하여 계산하는 과정이다. □ 안에 알맞은 수를 써넣고, (가), (나)에 이용된 곱셈의 계산 법칙을 쓰시오.

01 $(+5)\times(-3)\times(+2)$

$=(-3)\times(+5)\times(+2)$ (가)

$=(-3)\times\{(\square)\times(+2)\}$ (나)

$=(-3)\times(\square)$

$=\square$

(가): ________, (나): ________

02 $(-4)\times\left(+\frac{2}{3}\right)\times\left(-\frac{1}{4}\right)$

$=\left(+\frac{2}{3}\right)\times(\square)\times\left(-\frac{1}{4}\right)$ (가)

$=\left(+\frac{2}{3}\right)\times\left\{(\square)\times\left(-\frac{1}{4}\right)\right\}$ (나)

$=\left(+\frac{2}{3}\right)\times(\square)$

$=\square$

(가): ________, (나): ________

03 $(-3)\times(-2.1)\times(+2)$

$=(-3)\times(\square)\times(-2.1)$ (가)

$=\{(-3)\times(\square)\}\times(-2.1)$ (나)

$=(\square)\times(-2.1)$

$=\square$

(가): ________, (나): ________

곱셈의 계산 법칙을 이용하여 다음을 계산하시오.

04 $(+5)\times(+7)\times(-6)$

05 $(-2)\times(+9)\times(-5)$

06 $\left(+\frac{1}{2}\right)\times\left(-\frac{1}{3}\right)\times(-8)$

07 $\left(-\frac{12}{5}\right)\times\left(+\frac{1}{7}\right)\times\left(-\frac{5}{6}\right)$

08 $\left(-\frac{5}{4}\right)\times\left(-\frac{7}{9}\right)\times\left(-\frac{2}{5}\right)$

09 $(+4)\times(-1.3)\times(+1.5)$

10 $(-10)\times(-7)\times(+1.8)$

11 $(-2.5)\times\left(-\frac{4}{5}\right)\times(-6)$

03 세 수 이상의 곱셈

정답과 풀이 25쪽

세 수 이상의 곱셈은 다음과 같은 순서로 계산한다.

① 부호를 정한다. 이때 음수가 $\begin{cases} \text{짝수 개} \rightarrow + \\ \text{홀수 개} \rightarrow - \end{cases}$

② 각 수의 절댓값의 곱에 ①에서 정한 부호를 붙인다.

예 $(-2)\times(-3)\times(-4)=-(2\times3\times4)=-24$
↑ 음수가 3개이므로 부호는 −

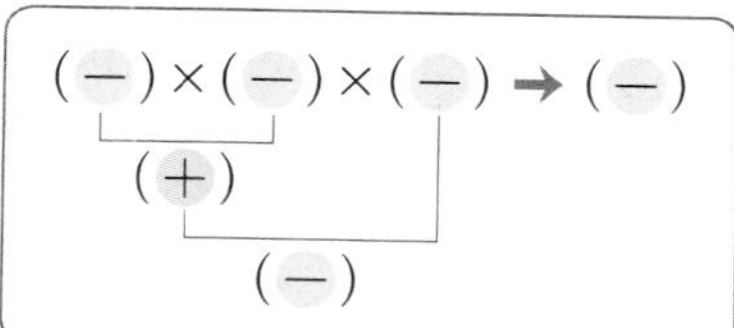

다음을 계산하시오.

음수가 2개(짝수 개)

$(-1)\times\left(-\frac{1}{2}\right)\times(+2)=+\left(1\times\frac{1}{2}\times2\right)=+1$

세 수의 절댓값의 곱

01 $(+3)\times(+4)\times(+5)$

02 $(-2)\times(+7)\times(-3)$

03 $(-6)\times(+9)\times(+5)$

04 $(-3)\times(-8)\times(-3)$

05 $(-2)\times(+1)\times(+11)$

06 $(-4)\times(+2)\times(-5)\times(+3)$

07 $(-2)\times(+10)\times(-3)\times(-5)$

08 $(+3)\times\left(+\frac{1}{2}\right)\times(-4)$

09 $\left(-\frac{1}{6}\right)\times\left(+\frac{2}{3}\right)\times(-9)$

10 $\left(+\frac{3}{14}\right)\times\left(+\frac{7}{3}\right)\times\left(-\frac{4}{3}\right)$

11 $\left(-\frac{3}{11}\right)\times\left(+\frac{2}{3}\right)\times\left(-\frac{4}{5}\right)$

12 $\left(-\frac{7}{3}\right)\times\left(+\frac{8}{5}\right)\times\left(-\frac{3}{4}\right)\times\left(-\frac{1}{7}\right)$

13 대표 문제

다음 중에서 $\left(-\frac{1}{4}\right)\times\left(-\frac{4}{7}\right)\times\left(+\frac{3}{2}\right)$보다 그 값이 큰 수는?

① $-\frac{3}{7}$ ② $-\frac{3}{14}$ ③ $-\frac{1}{14}$
④ $+\frac{3}{14}$ ⑤ $+\frac{3}{7}$

04 거듭제곱의 계산

정답과 풀이 25쪽

(1) 양수의 거듭제곱의 부호: 항상 +

예) $(+2)^2=(+2)\times(+2)=+4$

$(+2)^3=(+2)\times(+2)\times(+2)=+8$

(2) 음수의 거듭제곱의 부호: 지수가 $\begin{cases}\text{짝수이면 } + \\ \text{홀수이면 } -\end{cases}$

예) $(-2)^2=(-2)\times(-2)=+4$

$(-2)^3=(-2)\times(-2)\times(-2)=-8$

$(\text{양수})^{(\text{짝수})} \rightarrow (\text{양수})$
$(\text{양수})^{(\text{홀수})} \rightarrow (\text{양수})$

$(\text{음수})^{(\text{짝수})} \rightarrow (\text{양수})$
$(\text{음수})^{(\text{홀수})} \rightarrow (\text{음수})$

양수의 거듭제곱

다음을 계산하시오.

ε 따라하기

$(+3)^2=(+3)\times(+3)=+(3\times3)=+9$

$(+3)^3=(+3)\times(+3)\times(+3)=+(3\times3\times3)=+27$

01 $(+6)^2$

02 $(+4)^3$

03 $\left(+\frac{3}{4}\right)^2$

04 $\left(+\frac{2}{3}\right)^3$

05 $-\left(+\frac{1}{2}\right)^4$

06 $(+1)^{100}$

음수의 거듭제곱

다음을 계산하시오.

ε 따라하기

지수가 짝수

$(-3)^2=(-3)\times(-3)=+(3\times3)=+9$

지수가 홀수

$(-3)^3=(-3)\times(-3)\times(-3)=-(3\times3\times3)=-27$

07 $(-7)^2$

08 $(-5)^3$

09 $\left(-\frac{1}{3}\right)^3$

10 $\left(-\frac{2}{5}\right)^4$

11 $-\left(-\frac{3}{4}\right)^2$

12 $(-1)^{101}$

거듭제곱이 포함된 식의 계산

다음을 계산하시오.

ε 따라하기

$(-2)^3\times(+3)=(-8)\times(+3)$ ← 거듭제곱을 계산한다.

$=-(8\times3)$

$=-24$

13 $(+3)\times(+2)^2$

14 $(-4)^3\times(+3)$

15 $(-1)^5\times(-7)$

16 $(+6)^2\times(-4)$

17 $(+8)\times(-2)^4$

18 $(-5)^2\times(-3)^2$

19 $(+2)^5\times(-1)^{100}$

20 $(+1)^{201}\times(-1)^{105}$

21 $(-2)^4\times\left(-\frac{1}{2}\right)^2$

22 $(+6)^2\times\left(-\frac{1}{3}\right)^3$

23 $\left(+\frac{3}{2}\right)^2\times\left(-\frac{4}{3}\right)^2$

24 $\left(-\frac{1}{2}\right)^3\times\left(-\frac{4}{7}\right)^2$

25 $(-1)^9\times(+9)\times(-2)^2$

26 $(-64)\times\left(-\frac{5}{4}\right)^2\times\left(-\frac{1}{10}\right)$

27 $(-3)^2\times\left(+\frac{1}{6}\right)^2\times\left(-\frac{3}{7}\right)$

28 대표 문제

다음 중에서 옳은 것은?

① $(-4)^2=-16$

② $\left(-\frac{1}{3}\right)^2=+\frac{1}{6}$

③ $(-1)^{111}=+1$

④ $\left(-\frac{2}{5}\right)^3=-\frac{4}{125}$

⑤ $-\left(-\frac{1}{2}\right)^5=+\frac{1}{32}$

05 분배법칙

정답과 풀이 27쪽

세 수 a, b, c에 대하여

(1) $a\times(b+c)=\underset{①}{\underline{a\times b}}+\underset{②}{\underline{a\times c}}$

(2) $(a+b)\times c=\underset{①}{\underline{a\times c}}+\underset{②}{\underline{b\times c}}$

예 $14\times\left(-\frac{1}{2}+\frac{3}{7}\right)=14\times\left(-\frac{1}{2}\right)+14\times\frac{3}{7}=-7+6=-1$

분배법칙 (1): 괄호 풀기

분배법칙을 이용하여 다음을 계산하시오.

따라하기

$3\times(50+5)=\underset{①}{\underline{3\times 50}}+\underset{②}{\underline{3\times 5}}=150+15=165$

$(100-3)\times 5=\underset{①}{\underline{100\times 5}}-\underset{②}{\underline{3\times 5}}=500-15=485$

01 $2\times(50+8)$

02 $16\times(200-5)$

03 $(300+6)\times 4$

04 $(100-8)\times 3.5$

05 $24\times\left(\frac{1}{2}+\frac{5}{6}\right)$

06 $\left(\frac{3}{4}-\frac{2}{5}\right)\times(-20)$

분배법칙 (2): 괄호로 묶기

분배법칙을 이용하여 다음을 계산하시오.

따라하기

공통으로 곱해지는 부분

$0.2\times 3+0.2\times 7=0.2\times(3+7)=0.2\times 10=2$

공통으로 곱하는 부분

$24\times 13-4\times 13=(24-4)\times 13=20\times 13=260$

07 $16\times 12+16\times 8$

08 $0.8\times 115-0.8\times 15$

09 $250\times 33-50\times 33$

10 $\frac{4}{7}\times 22+\frac{4}{7}\times 13$

11 $14\times\left(-\frac{2}{3}\right)-5\times\left(-\frac{2}{3}\right)$

12 대표 문제

$a\times b=4$, $a\times c=10$일 때, $a\times(b+c)$의 값은?

① 14　② 20　③ 24　④ 30　⑤ 40

06 두 수의 나눗셈

정답과 풀이 27쪽

(1) **부호가 같은 두 수의 나눗셈:** 두 수의 절댓값의 나눗셈의 몫에 양의 부호 +를 붙인다.
→ (양수)÷(양수)=+(두 수의 절댓값의 몫), (음수)÷(음수)=+(두 수의 절댓값의 몫)

(2) **부호가 다른 두 수의 나눗셈:** 두 수의 절댓값의 나눗셈의 몫에 음의 부호 −를 붙인다.
→ (양수)÷(음수)=−(두 수의 절댓값의 몫), (음수)÷(양수)=−(두 수의 절댓값의 몫)

부호가 같은 두 정수의 나눗셈

다음을 계산하시오.

따라하기

같은 부호 / 양의 부호 / 절댓값의 나눗셈

$(+6)\div(+2)=+(6\div2)=+3$

같은 부호 / 양의 부호 / 절댓값의 나눗셈

$(-6)\div(-2)=+(6\div2)=+3$

01 $(+8)\div(+2)$

02 $(+10)\div(+5)$

03 $(+12)\div(+4)$

04 $(+15)\div(+3)$

05 $(+18)\div(+6)$

06 $(+48)\div(+8)$

07 $(+51)\div(+17)$

08 $(-14)\div(-2)$

09 $(-16)\div(-4)$

10 $(-20)\div(-5)$

11 $(-24)\div(-8)$

12 $(-36)\div(-9)$

13 $(-60)\div(-5)$

14 $(-72)\div(-12)$

15 $(-65)\div(-13)$

16 $(-100)\div(-25)$

부호가 같은 두 유리수의 나눗셈

다음을 계산하시오.

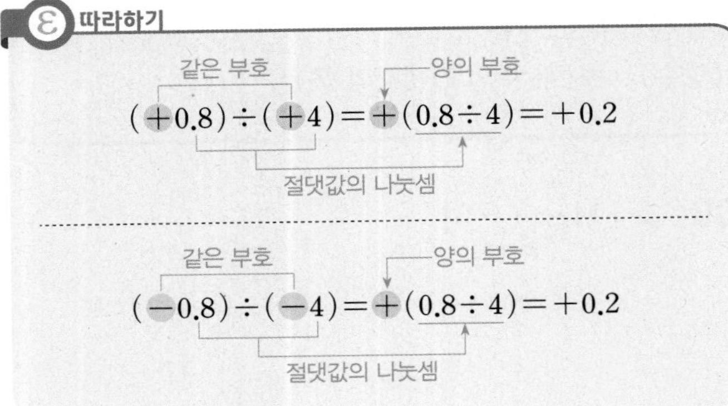

17 $(+0.6)\div(+2)$

18 $(+1.2)\div(+6)$

19 $(+2.5)\div(+5)$

20 $(+7.2)\div(+1.2)$

21 $(+28.7)\div(+0.7)$

22 $(-1.5)\div(-3)$

23 $(-9.3)\div(-3)$

24 $(-2.7)\div(-0.9)$

25 $(-5.2)\div(-1.3)$

부호가 다른 두 정수의 나눗셈

다음을 계산하시오.

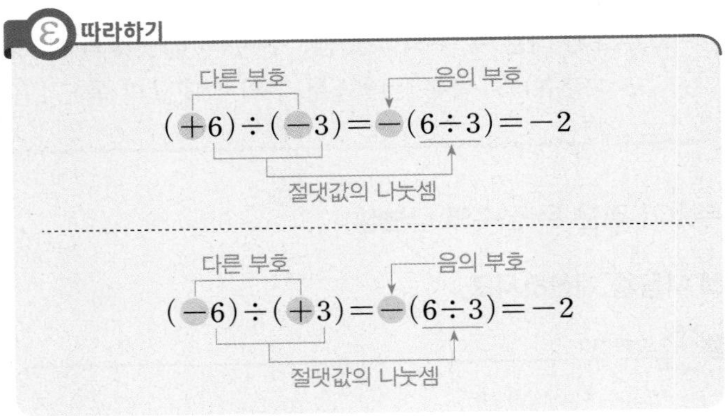

26 $(+9)\div(-3)$

27 $(+10)\div(-5)$

28 $(+21)\div(-7)$

29 $(+56)\div(-8)$

30 $(+81)\div(-9)$

31 $(+40)\div(-5)$

32 $(+70)\div(-14)$

33 $(+78)\div(-6)$

34 $(+100)\div(-10)$

35 $(-15)\div(+5)$

36 $(-26)\div(+2)$

37 $(-32)\div(+8)$

38 $(-45)\div(+9)$

39 $(-60)\div(+12)$

40 $(-48)\div(+16)$

41 $(-54)\div(+6)$

42 $(-90)\div(+9)$

43 $(-96)\div(+8)$

44 $(-80)\div(+16)$

45 $(-125)\div(+5)$

부호가 다른 두 유리수의 나눗셈

다음을 계산하시오.

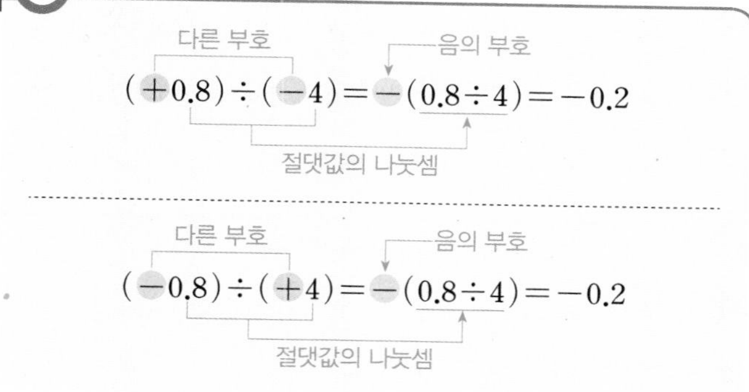

46 $(+1.8)\div(-6)$

47 $(+4.2)\div(-3)$

48 $(+3.6)\div(-0.6)$

49 $(-4.4)\div(+2)$

50 $(-8.4)\div(+6)$

51 $(-9.8)\div(+0.7)$

52 $(-6.4)\div(+1.6)$

53 대표 문제

다음 중에서 계산 결과가 가장 작은 것은?

① $(+18)\div(-2)$
② $(-25)\div(-5)$
③ $(+66)\div(+6)$
④ $(-81)\div(+3)$
⑤ $(-4.9)\div(+7)$

07 역수를 이용한 수의 나눗셈

정답과 풀이 28쪽

(1) **역수**: 두 수의 곱이 1이 될 때, 한 수를 다른 수의 역수라 한다.

예) $2\times\frac{1}{2}=1$ → 2의 역수는 $\frac{1}{2}$, $\frac{1}{2}$의 역수는 2이다.

(2) **역수를 이용한 수의 나눗셈**: 나누는 수의 역수를 곱하여 계산한다.

예) $(+6)\div\left(-\frac{2}{3}\right)=(+6)\times\left(-\frac{3}{2}\right)=-\left(6\times\frac{3}{2}\right)=-9$

역수

$\frac{▲}{■}$의 역수 → $\frac{■}{▲}$

▲의 역수 → $\frac{1}{▲}$

역수 구하기

다음 수의 역수를 구하시오.

ε 따라하기

$-\frac{11}{9}$의 역수 → $-\frac{9}{11}$ ← 부호는 그대로 두고 분모와 분자를 바꾼다.

01 $-\frac{1}{2}$

02 $\frac{6}{7}$

03 5

04 -10

05 -0.6

Tip 소수는 분수로 고쳐서 구한다.

06 $-\frac{3}{8}$

07 1.5

역수를 이용한 수의 나눗셈

다음을 계산하시오.

ε 따라하기

$\left(+\frac{1}{6}\right)\div\left(-\frac{2}{3}\right)=\left(+\frac{1}{6}\right)\times\left(-\frac{3}{2}\right)=-\left(\frac{1}{6}\times\frac{3}{2}\right)=-\frac{1}{4}$

역수를 곱한다.

08 $(-3)\div\left(+\frac{6}{5}\right)$

09 $\left(+\frac{5}{4}\right)\div(-10)$

10 $\left(-\frac{9}{8}\right)\div\left(-\frac{3}{4}\right)$

11 $\left(-\frac{5}{9}\right)\div\left(+\frac{15}{2}\right)$

12 $\left(+\frac{1}{8}\right)\div(-0.2)$

A, B가 다음과 같을 때, $A\div B$를 구하시오.

$A=(-2)\div\left(+\frac{3}{2}\right)$, $B=(-3)\div\left(-\frac{5}{4}\right)$

08 곱셈과 나눗셈의 혼합 계산

정답과 풀이 28쪽

곱셈과 나눗셈이 섞여 있는 식은 다음과 같은 순서로 계산한다.
① 거듭제곱이 있으면 거듭제곱을 먼저 계산한다.
② 나눗셈은 모두 역수를 이용하여 곱셈으로 바꾼다.
③ 각 수의 절댓값의 곱에 음수의 개수에 따라 부호를 붙인다.
이때 음수가 짝수 개이면 + 부호를, 음수가 홀수 개이면 − 부호를 붙인다.

정수의 곱셈과 나눗셈의 혼합 계산

다음을 계산하시오.

따라하기

$(-10)\div(+2)^2\times(+3)$

$=(-10)\div(+4)\times(+3)$ — 거듭제곱 계산하기

$=(-10)\times\left(+\frac{1}{4}\right)\times(+3)$ — 나눗셈은 역수를 이용하여 곱셈으로 바꾸기

$=-\left(10\times\frac{1}{4}\times3\right)$ — 부호 정하고 세 수의 절댓값의 곱으로 나타내기

$=-\frac{15}{2}$

01 $(+8)\div(+2)\times(+5)$

02 $(-12)\div(+3)\times(-2)$

03 $(+18)\div(-6)\times(+7)$

04 $(-9)\times(-11)\div(-3)$

05 $(-10)\div(-15)\times(+6)$

06 $(-20)\div(-5)\times(+2)$

07 $(-32)\times(-5)\div(+8)$

08 $(-28)\times(-4)\div(-7)$

09 $(-36)\div(-6)\times(+2)$

10 $(+21)\times(-2)^2\div(-3)$

11 $(+45)\div(+3)^3\times(-6)$

12 $(-4)^2\div(-12)\times(-9)\div(-10)$

유리수의 곱셈과 나눗셈의 혼합 계산

다음을 계산하시오.

ε 따라하기

$\left(+\frac{1}{2}\right)^2\div(+3)\times(-4)$ — 거듭제곱 계산하기

$=\left(+\frac{1}{4}\right)\div(+3)\times(-4)$ — 나눗셈은 역수를 이용하여 곱셈으로 바꾸기

$=\left(+\frac{1}{4}\right)\times\left(+\frac{1}{3}\right)\times(-4)$ — 부호 정하고 세 수의 절댓값의 곱으로 나타내기

$=-\left(\frac{1}{4}\times\frac{1}{3}\times4\right)$

$=-\frac{1}{3}$

13 $(+10)\times\left(+\frac{2}{5}\right)\div(+3)$

14 $\left(-\frac{3}{4}\right)\div(+6)\times(-8)$

15 $\left(+\frac{1}{2}\right)\times(-6)\div\left(-\frac{2}{3}\right)$

16 $\left(-\frac{12}{7}\right)\div\left(+\frac{6}{5}\right)\times(+14)$

17 $\left(-\frac{5}{7}\right)\times(+6)\div\left(+\frac{10}{3}\right)$

18 $\left(+\frac{3}{7}\right)\div\left(+\frac{6}{35}\right)\times(-2)$

19 $\left(+\frac{8}{7}\right)\times(-21)\div\left(+\frac{4}{9}\right)$

20 $\left(-\frac{5}{3}\right)\times\left(-\frac{1}{10}\right)\div\left(-\frac{5}{12}\right)$

21 $\left(+\frac{3}{2}\right)\div\left(+\frac{5}{6}\right)\times\left(-\frac{5}{9}\right)$

22 $\left(-\frac{7}{8}\right)\div\left(+\frac{7}{18}\right)\times\left(-\frac{1}{6}\right)^2$

23 $\left(-\frac{1}{2}\right)^3\times(-16)\div\left(-\frac{4}{3}\right)$

24 $\left(+\frac{3}{5}\right)\times(+10)\div\left(-\frac{1}{3}\right)\div(+12)$

25 $\left(+\frac{1}{2}\right)\times\left(+\frac{4}{3}\right)\div(-6)\times(-3)^2$

09 덧셈, 뺄셈, 곱셈, 나눗셈의 혼합 계산

정답과 풀이 30쪽

덧셈, 뺄셈, 곱셈, 나눗셈이 섞여 있는 식은 다음과 같은 순서로 계산한다.
① 거듭제곱이 있으면 거듭제곱을 먼저 계산한다.
② 괄호가 있으면 소괄호 ( ) → 중괄호 { } → 대괄호 [ ]의 순서로 괄호를 푼다.
③ 곱셈과 나눗셈을 계산한다.
④ 덧셈과 뺄셈을 계산한다.

유리수의 혼합 계산

다음을 계산하시오.

따라하기

$-2^2+(9-3)\times(-2)\div4$
$=-4+(9-3)\times(-2)\div4$
$=-4+6\times(-2)\div4$
$=-4+(-3)$
$=-7$

거듭제곱 계산하기
괄호 풀기
곱셈, 나눗셈 계산하기
덧셈 계산하기

01 $5+(-24)\times\frac{5}{8}$

02 $30\div\left(-\frac{6}{7}\right)-(-8)$

03 $2+(-6)^2\div9$

04 $(-2)^3-\frac{2}{3}\times6$

05 $12\times\left(-\frac{5}{4}\right)-(-6)\div\left(-\frac{2}{3}\right)$

06 $\frac{7}{6}\times\left(-\frac{3}{14}\right)+\frac{3}{8}\div\left(-\frac{1}{2}\right)$

07 $\{2-(-6)\}\div4+7$

08 $10-\{(-4)^2\times2+(-8)\}\div6$

09 $6-\left\{\frac{1}{4}-(12-7)\div(-5)^2\right\}\times20$

10 $8-[7-\{2\times(4-9)+3\}+1]$

11 $5-\left[\left\{(-3)^2-8\times\frac{3}{4}\right\}\div(-3)\right]$

12 대표 문제

다음을 계산하시오.

$$(-25)\times\left(\frac{4}{5}\right)^2-9\div\left(-\frac{3}{4}\right)$$

확인 문제

정답과 풀이 31쪽

01

다음 중에서 계산 결과가 나머지 넷과 다른 하나는?

① $(+3)\times(-6)$ ② $(-9)\times(+2)$

③ $(+36)\times\left(-\frac{1}{2}\right)$ ④ $\left(+\frac{9}{5}\right)\times\left(-\frac{15}{2}\right)$

⑤ $\left(-\frac{16}{5}\right)\times\left(+\frac{45}{8}\right)$

02

다음 계산 과정에서 (가)~(라)에 알맞은 것을 구하시오.

$(-5)\times(+7)\times(-6)$
$=(+7)\times(-5)\times(-6)$ ← 곱셈의 (가) 법칙
$=(+7)\times\{(-5)\times(-6)\}$ ← 곱셈의 (나) 법칙
$=(+7)\times($ (다) $)$
$=$ (라)

03

다음을 계산하면?

$$(-1)^{110}-(+1)^{200}+(-1)^{59}$$

① -3 ② -2 ③ -1

④ 1 ⑤ 2

04

-1.2의 역수는?

① $-\frac{6}{5}$ ② $-\frac{5}{6}$ ③ $-\frac{1}{6}$

④ $\frac{5}{6}$ ⑤ $\frac{6}{5}$

05

다음 중에서 계산 결과가 옳지 않은 것은?

① $(+35)\div(-7)=-5$

② $(-2.4)\div(+4)=-0.6$

③ $(-8)\div\left(-\frac{2}{3}\right)=+12$

④ $\left(+\frac{4}{7}\right)\div\left(-\frac{5}{21}\right)=-\frac{12}{5}$

⑤ $\left(-\frac{5}{9}\right)\div\left(-\frac{10}{3}\right)\times(-6)=-2$

06

$18\div\left(-\frac{3}{4}\right)^2-(-2)\times\left\{\frac{5}{2}+(-1)^4\right\}$을 계산하면?

① -39 ② -37 ③ -35

④ 37 ⑤ 39

문자와 식

1. 문자의 사용과 식의 값

2. 일차식과 그 계산

1. 문자의 사용과 식의 값

01 문자를 사용한 식 (1)

정답과 풀이 32쪽

문자를 사용하면 수량 사이의 관계를 식으로 간단히 나타낼 수 있다.

① 문제의 뜻을 파악하여 규칙을 찾는다.

② 문자를 사용하여 ①에서 찾은 규칙에 맞게 식으로 나타낸다.

㉠ 한 개에 500원인 과자 x개의 가격

→ (과자의 가격)=(한 개의 가격)×(과자의 개수)이므로 $(500\times x)$원

└ 단위를 꼭 쓴다.

문자를 사용한 식으로 나타내기

❖ 다음을 문자를 사용한 식으로 나타내시오.

따라하기

한 권에 800원인 공책 a권의 가격

→ $800\times a$(원)

(한 권의 가격: 800, 공책의 개수: a)

01 한 자루에 700원인 연필 x자루의 가격

02 한 개에 y원인 사탕 9개의 가격

03 1500원짜리 가위 a개와 600원짜리 풀 b개를 샀을 때의 가격

04 한 개에 1200원인 음료수 x개를 사고 10000원을 냈을 때의 거스름돈

Tip (거스름돈)=(지불한 금액)−(물건의 가격)

05 한 장에 y원인 도화지 8장을 사고 5000원을 냈을 때의 거스름돈

❖ 다음을 문자를 사용한 식으로 나타내시오.

따라하기

십의 자리 숫자가 x, 일의 자리 숫자가 y인 두 자리의 자연수 → $10\times x+y$

(x가 나타내는 값: $10\times x$, y가 나타내는 값: y)

$34=10\times3+4$

06 십의 자리 숫자가 a, 일의 자리 숫자가 5인 두 자리의 자연수

07 백의 자리 숫자가 2, 십의 자리 숫자가 x, 일의 자리 숫자가 y인 세 자리의 자연수

08 백의 자리 숫자가 a, 십의 자리 숫자가 b, 일의 자리 숫자가 c인 세 자리의 자연수

09 현재 a살인 지민이의 3년 후 나이

Tip 나이는 1년에 1살씩 많아진다.

10 x살인 형보다 5살 적은 동생의 나이

02 곱셈 기호의 생략

정답과 풀이 32쪽

문자를 사용한 식에서 다음과 같은 경우에는 곱셈 기호 ×를 생략하여 나타낸다.

(1) 수와 문자, 문자와 문자의 곱에서는 곱셈 기호 ×를 생략한다. 예 $3\times x=3x$, $a\times b=ab$

(2) 수는 문자 앞에 쓰고, 문자와 문자의 곱은 알파벳 순서로 쓴다. 예 $a\times 5=5a$, $y\times x=xy$

(3) 1 또는 -1과 문자의 곱에서는 1을 생략한다. 예 $1\times x=x$, $a\times(-1)=-a$

(4) 같은 문자의 곱은 거듭제곱의 꼴로 나타낸다. 예 $a\times a\times a=a^3$

(5) 수와 괄호가 있는 식에서는 수를 괄호 앞에 쓴다. 예 $(x+y)\times 2=2(x+y)$

참고 $0.1\times x$는 $0.x$로 쓰지 않고 $0.1x$로 쓴다.

곱셈 기호의 생략

다음 식을 곱셈 기호 ×를 생략하여 나타내시오.

따라하기

수는 문자 앞에 / 같은 문자의 곱은 거듭제곱 꼴로

$b\times a\times 4\times b=4\times a\times b\times b=4ab^2$

문자는 알파벳 순서로

01 $7\times x$

02 $y\times(-10)$

03 $0.3\times a$

04 $x\times\frac{1}{2}$

05 $(-1)\times b$

06 $x\times x\times 5$

07 $n\times m\times n\times(-6)$

다음 식을 곱셈 기호 ×를 생략하여 나타내시오.

따라하기

수는 문자 앞에

$(y+2)\times x\times(-3)=(-3)\times x\times(y+2)$

$=-3x(y+2)$

수와 문자는 괄호 앞에

08 $5\times(2a-b)$

09 $(x-y)\times\frac{3}{7}$

10 $(-4)\times(a+b)\times(-a)$

다음 식을 곱셈 기호 ×를 생략하여 나타내시오.

따라하기

+, − 기호는 생략할 수 없다.

$8\times x+y\times y=8x+y^2$

11 $(-3)\times a+b\times 5$

12 $p\times 6+(-1)\times q$

13 $x\times x+x\times y\times(-2)$

03 나눗셈 기호의 생략

정답과 풀이 32쪽

나눗셈 기호 ÷를 생략할 때에는 다음과 같이 간단히 나타낸다.

방법 1 나눗셈 기호 ÷를 생략하고 분수 꼴로 나타낸다.

→ $a \div b = \frac{a}{b}$ (단, $b \neq 0$)

방법 2 나눗셈을 역수의 곱셈으로 바꾼 후 곱셈 기호를 생략한다.

→ $a \div b = a \times \frac{1}{b} = \frac{a}{b}$ (단, $b \neq 0$)

참고 $x \div 1$은 $\frac{x}{1}$로 쓰지 않고 x로 쓴다.

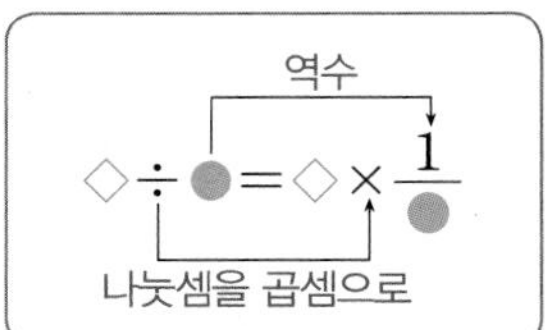

나눗셈 기호의 생략

다음 식을 나눗셈 기호 ÷를 생략하여 나타내시오.

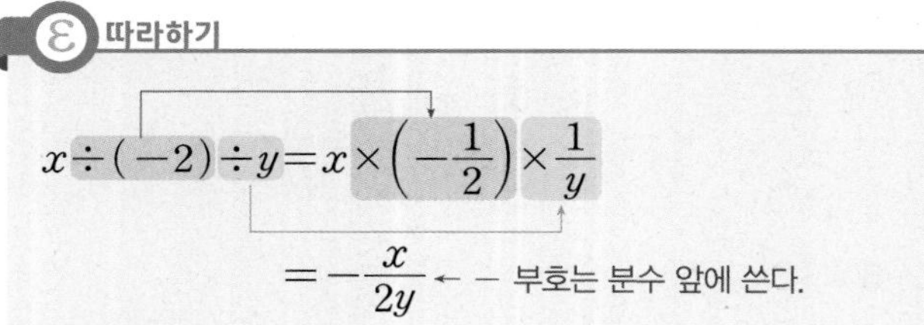

01 $5 \div x$

02 $a \div (-9)$

03 $x \div \frac{1}{10}$

04 $4a \div (-b)$

05 $8 \div x \div y$

06 $(-x) \div y \div 6$

07 $\frac{1}{3} \div x \div \frac{1}{y}$

08 $x \div 4 \div (-y)$

09 $(a+b) \div 3$

Tip 괄호는 하나의 문자로 생각한다.

10 $6 \div (5m+n)$

11 $(-1) \div (2a-3b)$

12 $(x+y) \div (a-b)$

13 $(a+b) \div x \div 7$

곱셈 기호와 나눗셈 기호의 생략

다음 식을 기호 ×, ÷를 생략하여 나타내시오.

따라하기

$x\times y\div(-5)=x\times y\times\left(-\frac{1}{5}\right)$

$=-\frac{xy}{5}$ ← 곱셈 기호는 생략한다.

14 $a\div b\times 8$

15 $m\times(-3)\div n$

16 $x\times y\div z$

17 $a\times a\div 2\div b$

18 $a\div(b\times 7)$

Tip 괄호 안에 ×, ÷ 기호가 있으면 괄호 안을 먼저 계산한다.

19 $x\times 2\div(y\times z)$

20 $x\div\left(y\times\frac{1}{z}\right)$

21 $a\times a\div(b\div 4)$

22 $a\times b+5\div a$

Tip +, −, ×, ÷ 기호가 섞여 있는 식에서 +, − 기호는 생략할 수 없다.

23 $8\div m-n\times n$

24 $x\times(-1)\div y+4\times x$

25 $-1\div x+2\times y\times y$

26 $a\div\frac{1}{3}-7\times b\div a$

27 $x\times x+x\div y\div 5$

28 대표 문제

다음 중에서 곱셈 기호 ×와 나눗셈 기호 ÷를 생략하여 바르게 나타낸 것은?

① $x\div\frac{1}{5}\times y=\frac{xy}{5}$

② $x\div\left(\frac{1}{y}\div z\right)=\frac{xy}{z}$

③ $x\div(x+y)\div 2=\frac{2x}{x+y}$

④ $(x-4)\div y\div x=\frac{x-4}{xy}$

⑤ $(-1)\div(x\div y)\times y=-\frac{2y}{x}$

04 문자를 사용한 식 (2)

정답과 풀이 33쪽

(1) 도형의 넓이

(삼각형의 넓이)$=\frac{1}{2}\times$(밑변의 길이)$\times$(높이)

(사다리꼴의 넓이)$=\frac{1}{2}\times${(윗변의 길이)+(아랫변의 길이)}$\times$(높이)

(2) 거리, 속력, 시간

(속력)$=\frac{(거리)}{(시간)}$, (시간)$=\frac{(거리)}{(속력)}$, (거리)=(속력)$\times$(시간)

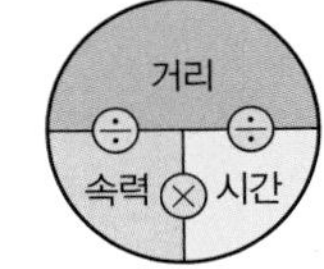

(3) 소금물의 농도

(소금물의 농도)$=\frac{(소금의\ 양)}{(소금물의\ 양)}\times 100$ (%)

(소금의 양)$=\frac{(소금물의\ 농도)}{100}\times$(소금물의 양)

문자를 사용한 식으로 나타내기 – 도형

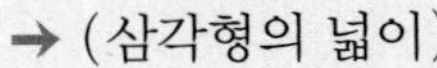 다음을 문자를 사용한 식으로 나타내시오.

밑변의 길이가 a cm, 높이가 h cm인 삼각형의 넓이

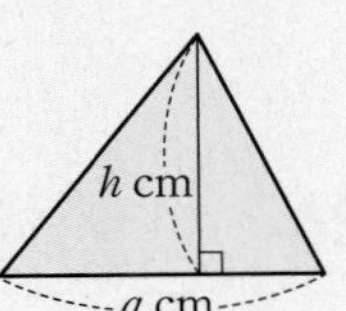

→ (삼각형의 넓이)

$=\frac{1}{2}\times$(밑변의 길이)$\times$(높이)

$=\frac{1}{2}\times a\times h$

$=\frac{1}{2}ah$ (cm^2) ← 곱셈 기호는 생략한다.

01 밑변의 길이가 x cm, 높이가 3 cm인 삼각형의 넓이

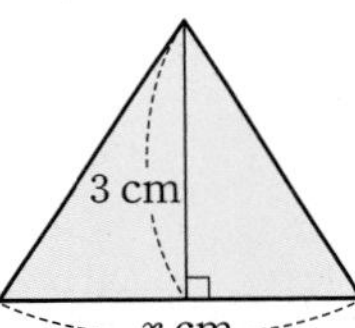

02 가로의 길이가 x cm, 세로의 길이가 5 cm인 직사각형의 넓이

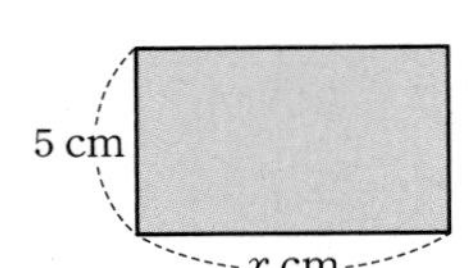

03 가로의 길이가 x cm, 세로의 길이가 y cm인 직사각형의 둘레의 길이

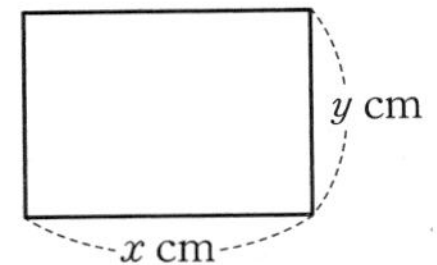

04 한 변의 길이가 a cm인 정사각형의 넓이

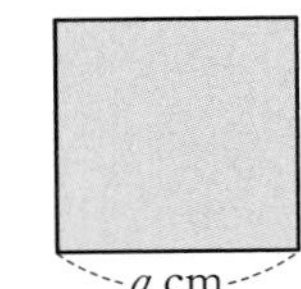

05 밑변의 길이가 a cm, 높이가 h cm인 평행사변형의 넓이

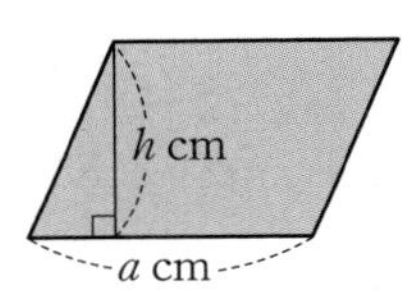

06 윗변의 길이가 a cm, 아랫변의 길이가 b cm, 높이가 5 cm인 사다리꼴의 넓이

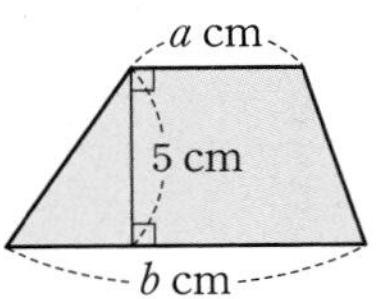

문자를 사용한 식으로 나타내기 – 거리, 속력, 시간

다음을 문자를 사용한 식으로 나타내시오.

따라하기

시속 60 km로 달리는 자동차가 x시간 동안 이동한 거리
(60 km ← 속력, x시간 ← 시간)

→ (거리)=(속력)×(시간)

$=60\times x=60x$ (km)

07 시속 80 km로 달리는 버스가 x시간 동안 이동한 거리

08 시속 100 km로 달리는 기차가 a시간 동안 이동한 거리

09 시속 x km로 달리는 자동차가 4시간 동안 이동한 거리

10 민재가 시속 y km로 2시간 동안 걸었을 때 이동한 거리

11 지호가 자전거를 타고 20분 동안 시속 x km로 달린 거리

Tip 시속은 1시간 동안의 이동 거리이므로 20분을 시간으로 바꾸어 계산한다. → ▲분$=\frac{▲}{60}$시간

12 시속 a km로 달리는 자동차가 30분 동안 이동한 거리

13 자동차가 5시간 동안 x km를 달렸을 때의 자동차의 속력

Tip (속력)$=\frac{(거리)}{(시간)}$

14 주원이가 3시간 동안 y km를 걸었을 때의 속력

15 기차가 x시간 동안 90 km를 달렸을 때의 기차의 속력

16 자동차가 t시간 동안 120 km를 달렸을 때의 자동차의 속력

17 시속 70 km로 달리는 자동차가 x km를 이동하는 데 걸린 시간

Tip (시간)$=\frac{(거리)}{(속력)}$

18 시속 130 km로 달리는 기차가 a km를 이동하는 데 걸린 시간

19 자전거를 타고 15 km의 거리를 시속 x km로 이동할 때 걸린 시간

20 시속 y km로 달리는 자동차가 50 km를 이동할 때 걸린 시간

문자를 사용한 식으로 나타내기 – 농도

다음을 문자를 사용한 식으로 나타내시오.

소금이 x g 녹아 있는 소금물 200 g의 농도

→ $\frac{x}{200}\times 100=\frac{x}{2}$ (%) (분자 x: 소금의 양, 분모 200: 소금물의 양)

21 설탕이 a g 녹아 있는 설탕물 50 g의 농도

22 소금이 30 g 녹아 있는 소금물 x g의 농도

23 설탕이 5 g 녹아 있는 설탕물 y g의 농도

24 농도가 x %인 소금물 500 g에 녹아 있는 소금의 양

Tip (소금의 양) $=\frac{(\text{소금물의 농도})}{100}\times$ (소금물의 양)

25 농도가 y %인 설탕물 300 g에 녹아 있는 설탕의 양

26 농도가 10 %인 설탕물 a g에 녹아 있는 설탕의 양

문자를 사용한 식으로 나타내기 – 비율

다음을 문자를 사용한 식으로 나타내시오.

27 x원의 3 %

Tip ■% $=\frac{■}{100}$이다.

28 a g의 5 %

29 20 cm의 x %

30 1000원의 y %

31 정가가 3000원인 물건을 x % 할인했을 때 판매 가격

Tip (판매 가격) = (정가) − (할인한 금액)

32 정가가 2000원인 공책을 a % 할인하여 샀을 때, 지불한 금액

33 정가가 x원인 모자를 20 % 할인하여 샀을 때, 지불한 금액

05 식의 값

정답과 풀이 34쪽

(1) **대입**: 문자를 사용한 식에서 문자에 어떤 수를 바꾸어 넣는 것
(2) **식의 값**: 식의 문자에 어떤 수를 대입하여 구한 값
① 문자에 수를 대입할 때는 생략된 곱셈 기호 ×, 나눗셈 기호 ÷를 다시 쓴다.
② 문자에 음수를 대입할 때는 괄호 ( )를 사용한다.

식의 값 구하기

$x=3$일 때, 다음 식의 값을 구하시오.

 따라하기

$2x+1=2\times x+1$ ← 생략된 기호 × 다시 쓰기
$=2\times 3+1$ ← x에 3을 대입하기
$=7$ ← 식의 값 구하기

01 $3x-4$

02 $-7x$

03 $8+x$

04 $11-2x$

05 $4x+1$

06 $-x-1$

07 $\frac{2}{3}x+5$

$a=-2$일 때, 다음 식의 값을 구하시오.

따라하기

$4a-3=4\times a-3$ ← 생략된 기호 × 다시 쓰기
$=4\times(-2)-3$ ← a에 -2를 대입하기
$=-11$ ← 식의 값 구하기
괄호 사용하기

08 $5a$

09 $-a$

10 $3a+1$

11 $9+2a$

12 $-10-6a$

13 $\frac{1}{2}a+7$

14 $8-\frac{3}{2}a$

$x=2$일 때, 다음 식의 값을 구하시오.

ε 따라하기

$3x^2=3\times x^2$ ← 생략된 기호 × 다시 쓰기

$=3\times 2^2$ ← x에 2를 대입하기

$=12$ ← 식의 값 구하기

15 x^2+7

16 $-4x^2$

17 $(-x)^2+x$

18 $(-x)^3+5x$

$y=-3$일 때, 다음 식의 값을 구하시오.

19 $4y^2$

20 $(-y)^3-2$

21 $-y^3+5y$

22 $9-(-y)^2$

$a=\frac{1}{2}$일 때, 다음 식의 값을 구하시오.

23 $4a-1$

24 $15-8a$

25 $\frac{3}{2}a+\frac{1}{4}$

26 $(-a)^2$

27 $-2a^2+a$

$m=-\frac{2}{3}$일 때, 다음 식의 값을 구하시오.

28 $6m+5$

29 $-\frac{3}{4}m+\frac{3}{2}$

30 $-m^2$

31 $7-9m^2$

※ $x=-2$, $y=3$일 때, 다음 식의 값을 구하시오.

따라하기

$4x+5y=4\times x+5\times y$ ← 생략된 기호 × 다시 쓰기

$=4\times(-2)+5\times3$ ← x, y의 값을 각각 대입하기

$=-8+15=7$ ← 식의 값 구하기

32 $-2x+5y$

33 $\frac{x}{2}+\frac{y}{3}$

34 $\frac{3}{4}xy^2$

35 $1-x^2+3y$

※ $x=\frac{1}{3}$, $y=-\frac{3}{2}$일 때, 다음 식의 값을 구하시오.

36 $\frac{3}{2}x-y$

37 $12xy$

38 $9x^2-2y$

39 $4xy^2-5$

40 $(-x)^2-2xy$

※ $x=\frac{1}{2}$일 때, 다음 식의 값을 구하시오.

따라하기

$\frac{6}{x}=6\div x$ ← 생략된 기호 ÷ 다시 쓰기

$=6\div\frac{1}{2}$ ← x에 $\frac{1}{2}$을 대입하기

$=6\times2=12$ ← 식의 값 구하기

41 $\frac{1}{x}$

42 $-\frac{3}{x}$

43 $5+\frac{2}{x}$

※ $a=\frac{1}{4}$, $b=-\frac{2}{3}$일 때, 다음 식의 값을 구하시오.

44 $\frac{2}{a}+\frac{4}{b}$

45 $\frac{a}{b}$

46 $-\frac{5}{a^2}+\frac{2}{b}$

47 대표 문제

$a=-1$, $b=\frac{1}{2}$일 때, 다음 중에서 가장 큰 값은?

① $a+8b$ ② $-6a-4b$ ③ $10ab$

④ $\frac{1}{a^2}+2b$ ⑤ $-2a^2+\frac{1}{b}$

확인 문제

정답과 풀이 36쪽

01

다음 중에서 옳지 않은 것은?

① 한 개에 500원인 지우개 x개의 가격은 $(500\times x)$원이다.

② 현재 14살인 지후의 x년 후 나이는 $(14+x)$살이다.

③ 십의 자리 숫자가 x, 일의 자리 숫자가 y인 두 자리의 자연수는 xy이다.

④ 한 개에 a원인 빵 3개를 사고 5000원을 냈을 때의 거스름돈은 $(5000-3\times a)$원이다.

⑤ 300원짜리 사탕 a개와 600원짜리 젤리 b개를 샀을 때의 가격은 $(300\times a+600\times b)$원이다.

02

다음 중에서 곱셈 기호를 생략하여 바르게 나타낸 것을 모두 고르면? (정답 2개)

① $a\times a\times a=3a$

② $x\times 5\times x=5x^2$

③ $x\times(-8)\times y=x-8y$

④ $a\times(-1)\times b\times 2=-a+2b$

⑤ $7\times(a+b)\times a=7a(a+b)$

03

다음 중에서 $a\div b\times c$와 같은 것은?

① $a\times b\div c$　② $a\times(b\div c)$　③ $a\times b\times c$

④ $a\div(b\div c)$　⑤ $(a\times b)\div c$

04

다음 보기 중에서 문자를 사용하여 나타낸 식으로 옳은 것을 모두 고른 것은?

보기

ㄱ. 밑변의 길이가 x cm, 높이가 h cm인 평행사변형의 넓이 → $\frac{1}{2}xh$ cm^2

ㄴ. 시속 a km로 달리는 자동차가 3시간 동안 이동한 거리 → $3a$ km

ㄷ. 농도가 x %인 소금물 200 g에 녹아 있는 소금의 양 → $2x$ g

ㄹ. 전체 학생 수 a명의 9 % → $\frac{9a}{10}$명

① ㄱ　② ㄴ　③ ㄱ, ㄹ

④ ㄴ, ㄷ　⑤ ㄷ, ㄹ

05

$x=-3$일 때, 다음 중에서 나머지 넷과 다른 하나는?

① x^3　② $3x^2$　③ $-9x$

④ $(-x)^3$　⑤ $-\frac{81}{x}$

06

$a=2$, $b=-\frac{1}{5}$일 때, $3a-10b+2$의 값은?

① -10　② -6　③ 1

④ 6　⑤ 10

2. 일차식과 그 계산

01 다항식

정답과 풀이 36쪽

(1) 항: 수 또는 문자의 곱으로만 이루어진 식
(2) 상수항: 수로만 이루어진 항
(3) 계수: 문자에 곱해진 수
(4) 다항식: 한 개의 항 또는 여러 개의 항의 합으로 이루어진 식 예 $3x$, $x-1$
(5) 단항식: 다항식 중에서 한 개의 항으로만 이루어진 식 예 $3x$

참고 단항식은 다항식에 포함된다.
$\frac{1}{x}$과 같이 분모에 문자가 포함된 식은 다항식이 아니다.

다항식

주어진 다항식에 대하여 다음을 구하시오.

따라하기

x의 계수, y의 계수, 상수항

$2x+5y-3=2x+5y+(-3)$

항

01 $5x-3y-8$

(1) 항 (2) 상수항

(3) x의 계수 (4) y의 계수

02 $-x+6y+7$

(1) 항 (2) 상수항

(3) x의 계수 (4) y의 계수

03 $\frac{1}{3}x-\frac{2}{5}y-10$

(1) 항 (2) 상수항

(3) x의 계수 (4) y의 계수

다음 중 옳은 것은 ○표, 옳지 않은 것은 ×표를 ( ) 안에 써넣으시오.

04 $6x-1$은 항이 1개이다. ( )

05 x^2+8x-4에서 상수항은 -4이다. ( )

06 $\frac{4}{5}x-\frac{2}{3}y+9$는 다항식이다. ( )

07 $7x-3y$에서 항은 $7x$, $3y$이다. ( )

다음 중 단항식은 ○표, 단항식이 아니면 ×표를 ( ) 안에 써넣으시오.

08 $x+3$ ( )

09 10 ( )

10 $\frac{2}{3}x+y+\frac{1}{4}$ ( )

11 $-x^2$ ( )

02 차수와 일차식

정답과 풀이 36쪽

(1) 항의 차수: 어떤 항에서 문자가 곱해진 개수
(2) 다항식의 차수: 다항식에서 차수가 가장 큰 항의 차수
(3) 일차식: 차수가 1인 다항식
예 $3x+1$, $-5a$, $x+2y-3$

$5x^2-3x+2$
차수: 2 차수: 1 차수: 0
→ 다항식의 차수: 2

다항식의 차수

다음 다항식의 차수를 구하시오.

가장 큰 차수가 2이므로
x^2+5x-7 → 차수: 2

01 $3a+4$

02 $9x-6x^2$

03 $5a+7b$

04 $-3y^2+y+1$

05 $\frac{1}{4}x^2+9$

06 $a^3-a+\frac{1}{3}$

07 $7-y^2$

일차식

다음 중 일차식은 ○표, 일차식이 아니면 ×표를 ( ) 안에 써넣으시오.

08 $5x+9$ ( )

09 -8 ( )

10 $-y^3$ ( )

11 $0.2a+0.7$ ( )

12 x^2+4x ( )

13 $\frac{5}{9}y-2$ ( )

14 대표 문제

다음 중에서 다항식 $4x^2-\frac{3}{5}x-10$에 대한 설명으로 옳지 않은 것은?

① 일차식이다.
② 항은 모두 3개이다.
③ x^2의 계수는 4이다.
④ 상수항은 -10이다.
⑤ 다항식의 차수는 2이다.

03 단항식과 수의 곱셈과 나눗셈

정답과 풀이 37쪽

(1) (단항식)×(수), (수)×(단항식)

수끼리 곱하여 문자 앞에 쓴다. 예 $2x\times3=6x$

(2) (단항식)÷(수)

나누는 수의 역수를 곱한다. 예 $4x\div5=4x\times\frac{1}{5}=\frac{4}{5}x$

단항식과 수의 곱셈

다음을 계산하시오.

따라하기

$4x\times5$

$=4\times x\times5$ ← 곱셈 기호를 다시 쓴다.

$=4\times5\times x$ ← 수끼리 모은다. (곱셈의 교환법칙)

$=20x$ ← 수끼리 곱하여 문자 앞에 쓴다.

01 $8\times3y$

02 $2x\times(-6)$

03 $\frac{2}{3}a\times9$

04 $\left(-\frac{6}{7}\right)\times35x$

05 $(-2x)\times(-11)$

06 $\frac{1}{2}\times(-16y)$

07 $(-3a)\times\left(-\frac{2}{9}\right)$

단항식과 수의 나눗셈

다음을 계산하시오.

따라하기

$6x\div\frac{3}{4}$

$=6\times x\times\frac{4}{3}$ ← 나누는 수의 역수를 곱한다.

$=6\times\frac{4}{3}\times x$ ← 수끼리 모은다. (곱셈의 교환법칙)

$=8x$ ← 수끼리 곱하여 문자 앞에 쓴다.

08 $12x\div2$

09 $10a\div(-5)$

10 $(-15y)\div(-3)$

11 $3x\div\frac{1}{3}$

12 $8y\div\left(-\frac{4}{3}\right)$

13 $\frac{5}{4}x\div\left(-\frac{5}{12}\right)$

04 일차식과 수의 곱셈과 나눗셈

정답과 풀이 37쪽

(1) (수)×(일차식), (일차식)×(수)

분배법칙을 이용하여 일차식의 각 항에 수를 곱한다.

예 $2(3x+5)=6x+10$

(2) (일차식)÷(수)

나누는 수의 역수를 곱하고 분배법칙을 이용하여 계산한다.

예 $(6x-9)\div 3=(6x-9)\times\frac{1}{3}=2x-3$

분배법칙

① $a(b+c)=ab+ac$

② $(a+b)c=ac+bc$

일차식과 수의 곱셈

다음을 계산하시오.

ε 따라하기

$3(5x+2)=\underset{①}{3\times5x}+\underset{②}{3\times2}$

$=15x+6$

01 $4(x-3)$

02 $2(-7y+1)$

03 $-(6b-9)$

04 $\frac{1}{2}(10a-14)$

05 $15\left(\frac{2}{3}x+1\right)$

06 $-\frac{3}{4}(12y-8)$

다음을 계산하시오.

ε 따라하기

$(2x+3)\times4=\underset{①}{2x\times4}+\underset{②}{3\times4}$

$=8x+12$

07 $(x+5)\times2$

08 $(7a-3)\times3$

09 $(-4y+1)\times(-5)$

10 $(x-8)\times(-9)$

11 $(10a-5)\times\frac{1}{5}$

12 $(6b-2)\times\left(-\frac{3}{2}\right)$

일차식과 수의 나눗셈

다음을 계산하시오.

따라하기

$(8x+4)\div 2$

$=(8x+4)\times\frac{1}{2}$

$=8x\times\frac{1}{2}+4\times\frac{1}{2}$

$=4x+2$

나누는 수의 역수를 곱한다.

분배법칙을 이용한다.

계산한다.

13 $(6a+3)\div 3$

14 $(18x-8)\div 2$

15 $(-14y+7)\div 7$

16 $(20b+16)\div(-4)$

17 $(-5x+10)\div(-5)$

18 $(-12a-24)\div(-6)$

19 $(9x+3)\div\frac{3}{4}$

20 $(-5y+7)\div\frac{1}{2}$

21 $(12b-6)\div\left(-\frac{2}{3}\right)$

22 $(-10y+30)\div\frac{5}{6}$

23 $\left(a-\frac{1}{5}\right)\div\frac{1}{5}$

24 $\left(3x+\frac{1}{5}\right)\div\frac{3}{10}$

25 $\left(\frac{3}{8}x-\frac{9}{4}\right)\div\left(-\frac{9}{16}\right)$

26 $\left(-\frac{5}{9}y+\frac{2}{3}\right)\div\left(-\frac{1}{18}\right)$

27 대표 문제

다음 중에서 옳지 않은 것은?

① $4\left(5x+\frac{1}{8}\right)=20x+\frac{1}{2}$

② $(-x-1)\times(-3)=3x-3$

③ $9\left(-\frac{2}{3}y+\frac{1}{2}\right)=-6y+\frac{9}{2}$

④ $\left(-\frac{4}{5}a+2\right)\div\frac{2}{5}=-2a+5$

⑤ $(4x+1)\div\left(-\frac{2}{3}\right)=-6x-\frac{3}{2}$

05 동류항

정답과 풀이 38쪽

(1) **동류항**: 문자와 차수가 각각 같은 항

참고 상수항은 모두 동류항이다.

(2) **동류항의 덧셈과 뺄셈**

동류항이 들어 있는 다항식에서 동류항끼리 모아 분배법칙을 이용하여 계산한다.

예) $3x+5x=(3+5)x=8x$

동류항: $5a+2+4a+1$ (5a와 4a가 동류항, 2와 1이 동류항)

동류항

다음 중 두 항이 동류항인 것은 ○표, 동류항이 아닌 것은 ×표를 (　　) 안에 써넣으시오.

따라하기

① $2x$, $-5x$ → 동류항이다.
문자와 차수가 각각 같다.

② $3a$, $3b$ → 동류항이 아니다.
문자가 다르다.

③ x, x^2 → 동류항이 아니다.
차수가 다르다.

01 x와 $\frac{2}{3}x$ (　　)

02 a^2과 b^2 (　　)

03 7과 -7 (　　)

04 $2y^2$과 $2y$ (　　)

05 $9a$와 $9b$ (　　)

06 $0.3a$와 $\frac{3}{4}a$ (　　)

다음 다항식에서 동류항을 모두 찾으시오.

07 $2y+5y+2$

08 $3x-8+4x$

09 $a-4a+5-7a$

10 $4x+y-9x+\frac{2}{3}y$

11 $6x-y+3+4y$

12 $x^2-3+x+\frac{1}{5}$

13 $-a^2+5a+\frac{1}{2}a^2-9a$

14 $5x^2-10y^2+2x^2+\frac{4}{7}y^2$

동류항의 덧셈과 뺄셈

다음 식을 간단히 하시오.

따라하기

계수끼리 계산한다.

$2x+4x=(2+4)x=6x$

15 $a+3a$

16 $5y-2y$

17 $-x-6x$

18 $7a+7a$

19 $-10b+2b$

20 $2x+6x+3x$

21 $-3b-4b+b$

22 $a-\frac{a}{2}+\frac{a}{6}$

23 $-\frac{5}{9}y+\frac{2}{3}y-y$

다음 식을 간단히 하시오.

24 $2x+5+3x+1$

Tip 동류항끼리 계산한다. 이때 동류항이 아니면 더 이상 간단히 할 수 없다.

25 $y-5+8y+9$

26 $-3a+10-2a-4$

27 $6+x-7+\frac{4}{5}x$

28 $\frac{4}{3}x-\frac{3}{2}y+\frac{5}{3}x+\frac{1}{2}y$

29 $3b+4-9b+b-1$

30 $3-\frac{4}{5}x+2x-\frac{7}{5}$

31 대표 문제

다음 중에서 옳은 것은?

① $3+x=3x$
② $4b+3=7b$
③ $x+2y=2xy$
④ $2a+2a=4a^2$
⑤ $-x^2+2x^2=x^2$

06 일차식의 덧셈과 뺄셈

정답과 풀이 39쪽

(1) 일차식의 덧셈과 뺄셈은 다음과 같은 순서로 계산한다.
① 괄호가 있으면 분배법칙을 이용하여 괄호를 푼다.
② 동류항끼리 모은다.
③ 계산한다.
(2) 괄호가 여러 개인 식은 ( ) → { } → [ ] 순서로 푼다.

일차식의 덧셈

다음 식을 계산하시오.

ε 따라하기

$(2x+1)+(5x-3)$
$=2x+1+5x-3$ (괄호를 푼다.)
$=2x+5x+1-3$ (동류항끼리 모은다.)
$=7x-2$ (계산한다.)

01 $(4x+2)+(x+7)$

02 $(3x-7)+(3x+2)$

03 $(8x-2)+(x-6)$

04 $(13x-12)+(-5x+5)$

05 $(-x-9)+(-2x-8)$

06 $\left(\frac{3}{5}x-2\right)+\left(-\frac{3}{10}x-1\right)$

07 $\left(\frac{1}{2}x+\frac{1}{3}\right)+\left(\frac{5}{2}x-\frac{1}{4}\right)$

일차식의 뺄셈

다음 식을 계산하시오.

ε 따라하기

$(3x+4)-(2x-6)$
$=3x+4-2x+6$ (괄호 앞 부호가 −이면 각 항의 부호를 바꾸어 괄호를 푼다.)
$=3x-2x+4+6$ (동류항끼리 모은다.)
$=x+10$ (계산한다.)

08 $(x+5)-(3x+4)$

09 $(6x-10)-(-x+4)$

10 $(7x-9)-(x-1)$

11 $(10x-11)-(-2x+3)$

12 $(-3x-1)-(-x-12)$

13 $\left(\frac{2}{7}x+\frac{1}{4}\right)-\left(\frac{5}{7}x-3\right)$

14 $\left(6x-\frac{3}{4}\right)-\left(-5x-\frac{1}{2}\right)$

괄호가 있는 일차식의 계산

다음 식을 계산하시오.

따라하기

$2(4x+1)+3(-x+5)$ ⟩ 분배법칙을 이용하여 괄호를 푼다.
$=8x+2-3x+15$ ⟩ 동류항끼리 모은다.
$=8x-3x+2+15$ ⟩ 계산한다.
$=5x+17$

15 $4(x+1)+3x$

16 $x+2(3x+5)$

17 $4(a+1)+5(a+5)$

18 $2(2x-7)+6(x+1)$

19 $3(-y+5)+9(y-2)$

20 $5(2b-3)+\frac{1}{4}(16-8b)$

21 $-\frac{1}{3}(9x+15)+\frac{2}{5}(10x-5)$

22 $8\left(\frac{3}{4}a-2\right)+6\left(-\frac{2}{3}a+5\right)$

23 $2(3a+1)-4(a+3)$

24 $5(2x-4)-2(6x-3)$

25 $3(5y-1)-(y-2)$

26 $-2(x+9)-5(x+1)$

27 $4(x+6)-3(1-7x)$

28 $-(2b+11)-2(5-b)$

29 $5(y+4)-\frac{1}{2}(12y-4)$

30 $-\frac{1}{3}(9x-6)-\frac{3}{4}(4x-8)$

31 $-3\left(\frac{5}{6}a-1\right)-4\left(-\frac{3}{2}a+3\right)$

32 $12\left(\frac{3}{4}y-\frac{2}{3}\right)-20\left(\frac{4}{5}y+\frac{3}{10}\right)$

다음 식을 계산하시오.

33 $4x-[x-\{9-(2x+3)\}]$

Tip 괄호는 ( ) → { } → [ ] 순서로 계산한다.

34 $x-\{3+7(x-1)\}$

35 $7a-\{3a-(2a-5)\}$

36 $x-8-\{2-3(x+5)\}$

37 $2(a-1)-\{a-5(3-4a)\}$

38 $-(5x-4)-\left\{\frac{1}{6}(18x+30)-7\right\}$

39 $3(x+1)-\frac{2}{5}\{4x-(15-6x)\}$

40 $5-[3x-\{2x+5-(x+4)\}]$

41 $-x-[4x-y-\{3x+2(x+y)\}]$

42 $-(a+7)-\left[8a-\frac{1}{3}\{10-(6a+1)\}\right]$

복잡한 일차식의 덧셈과 뺄셈

다음 식을 계산하시오.

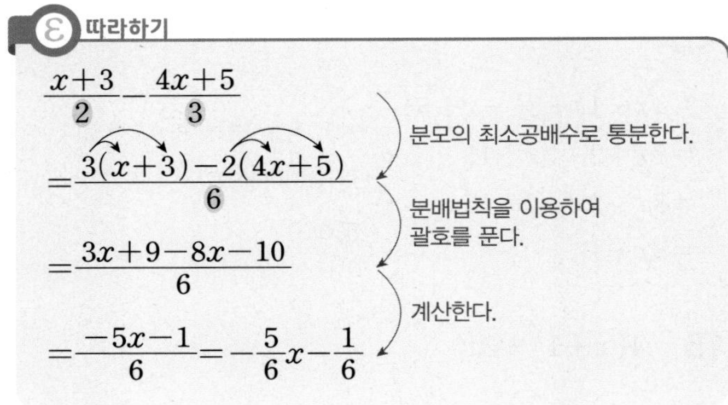

43 $\frac{x-1}{2}+\frac{x+3}{4}$

44 $\frac{4x+1}{3}+\frac{x-2}{5}$

45 $\frac{a-5}{6}+a+3$

46 $\frac{2y-3}{5}+\frac{y+9}{10}$

47 $\frac{-5x+1}{3}+\frac{x-5}{2}$

48 $\frac{3b-4}{5}+\frac{-b+3}{2}$

49 $\frac{3x+1}{4}+\frac{-x-2}{3}$

50 $\frac{x+5}{3}-\frac{x+1}{2}$

51 $\frac{a-3}{7}-\frac{a-2}{2}$

52 $\frac{y-3}{4}-\frac{3y+2}{5}$

53 $\frac{5x-3}{6}-\frac{2x+1}{3}$

54 $\frac{3b-1}{2}-\frac{2b-3}{4}$

55 $\frac{x-7}{2}-\frac{5x-1}{6}$

56 $\frac{-4y+3}{5}-\frac{y+2}{3}$

57 $\frac{5a+1}{3}-(2a+4)$

58 $-\frac{x+9}{2}-3-x$

$A=2x-1$, $B=x+1$일 때, 다음 식을 계산하시오.

따라하기

$A-B$

$=(2x-1)-(x+1)$ (A, B) — 괄호를 사용하여 문자에 식을 대입한다.

$=2x-1-x-1$ — 괄호를 푼다.

$=x-2$ — 계산한다.

59 $A+B$

60 $-A+2B$

61 $3A-B$

62 $-2A+3B$

63 $-A-4B$

64 대표 문제

$\frac{5x-4}{3}-\frac{13x+7}{6}$을 계산했을 때, x의 계수와 상수항의 합은?

① -3 ② $-\frac{1}{3}$ ③ $\frac{1}{6}$

④ $\frac{1}{3}$ ⑤ 3

확인 문제

정답과 풀이 43쪽

01

다음 중에서 다항식 $5x^2-8x+11$에 대한 설명으로 옳지 않은 것은?

① 상수항은 11이다.
② x^2의 계수는 5이다.
③ x의 계수는 -8이다.
④ 다항식의 차수는 2이다.
⑤ 항은 $5x^2$, $-8x$로 2개이다.

02

다음 보기 중에서 x에 대한 일차식을 모두 고른 것은?

보기

ㄱ. $-4x+3$　ㄴ. 10　ㄷ. x^2+5
ㄹ. $\frac{2}{7}x-1$　ㅁ. $\frac{1}{x}+2$　ㅂ. $0.3x$

① ㄱ, ㄹ　② ㄱ, ㅁ　③ ㄴ, ㅂ
④ ㄱ, ㄹ, ㅂ　⑤ ㄴ, ㅁ, ㅂ

03

다음 중에서 계산 결과가 나머지 넷과 다른 하나는?

① $(-4x)\times\frac{3}{8}$　② $\frac{1}{4}x\times(-6)$
③ $9x\times\left(-\frac{1}{6}\right)$　④ $\left(-\frac{1}{2}x\right)\div\frac{1}{3}$
⑤ $\frac{4}{3}x\div\left(-\frac{1}{2}\right)$

04

다음 중에서 동류항끼리 짝 지은 것을 모두 고르면? (정답 2개)

① $2a$, $2a^2$　② 4, -9　③ $\frac{1}{5}x$, $\frac{1}{5}y$
④ $3x$, $\frac{3}{x}$　⑤ x^2, $-x^2$

05

다음을 간단히 한 식에서 x의 계수는?

$$5x-[x+4y-\{3-2(4x-y)\}]+3$$

① -4　② -2　③ 2
④ 4　⑤ 6

06

$A=\frac{4}{5}x-3$, $B=2x-\frac{2}{3}$일 때, $10A-9B$를 계산하면?

① $-10x-36$　② $-10x-24$　③ $10x-36$
④ $10x-24$　⑤ $10x+24$

일차방정식

1. 일차방정식의 풀이

2. 일차방정식의 활용

1. 일차방정식의 풀이

01 등식

정답과 풀이 43쪽

(1) **등식**: 등호를 사용하여 수나 식이 서로 같음을 나타낸 식
① 좌변: 등식에서 등호의 왼쪽 부분
② 우변: 등식에서 등호의 오른쪽 부분
③ 양변: 좌변과 우변을 통틀어 양변이라 한다.

(2) **문장을 등식으로 나타내기**
좌변과 우변에 해당하는 식을 구한 후, 등호를 사용하여 나타낸다.

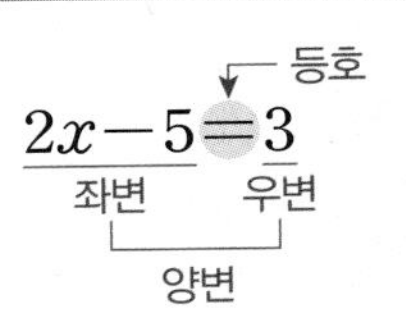

등식 구별하기

다음 중 등식인 것은 ○표, 등식이 아닌 것은 ×표를 ( ) 안에 써넣으시오.

$3x+1=0$ 등호가 있으므로 등식이다.

$x-4>5$, $7y+3$ 등호가 없으므로 등식이 아니다.

01 $4x-7$ ( )

02 $5x=x-8$ ( )

03 $2+8<11$ ( )

04 $a+3=2a+1$ ( )

05 $4+6=7$ ( )

Tip 거짓인 등식도 등식이다.

06 $x+6=y+6$ ( )

문장을 등식으로 나타내기

다음을 등식으로 나타내시오.

따라하기

어떤 수 x에서 6을 뺀 값은 x의 3배와 같다.
($x-6$) ($3x$)
→ $x-6=3x$

07 어떤 수 x에 5를 더한 값은 16이다.

08 어떤 수 x의 2배에서 3을 뺀 값은 9와 같다.

09 한 개에 500원인 귤 x개의 가격은 3500원이다.

10 연필이 x자루 있었는데 동생한테 3자루 주었더니 10자루가 되었다.

11 가로의 길이가 x cm, 세로의 길이가 8 cm인 직사각형의 넓이는 32 cm^2이다.

12 시속 70 km로 x시간 동안 달린 거리는 140 km이다.

02 방정식

정답과 풀이 43쪽

방정식: 문자의 값에 따라 참이 되기도 하고 거짓이 되기도 하는 등식

① 미지수: 방정식에 있는 문자

② 방정식의 해(근): 방정식이 참이 되게 하는 미지수의 값

③ 방정식을 푼다: 방정식의 해를 모두 구하는 것

$3x-1=2$ (미지수: x)

→ $3\times1-1=2$ (참) (해(근): 1)

방정식의 해

다음 방정식에 $x=3$을 대입했을 때, 등식이 참이 되는 것은 ○표, 거짓이 되는 것은 ×표를 ( ) 안에 써넣으시오.

따라하기

$2x-1=5$ → ($x=3$ 대입) $2\times3-1=5$ (참)

01 $3x=0$ ( )

02 $2x-6=0$ ( )

03 $7-x=4$ ( )

04 $4x-4=1$ ( )

05 $9-2x=7$ ( )

06 $5x-10=5$ ( )

07 $-x+5=2$ ( )

x의 값이 -1, 0, 1일 때, 다음 방정식에 대하여 표를 완성하고 방정식의 해를 구하시오.

08 $3x+2=5$

x의 값	좌변	우변	참, 거짓
-1	$3\times(-1)+2=-1$	5	거짓
0			
1			

방정식의 해: ______

09 $6-5x=1$

x의 값	좌변	우변	참, 거짓
-1			
0			
1			

방정식의 해: ______

10 $4x=x-3$

x의 값	좌변	우변	참, 거짓
-1			
0			
1			

방정식의 해: ______

11 대표 문제

다음 중에서 [ ] 안의 수가 주어진 방정식의 해가 아닌 것은?

① $6x-5=7$ [2] ② $-2x+3=5$ [-1]

③ $7x+4=-10$ [-2] ④ $2-x=x-2$ [1]

⑤ $5x-1=8+2x$ [3]

03 항등식

정답과 풀이 44쪽

(1) 항등식: 미지수에 어떤 값을 대입하여도 항상 참이 되는 등식

예) $2x+3x=5x$

(2) 항등식이 되기 위한 조건

$ax+b=cx+d$가 항등식이려면 $a=c$, $b=d$이어야 한다.

항등식
(좌변)=(우변)
↑
항상 참

항등식 구별하기

다음 중 항등식인 것은 ○표, 항등식이 아닌 것은 ×표를 (　　) 안에 써넣으시오.

따라하기

$3x+4x=7x$

→ (좌변)$=3x+4x=7x$, (우변)$=7x$ (서로 같다.)

→ (좌변)=(우변)이므로 항등식이다.

01 $5x-4x=3x$ (　　　)

02 $x+x=2x$ (　　　)

03 $x-2=2-x$ (　　　)

04 $3x-1=3x+1$ (　　　)

05 $3(x+1)-2x=x+3$ (　　　)

Tip 괄호를 풀고 간단히 한다.

06 $7x-4=5(x-4)+2x$ (　　　)

항등식이 되기 위한 조건

다음 등식이 x에 대한 항등식이 되도록 상수 a, b의 값을 구하시오.

따라하기

x의 계수끼리 같다.

$ax+b=cx+d$가 항등식 → $a=c$, $b=d$

상수항끼리 같다.

07 $ax+b=-8x+2$

08 $2x-3=ax+b$

09 $ax+7=5x+b$

10 $-x+a=bx+8$

11 $9+ax=4x+b$

12 대표 문제

등식 $6x+a=2(bx-1)$이 x에 대한 항등식일 때, 상수 a, b에 대하여 ab의 값은?

① -12　② -6　③ 2

④ 6　⑤ 12

04 등식의 성질

정답과 풀이 44쪽

(1) 등식의 성질: $a=b$일 때

① $a+c=b+c$ ← 등식의 양변에 같은 수를 더하여도 등식은 성립한다.

② $a-c=b-c$ ← 등식의 양변에서 같은 수를 빼어도 등식은 성립한다.

③ $ac=bc$ ← 등식의 양변에 같은 수를 곱하여도 등식은 성립한다.

④ $\frac{a}{c}=\frac{b}{c}$ (단, $c\neq0$) ← 등식의 양변을 0이 아닌 같은 수로 나누어도 등식은 성립한다.

(2) 등식의 성질을 이용한 방정식의 풀이

등식의 성질을 이용하여 주어진 방정식을 $x=$(수) 꼴로 고쳐서 해를 구한다.

등식의 성질

다음 중 옳은 것은 ○표, 옳지 않은 것은 ×표를 ( ) 안에 써넣으시오.

01 $x=y$이면 $x+3=y+3$이다. ( )

02 $x=y$이면 $x-2=y+2$이다. ( )

03 $x=y$이면 $5x=5y$이다. ( )

04 $x=y$이면 $-x=-y$이다. ( )

05 $x=2y$이면 $x-1=2y-2$이다. ( )

06 $\frac{x}{4}=\frac{y}{5}$이면 $5x=4y$이다. ( )

07 $6x=3$이면 $x=2$이다. ( )

등식의 성질을 이용하여 일차방정식 풀기

등식의 성질을 이용하여 다음 방정식을 푸시오.

따라하기

$3x-1=5$에서

$3x-1+1=5+1$ (양변에 1을 더한다.)

$3x=6$

$\frac{3x}{3}=\frac{6}{3}$ (양변을 3으로 나눈다.)

$x=2$ ← 방정식의 해

08 $x-4=1$

09 $x+2=-3$

10 $5x=10$

11 $-\frac{x}{7}=3$

12 $2x+1=9$

13 $-x+7=4$

05 이항

정답과 풀이 44쪽

이항: 등식의 성질을 이용하여 등식의 어느 한 변에 있는 항을 부호를 바꾸어 다른 변으로 옮기는 것

참고 +●를 이항 ➔ −●
−■를 이항 ➔ +■

$x+6=5$
이항
$x=5-6$

이항

다음 등식에서 밑줄 친 항을 이항하시오.

따라하기

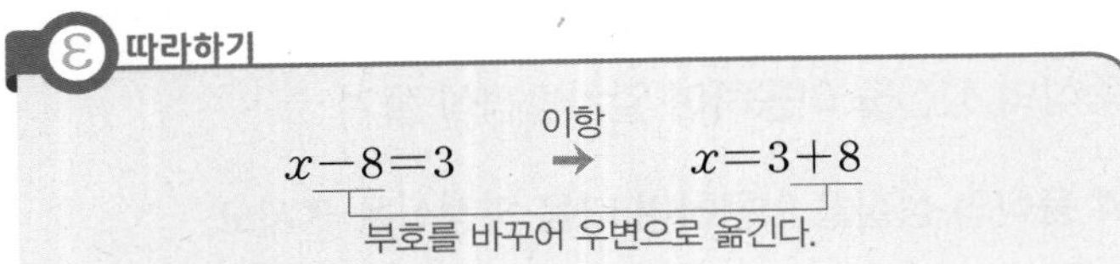

01 $x\underline{-6}=1$

02 $3x\underline{+2}=4$

03 $\underline{7}-x=3$

04 $5x=\underline{4x}+9$

05 $x=\underline{-8x}+6$

06 $2x\underline{-3}=17\underline{+x}$

07 $5x\underline{+2}=9\underline{-2x}$

다음 방정식을 이항만을 이용하여 $ax=b(a>0)$ 꼴로 나타내시오.

따라하기

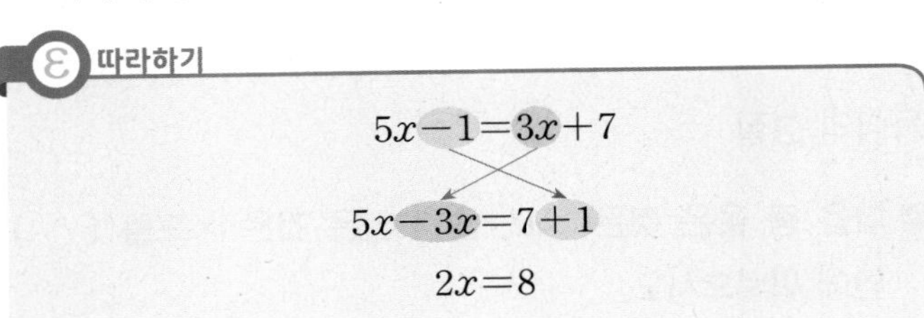

08 $2x+3=7$

09 $4x-9=-5x$

10 $8x=3-x$

11 $3x-1=x+8$

12 $-x+5=-2x+1$

13 $11+x=-3x+4$

14 $7x-2=8+x$

06 일차방정식

정답과 풀이 45쪽

방정식에서 우변에 있는 모든 항을 좌변으로 이항하여 정리했을 때
(x에 대한 일차식)$=0$, 즉 $ax+b=0$(단, $a\neq0$)
꼴이 되는 방정식을 x에 대한 일차방정식이라 한다.

일차방정식

다음 중 일차방정식인 것은 ○표, 일차방정식이 아닌 것은 ×표를 ( ) 안에 써넣으시오.

따라하기

$$4x+1=3x-2$$
모든 항을 좌변으로 이항하기
$$4x+1-3x+2=0$$
좌변을 정리하기
$$x+3=0$$
(일차식)$=0$의 꼴 → 일차방정식

01 $x+5=4$ ( )

02 $9x-10$ ( )

03 $5x-1=2x$ ( )

04 $-6x=x-3$ ( )

05 $3+x=x^2$ ( )

06 $2x-8=5+2x$ ( )

07 $x^2+4x=x^2-x$ ( )

일차방정식이 되기 위한 조건

다음 방정식이 x에 대한 일차방정식이 되도록 하는 상수 a의 조건을 구하시오.

따라하기

$$ax-5=2x+1$$
모든 항을 좌변으로 이항하기
$$ax-5-2x-1=0$$
좌변을 정리하기
$$(a-2)x-6=0$$
→ ① $a=2$이면 일차방정식이 아니다.
② $a\neq2$이면 일차방정식이다.

08 $ax+3=4x-6$

09 $3x-9=ax+5$

10 $-x-7=ax+8$

11 $10-ax=-4x-2$

12 $x+3=6-ax$

13 대표 문제

다음 중에서 x에 대한 일차방정식인 것은?

① $3x+1$
② $x^2+1=x$
③ $x-5=5-x$
④ $4(x+1)-3$
⑤ $2x-1=2x-10$

07 일차방정식의 풀이

정답과 풀이 45쪽

이항과 등식의 성질을 이용하여 일차방정식의 해를 구한다.

① 괄호가 있으면 분배법칙을 이용하여 괄호를 푼다.

② 미지수 x를 포함한 항은 좌변으로, 상수항은 우변으로 이항한다.

③ 양변을 정리하여 $ax=b(a\neq0)$ 꼴로 만든다.

④ 양변을 x의 계수 a로 나눈다.

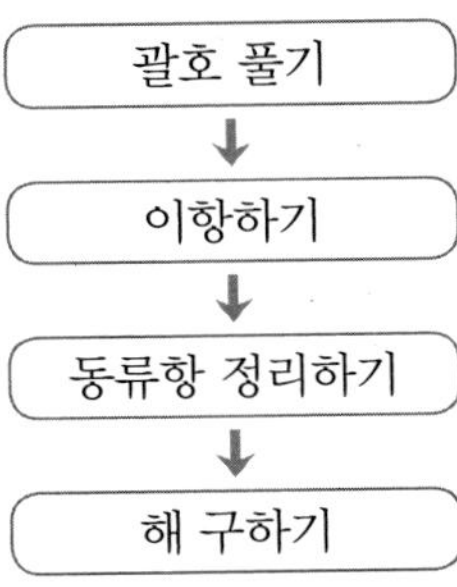

일차방정식의 풀이

다음 일차방정식을 푸시오.

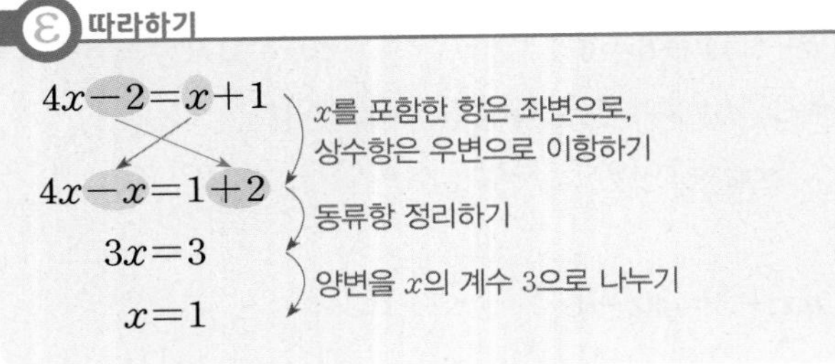

01 $x+3=4$

02 $x-2=8$

03 $x-5=-1$

04 $x-9=0$

05 $3x=12$

06 $-4x=20$

07 $-7x=-35$

08 $2x+5=7$

09 $3x-8=1$

10 $5x=18-4x$

11 $-x+8=x$

12 $11=-9x+2$

13 $8x=x-21$

14 $-4x=x+10$

15 $2x=9-x$

16 $2x-4=-x-5$

17 $9x+1=3x+13$

18 $4x+1=-x+21$

19 $x-3=9-x$

20 $8-2x=7+x$

21 $-7x+10=x-6$

22 $4x+3=15-2x$

23 $5x+1=15+3x$

24 $-8+3x=-x+20$

25 $x+1=16-4x$

26 $-7x-7=-3x+1$

괄호가 있는 일차방정식의 풀이

다음 일차방정식을 푸시오.

따라하기

$2(x-3)=8$
분배법칙을 이용하여 괄호 풀기
$2x-6=8$
상수항 -6을 우변으로 이항하기
$2x=8+6$
동류항 정리하기
$2x=14$
양변을 x의 계수 2로 나누기
$x=7$

27 $3(x-2)=9$

28 $-2(4x-7)=14$

29 $5(5x-3)=10$

30 $4(x-1)=x$

31 $-(3x-1)=2x$

32 $7-2(x+3)=-1$

33 $-3(2x+5)+8=5$

34 $2(x+9)-6=11$

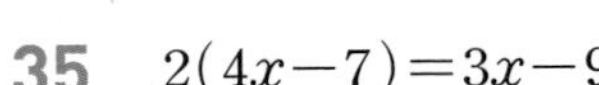

정답과 풀이 45쪽

35 $2(4x-7)=3x-9$

36 $8+2(x-4)=x+18$

37 $x+12=9-2(x+3)$

38 $3(4-x)=-x+6$

39 $-7x=3(x-2)+26$

40 $8-3(x+2)=-4x+5$

41 $2(x+7)=5(x+4)$

42 $-(x+5)=2(3x+8)$

43 $9(2-x)=-4(3x+12)$

44 $3(x+6)=-(x-8)$

45 $7(x-2)=5+2(13-x)$

46 $2(x+7)=8(3x-2)+8$

47 $5(2x+5)-7(x-4)=50$

48 $4(x-7)+10=3(2x+6)$

49 $15-3(x+7)=4(1-x)$

50 $6(2x-1)=x+3(3x-4)$

51 $2(6x+2)-5(3x-4)=x$

52 대표 문제

일차방정식 $5(2x-1)=-3(6-4x)$의 해는?

① $x=-\frac{13}{4}$ ② $x=-\frac{13}{2}$ ③ $x=\frac{13}{6}$

④ $x=\frac{13}{4}$ ⑤ $x=\frac{13}{2}$

08 계수가 소수, 분수인 일차방정식의 풀이

정답과 풀이 47쪽

양변에 적당한 수를 곱하여 계수를 정수로 고쳐서 푼다.
① 계수가 소수인 경우: 양변에 10, 100, 1000, ⋯ 중에서 적당한 수를 곱한다.
계수가 분수인 경우: 양변에 분모의 최소공배수를 곱한다.
② 미지수 x를 포함한 항은 좌변으로, 상수항은 우변으로 이항한다.
③ 양변을 정리하여 $ax=b(a\neq0)$ 꼴로 만든다.
④ 양변을 x의 계수 a로 나눈다.

계수가 소수인 일차방정식의 풀이

다음 일차방정식을 푸시오.

따라하기

$0.4x+0.1=0.9$ (×10, ×10, ×10) 양변에 10 곱하기
$4x+1=9$ 상수항 1을 우변으로 이항하기
$4x=9-1$ 동류항 정리하기
$4x=8$ 양변을 x의 계수 4로 나누기
$x=2$

01 $0.2x+0.5=0.3$

02 $0.7x-1.2=0.2$

03 $1.2x-0.4=-2.8$

04 $0.3x=1.6-0.1x$

05 $0.4x-3=1.4$

06 $0.5x-0.4=0.2x-1.3$

07 $0.7x+0.9=1.2x-1.6$

08 $4-0.9x=1.8+0.2x$

09 $0.04x+0.13=-0.03$

10 $0.31-0.03x=0.07$

11 $0.05x+0.08=0.09x-0.16$

12 $0.19-0.02x=0.07x+0.26$

13 $-0.06x+0.3=0.12$

Tip x의 계수와 상수항이 모두 정수가 되게 하려면 양변에 100을 곱해야 한다.

14 $0.04x-0.19=0.01x-0.4$

15 $0.6x+0.35=0.8x+1.15$

계수가 분수인 일차방정식의 풀이

다음 일차방정식을 푸시오.

ε 따라하기

$\frac{2}{3}x-\frac{5}{6}=\frac{1}{4}x$) 양변에 분모의 최소공배수 12 곱하기 ($\times 12$)

$8x-10=3x$) 이항하기

$8x-3x=10$) 동류항 정리하기

$5x=10$) 양변을 x의 계수 5로 나누기

$x=2$

16 $\frac{3}{5}x+\frac{4}{15}=\frac{1}{5}$

17 $\frac{1}{2}x-\frac{3}{8}=\frac{7}{8}$

18 $\frac{7}{6}x-\frac{1}{3}=\frac{11}{2}$

19 $\frac{5}{8}-\frac{3}{4}x=\frac{1}{2}x$

20 $\frac{2}{3}x=\frac{1}{4}x+\frac{5}{3}$

21 $\frac{1}{5}x=\frac{2}{5}-\frac{3}{10}x$

22 $\frac{5}{6}x-\frac{2}{3}x=\frac{3}{2}$

23 $\frac{3}{4}x-\frac{3}{2}=\frac{1}{2}x+\frac{5}{4}$

24 $\frac{2}{9}x+\frac{4}{3}=\frac{5}{9}+\frac{1}{3}x$

25 $\frac{2}{3}x+\frac{4}{3}=\frac{5}{6}x-\frac{1}{2}$

26 $\frac{3}{5}x-\frac{1}{3}=\frac{2}{3}x+1$

27 $\frac{3}{8}x+\frac{1}{4}=\frac{3}{4}x-2$

28 $\frac{3x+1}{4}=\frac{1}{2}x-\frac{5}{4}$

29 $\frac{x-4}{2}=\frac{2x+5}{3}$

30 $\frac{5x+2}{6}=\frac{x-3}{4}+1$

31 $\frac{2x-4}{5}-\frac{3x+1}{4}=\frac{7}{10}$

다음 일차방정식을 푸시오.

32 $\frac{1}{4}x-1.2=0.3x$

Tip 계수에 분수와 소수가 섞여 있을 때에는 소수를 분수로 고친 다음 계산하면 편리하다.

33 $\frac{3}{2}x-\frac{2}{5}=0.2x$

34 $0.6x-\frac{3}{4}=0.3$

35 $0.5x-\frac{1}{2}=\frac{3}{5}x+2.5$

36 $\frac{2}{3}x-1=1.5x-\frac{1}{6}$

37 $\frac{x+1}{4}-\frac{x-1}{2}=0.5$

38 $0.7-\frac{3}{5}(x+1)=0$

39 $0.6(x-1)=\frac{1}{4}x-\frac{3}{2}$

40 $0.8x-0.1=\frac{1}{3}(x-1)$

41 $1.3x-2=\frac{3}{2}(x+4)$

42 $0.7(x-2)=\frac{5}{2}x+\frac{2}{5}$

43 $\frac{3}{10}x+1=0.2(x+6)$

44 $0.5x-\frac{3x-1}{4}=\frac{3}{2}$

45 $0.9x-3.1=-\frac{1}{2}(x+3)$

46 $0.2x-\frac{2}{5}(x+3)=1$

47 대표 문제

다음 방정식 중에서 해가 가장 큰 것은?

① $3x-5=-4x+23$

② $2(x-5)=3x-8$

③ $0.4x-1.5=0.2x-0.3$

④ $\frac{2}{3}x+\frac{1}{4}=\frac{3}{4}x$

⑤ $\frac{2}{5}x+0.3=\frac{1}{2}x-\frac{3}{5}$

09 복잡한 일차방정식의 풀이

정답과 풀이 50쪽

(1) 비례식으로 주어진 일차방정식

비례식의 성질을 이용하여 비례식을 일차방정식으로 바꾸어 푼다.

① 외항의 곱은 내항의 곱과 같음을 이용하여 일차방정식을 만든다.

② 미지수 x를 포함한 항은 좌변으로, 상수항은 우변으로 이항한다.

③ 양변을 정리하여 $ax=b(a\neq0)$ 꼴로 만든다.

④ 양변을 x의 계수 a로 나눈다.

외항

$a:b=c:d \rightarrow ad=bc$

내항

(2) 해가 주어질 때, 미지수의 값 구하기

주어진 해를 방정식에 대입하면 등식이 성립함을 이용하여 미지수의 값을 구한다.

일차방정식 $ax+b=0$의 해가 $x=$● → $a\times$●$+b=0$

비례식으로 이루어진 일차방정식의 풀이

다음 비례식을 만족하는 x의 값을 구하시오.

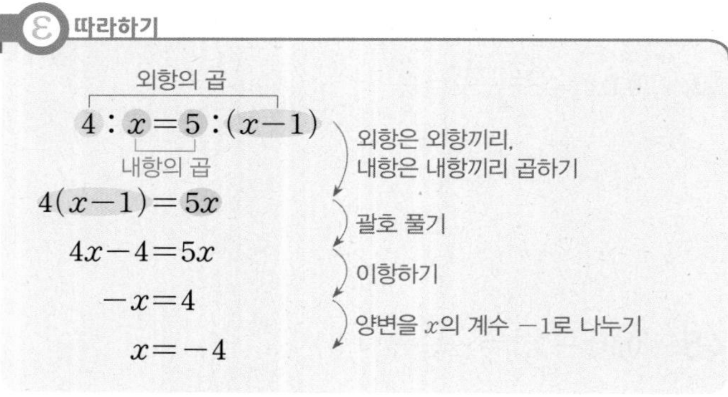

01 $x:1=6:2$

02 $3:5=x:15$

03 $6:1=2x:3$

04 $4:3x=1:9$

05 $2:x=5:(x+2)$

06 $x:3=(x-4):5$

07 $(x+2):(x-3)=2:3$

08 $5x:7=(x-4):1$

09 $(5-x):(x-5)=1:2$

10 $(2x+9):3=(3x-1):5$

11 $6:2(x-2)=5:(3+2x)$

12 $(x-3):4=(5x+3):11$

해가 주어질 때, 미지수의 값 구하기

다음 x에 대한 일차방정식의 해가 $x=2$일 때, 상수 a의 값을 구하시오.

$3x+a=5+x$ — $x=2$를 대입하기
$3\times2+a=5+2$ — 동류항 정리하기
$6+a=7$ — 이항하기
$a=1$

13 $ax+3=7$

14 $-2x+8=a$

15 $7x+a=9$

16 $5x-a=4x+11$

17 $-3x+1=10-ax$

18 $-x+9=-4x+3a$

19 $7x+2a=5a-4$

20 $a(x+3)-2x=16$

21 $4(x-a)+1=ax$

다음 [ ] 안의 수가 주어진 x에 대한 일차방정식의 해일 때, 상수 a의 값을 구하시오.

22 $3x-8=a$ [3]

23 $ax+7=4$ [-1]

24 $-2x+5=-x+a$ [2]

25 $6x+a=x-5a$ [6]

26 $-(x-a)+9=2x$ [-2]

27 $4(x+1)=-3(a+2)$ [5]

28 $5(x-a)=2x+7$ [-1]

29 대표 문제

다음 두 식을 만족하는 x의 값이 서로 같을 때, 상수 a의 값은?

$$x:3=(x-4):5,\ 2x-a=7$$

① -19　② -5　③ 5
④ 7　⑤ 19

확인 문제

정답과 풀이 51쪽

01

다음 중에서 등식인 것을 모두 고르면? (정답 2개)

① $6x-5$ ② $3x+4x=8$
③ $7+2x>0$ ④ $-4<0$
⑤ $4+1=5$

02

다음 중에서 항등식인 것은?

① $4x-x=3$ ② $x=-1$
③ $2x+5=5x+2$ ④ $3(x+1)=3x+1$
⑤ $-(x-4)=4-x$

03

다음 중에서 옳지 <u>않은</u> 것은?

① $a=-b$이면 $-a=b$이다.
② $2a=b$이면 $4a=2b$이다.
③ $\frac{a}{4}=\frac{b}{5}$이면 $4a=5b$이다.
④ $a=b$이면 $3a-1=3b-1$이다.
⑤ $a-1=b+1$이면 $a+1=b+3$이다.

04

다음 보기 중에서 밑줄 친 항을 바르게 이항한 것을 모두 고른 것은?

보기
ㄱ. $x\underline{+5}=1 \rightarrow x=1+5$
ㄴ. $3x=4\underline{-x} \rightarrow 3x+x=4$
ㄷ. $-2x\underline{-7}=9\underline{+6x} \rightarrow -2x-6x=9+7$
ㄹ. $8x\underline{+3}=\underline{-x}+1 \rightarrow 8x-x=1-3$

① ㄱ, ㄴ ② ㄱ, ㄷ ③ ㄴ, ㄷ
④ ㄴ, ㄹ ⑤ ㄴ, ㄷ, ㄹ

05

다음 두 일차방정식의 해의 합은?

$4(x-1)=2(3x+5)$, $0.6x-1=0.4(x-7)$

① -16 ② -9 ③ -2
④ 9 ⑤ 16

06

x에 대한 일차방정식 $a(3x+1)=2x-6$의 해가 $x=-2$일 때, x에 대한 일차방정식 $0.8x-0.5a=\frac{1}{2}(x+7)$의 해는? (단, a는 상수)

① -15 ② -6 ③ 2
④ 6 ⑤ 15

01 일차방정식의 활용 (1)

정답과 풀이 52쪽

(1) 어떤 수에 대한 문제
→ 어떤 수를 x로 놓는다.

(2) 나이에 대한 문제
→ (x년 후의 나이)=(올해의 나이)$+x$

(3) 총합이 일정한 문제
→ 구하는 미지수를 x로 놓고, 또 다른 미지수를 (총합)$-x$로 놓는다.

(4) 도형에 대한 문제
→ 문제를 그림으로 나타낸 후 방정식을 세운다.

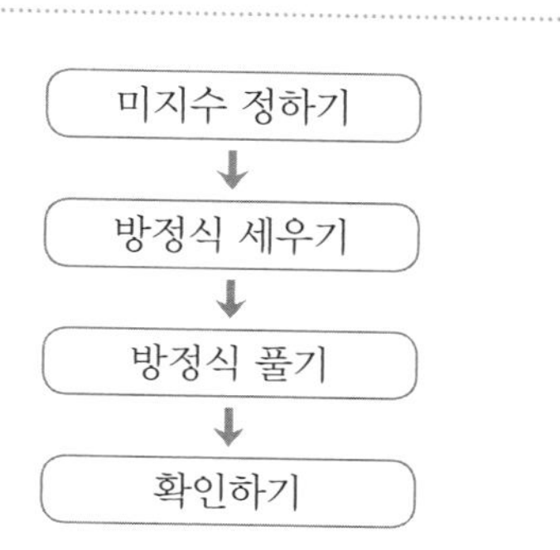

어떤 수에 대한 문제

01 어떤 수를 3배한 것은 어떤 수보다 6만큼 크다고 할 때, 어떤 수를 구하려고 한다.

(1) 어떤 수를 x라 하고, 방정식을 세우시오.

> 어떤 수를 3배한 수 → $3x$
> 어떤 수보다 6만큼 큰 수 → ☐
> 방정식을 세우면 $3x=$ ☐

(2) 방정식을 푸시오.

(3) 어떤 수를 구하시오.

02 어떤 수에 4를 더하면 어떤 수의 2배보다 5만큼 크다고 할 때, 어떤 수를 구하시오.

03 어떤 수에서 2를 뺀 후 3배한 수는 어떤 수의 2배와 같을 때, 어떤 수를 구하시오.

나이에 대한 문제 (1)

04 형의 나이는 동생의 나이보다 5살 많고, 형과 동생의 나이의 합은 29살일 때, 형의 나이를 구하려고 한다.

(1) 형의 나이를 x살이라 하고, 방정식을 세우시오.

> 형의 나이 → x살
> 동생의 나이 → (☐)살
> 방정식을 세우면 $x+$ ☐ $=29$

(2) 방정식을 푸시오.

(3) 형의 나이를 구하시오.

05 언니의 나이는 동생의 나이보다 6살 많고, 언니와 동생의 나이의 합이 32살일 때, 동생의 나이를 구하시오.

06 3살 차이가 나는 재호와 재호의 형의 나이의 합이 27살일 때, 재호의 나이를 구하시오.

나이에 대한 문제 (2)

07 **올해 진호의 나이는 14살이고 어머니의 나이는 42살이다. 어머니의 나이가 진호의 나이의 2배가 되는 것은 몇 년 후인지 구하려고 한다.**

(1) x년 후에 어머니의 나이가 진호의 나이의 2배가 된다고 할 때, 다음 표를 완성하시오.

	진호	어머니
올해 나이(살)	14	42
x년 후의 나이(살)		

(2) 방정식을 세우시오.

(3) 방정식을 푸시오.

(4) 어머니의 나이가 진호의 나이의 2배가 되는 것은 몇 년 후인지 구하시오.

08 **올해 아버지의 나이는 52살이고 민아의 나이는 16살이다. 아버지의 나이가 민아의 나이의 3배가 되는 것은 몇 년 후인지 구하시오.**

09 **올해 윤호의 나이는 이모의 나이보다 16살이 적다. 8년 후에는 이모의 나이가 윤호의 나이의 2배가 된다고 할 때, 올해 이모의 나이를 구하시오.**

총합이 일정한 문제

10 **한 개에 500원인 캐러멜과 한 개에 900원인 초콜릿을 합하여 10개를 사고 7400원을 지불하였을 때, 캐러멜과 초콜릿을 각각 몇 개씩 샀는지 구하려고 한다.**

(1) 캐러멜을 x개 샀다고 할 때, 다음 표를 완성하시오.

	캐러멜	초콜릿
구매한 개수(개)	x	
가격(원)	$500x$	

(2) 방정식을 세우시오.

(3) 방정식을 푸시오.

(4) 캐러멜과 초콜릿을 각각 몇 개씩 샀는지 구하시오.

11 **한 개에 900원인 사과와 한 개에 600원인 귤을 합하여 9개를 사고 6300원을 지불하였을 때, 사과와 귤을 각각 몇 개씩 샀는지 구하시오.**

12 **한 자루에 800원인 볼펜과 한 자루에 700원인 색연필을 합하여 7자루를 사고 5400원을 지불하였을 때, 볼펜과 색연필을 각각 몇 자루씩 샀는지 구하시오.**

13 어느 농장에 돼지와 오리가 모두 12마리가 있다. 돼지와 오리의 다리의 수의 합이 38일 때, 돼지는 모두 몇 마리인지 구하려고 한다.

(1) 돼지가 x마리 있다고 할 때, 다음 표를 완성하시오.

	돼지	오리
마리 수(마리)	x	
다리 수(개)	$4x$	

(2) 방정식을 세우시오.

(3) 방정식을 푸시오.

(4) 돼지는 모두 몇 마리인지 구하시오.

14 어느 농장에 소와 닭이 모두 15마리가 있다. 소와 닭의 다리의 수의 합이 48일 때, 소는 모두 몇 마리인지 구하시오.

15 어느 농구 선수가 2점짜리 슛과 3점짜리 슛을 합하여 14개를 넣어 32점을 득점하였다. 이 농구 선수는 2점짜리 슛을 몇 개 넣었는지 구하시오.

도형에 대한 문제

16 가로의 길이가 세로의 길이보다 5 cm 더 긴 직사각형이 있다. 이 직사각형의 둘레의 길이가 38 cm일 때, 이 직사각형의 넓이를 구하려고 한다.

(1) 직사각형의 세로의 길이를 x cm라 하고, 방정식을 세우시오.

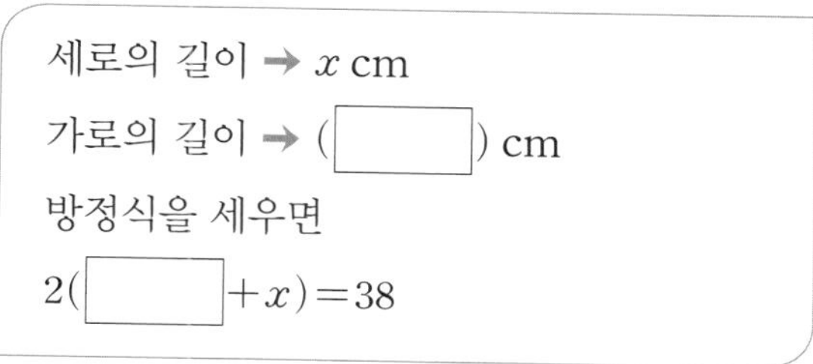

Tip (직사각형의 둘레의 길이)
$=2\times\{$(가로의 길이)+(세로의 길이)$\}$

(2) 방정식을 푸시오.

(3) 직사각형의 넓이를 구하시오.

Tip (직사각형의 넓이)=(가로의 길이)×(세로의 길이)

17 가로의 길이가 세로의 길이보다 3 cm 더 긴 직사각형이 있다. 이 직사각형의 둘레의 길이가 30 cm일 때, 이 직사각형의 넓이를 구하시오.

18 세로의 길이가 가로의 길이보다 7 cm 더 짧은 직사각형이 있다. 이 직사각형의 둘레의 길이가 54 cm일 때, 이 직사각형의 넓이를 구하시오.

02 일차방정식의 활용 (2)

정답과 풀이 53쪽

(1) 연속하는 세 정수에 대한 문제
→ $x-1$, x, $x+1$ 또는 x, $x+1$, $x+2$

(2) 연속하는 세 짝수(홀수)에 대한 문제
→ $x-2$, x, $x+2$ 또는 x, $x+2$, $x+4$

(3) 자릿수에 대한 문제
→ 십의 자리 숫자가 x, 일의 자리 숫자가 y인 두 자리의 자연수는 $10x+y$

연속하는 정수에 대한 문제

01 **연속하는 세 정수의 합이 51일 때, 세 정수를 구하려고 한다.**

(1) 연속하는 세 정수 중 가운데 수를 x라 하고, 방정식을 세우시오.

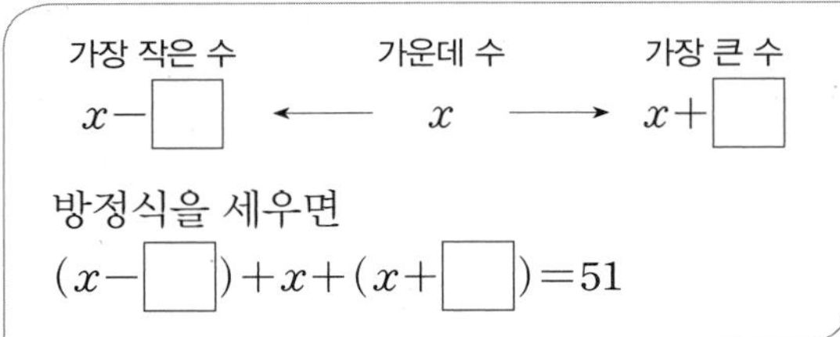

(2) 방정식을 푸시오.

(3) 세 정수를 구하시오.

02 **연속하는 세 정수의 합이 33일 때, 세 정수를 구하시오.**

03 **연속하는 세 정수의 합이 45일 때, 세 정수 중 가장 큰 수를 구하시오.**

연속하는 짝수 또는 홀수에 대한 문제

04 **연속하는 세 짝수의 합이 36일 때, 세 짝수를 구하려고 한다.**

(1) 연속하는 세 짝수 중 가운데 수를 x라 하고, 방정식을 세우시오.

가장 작은 수 / 가운데 수 / 가장 큰 수

$x-\square$ ← x → $x+\square$

방정식을 세우면

$(x-\square)+x+(x+\square)=36$

(2) 방정식을 푸시오.

(3) 세 짝수를 구하시오.

05 **연속하는 세 짝수의 합이 84일 때, 세 짝수를 구하시오.**

06 **연속하는 세 홀수의 합이 75일 때, 세 홀수를 구하시오.**

자릿수에 대한 문제

07 십의 자리의 숫자가 6인 두 자리의 자연수가 있다. 이 자연수는 각 자리의 숫자의 합의 7배와 같다고 할 때, 이 자연수를 구하려고 한다.

(1) 이 자연수의 일의 자리 숫자를 x라 하고, 방정식을 세우시오.

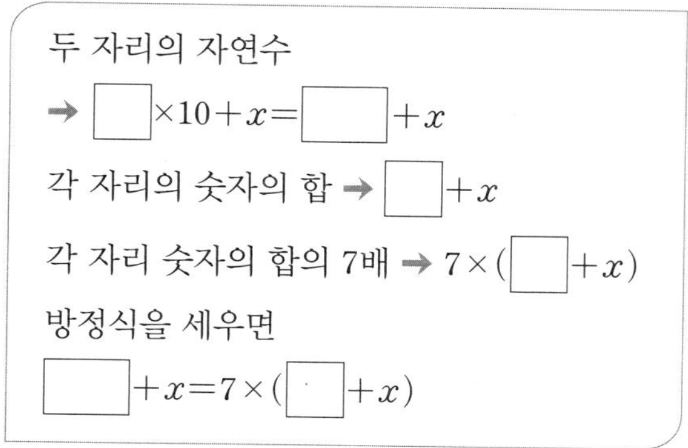

(2) 방정식을 푸시오.

(3) 이 자연수를 구하시오.

08 십의 자리의 숫자가 4인 두 자리의 자연수가 있다. 이 자연수는 각 자리의 숫자의 합의 5배와 같다고 할 때, 이 자연수를 구하시오.

09 일의 자리의 숫자가 1인 두 자리의 자연수가 있다. 이 자연수는 각 자리의 숫자의 합의 9배와 같다고 할 때, 이 자연수를 구하시오.

10 십의 자리의 숫자가 5인 두 자리의 자연수가 있다. 이 자연수의 십의 자리 숫자와 일의 자리 숫자를 바꾼 수는 처음 수보다 18만큼 작다고 할 때, 처음 수를 구하려고 한다.

(1) 처음 수의 일의 자리 숫자를 x라 하고, 방정식을 세우시오.

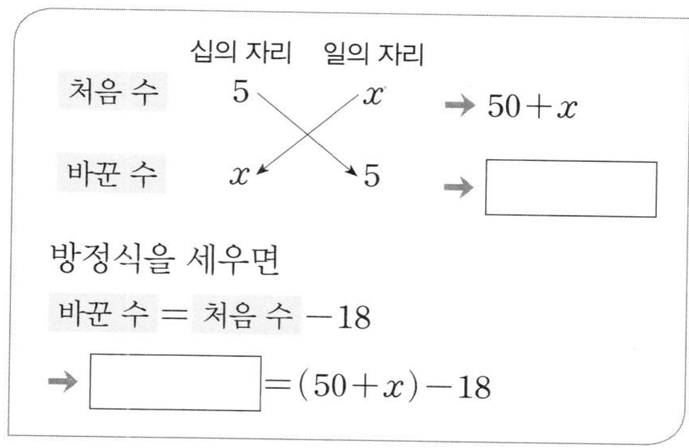

(2) 방정식을 푸시오.

(3) 처음 수를 구하시오.

11 십의 자리의 숫자가 7인 두 자리의 자연수가 있다. 이 자연수의 십의 자리 숫자와 일의 자리 숫자를 바꾼 수는 처음 수보다 36만큼 작다고 할 때, 처음 수를 구하시오.

12 일의 자리의 숫자가 2인 두 자리의 자연수가 있다. 이 자연수의 십의 자리 숫자와 일의 자리 숫자를 바꾼 수는 처음 수보다 9만큼 크다고 할 때, 처음 수를 구하시오.

03 일차방정식의 활용 (3) – 거리, 속력, 시간

정답과 풀이 54쪽

거리, 속력, 시간에 대한 문제는 다음 관계를 이용하여 방정식을 세운다.

① (거리)=(속력)×(시간)

② (속력)=$\frac{(\text{거리})}{(\text{시간})}$

③ (시간)=$\frac{(\text{거리})}{(\text{속력})}$

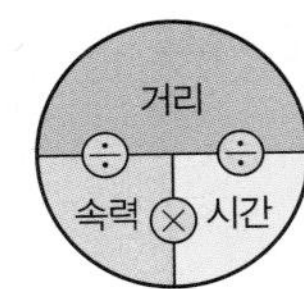

중간에 속력이 바뀌는 경우

01 준원이가 등산을 하는데 올라갈 때는 시속 2 km로 걷고, 내려올 때는 같은 등산로를 시속 3 km로 걸었더니 총 5시간이 걸렸다고 할 때, 등산로의 길이를 구하려고 한다.

(1) 등산로의 길이를 x km라 할 때, 다음 표를 완성하시오.

	올라갈 때	내려올 때
거리	x km	
속력	시속 2 km	
시간	$\frac{x}{2}$시간	

(2) 방정식을 세우시오.

Tip (올라갈 때 걸린 시간)+(내려올 때 걸린 시간)=(총 걸린 시간)

(3) 방정식을 푸시오.

(4) 등산로의 길이를 구하시오.

02 지안이는 집에서 공원까지 가는데 갈 때는 시속 3 km로 걷고, 올 때는 같은 길을 시속 6 km로 뛰었더니 총 2시간이 걸렸다고 한다. 지안이네 집에서 공원까지의 거리를 구하시오.

03 윤지는 집에서 도서관까지 가는데 갈 때는 자전거를 타고 시속 12 km로 가고, 올 때는 같은 길을 시속 4 km로 걸었더니 총 1시간이 걸렸다고 한다. 윤지네 집에서 도서관까지의 거리를 구하시오.

04 현서는 집에서 미술관까지 가는데 갈 때는 시속 40 km로 달리는 버스를 타고, 올 때는 같은 길을 시속 60 km로 달리는 택시를 탔더니 총 2시간이 걸렸다. 현서네 집에서 미술관까지의 거리를 구하시오.

05 아린이는 집에서 우체국까지 가는데 갈 때는 시속 3 km로 걷고, 올 때는 같은 길을 시속 2 km로 걸었더니 총 50분이 걸렸다. 아린이네 집에서 우체국까지의 거리를 구하시오.

Tip 시속은 1시간 동안의 이동 거리이므로 50분을 시간으로 바꾸어 계산한다. → ▲분=$\frac{▲}{60}$시간

중간에 속력과 거리가 바뀌는 경우

06 민준이가 등산을 하는데 올라갈 때는 시속 4 km로 걷고, 내려올 때는 1 km가 더 긴 등산로를 시속 5 km로 걸어서 총 2시간이 걸렸다고 할 때, 민준이가 올라갈 때 걸은 거리를 구하려고 한다.

(1) 올라갈 때 걸은 거리를 x km라 할 때, 다음 표를 완성하시오.

	올라갈 때	내려올 때
거리	x km	$(x+1)$ km
속력	시속 4 km	시속 5 km
시간		

(2) 방정식을 세우시오.

(3) 방정식을 푸시오.

(4) 민준이가 올라갈 때 걸은 거리를 구하시오.

07 윤성이는 집에서 서점까지 가는데 갈 때는 자전거를 타고 시속 16 km로 가고, 올 때는 갈 때보다 2 km 더 가까운 길로 시속 12 km로 와서 총 1시간이 걸렸다. 윤성이가 집에서 서점까지 갈 때 이동한 거리를 구하시오.

시간차가 생기는 경우

08 나은이가 집에서 학교까지 가는데 시속 12 km로 자전거를 타고 가면 시속 4 km로 걸어가는 것보다 30분 빨리 도착한다고 할 때, 나은이네 집에서 학교까지의 거리를 구하려고 한다.

(1) 나은이네 집에서 학교까지의 거리를 x km라 할 때, 다음 표를 완성하시오.

	자전거를 탈 때	걸을 때
거리	x km	x km
속력	시속 12 km	시속 4 km
시간		

(2) 방정식을 세우시오.

Tip 30분은 $\frac{30}{60}=\frac{1}{2}$(시간)이므로
(걸어간 시간)$-$(자전거를 타고 간 시간)$=\frac{1}{2}$(시간)

(3) 방정식을 푸시오.

(4) 나은이네 집에서 학교까지의 거리를 구하시오.

09 이준이가 집에서 박물관까지 가는데 시속 60 km로 자동차를 타고 가면 시속 40 km로 버스를 타고 가는 것보다 20분 빨리 도착한다고 한다. 이준이네 집에서 박물관까지의 거리를 구하시오.

04 일차방정식의 활용 (4) – 농도

정답과 풀이 54쪽

소금물의 농도에 대한 문제는 다음 관계를 이용하여 방정식을 세운다.

① $(\text{소금물의 농도})=\dfrac{(\text{소금의 양})}{(\text{소금물의 양})}\times 100\,(\%)$

② $(\text{소금의 양})=\dfrac{(\text{소금물의 농도})}{100}\times(\text{소금물의 양})$

참고 소금물에 물을 더 넣거나 증발시켜도 소금의 양은 변하지 않는다.

소금의 양이 변하지 않는 경우

01 **10 %의 소금물 500 g에 물을 더 넣어 8 %의 소금물을 만들려고 할 때, 더 넣어야 하는 물의 양을 구하려고 한다.**

(1) 더 넣어야 하는 물의 양을 x g이라 할 때, 다음 표를 완성하시오.

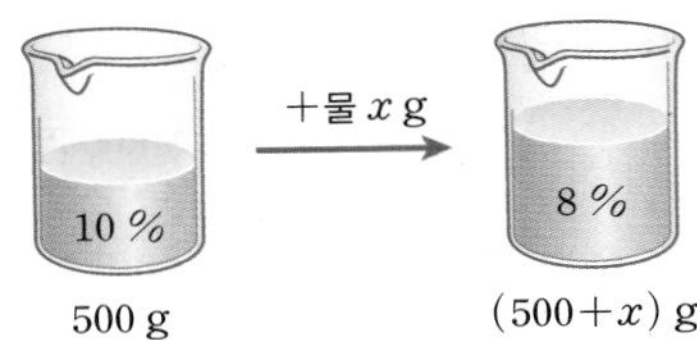

	물을 넣기 전	물을 넣은 후
농도(%)	10	
소금물의 양(g)	500	
소금의 양(g)	$\frac{10}{100}\times 500$	

(2) 방정식을 세우시오.

Tip (10 %의 소금물의 소금의 양)
=(8 %의 소금물의 소금의 양)

(3) 방정식을 푸시오.

(4) 더 넣어야 하는 물의 양을 구하시오.

02 **15 %의 설탕물 300 g에 물을 더 넣어 10 %의 설탕물을 만들려고 할 때, 더 넣어야 하는 물의 양을 구하시오.**

03 **4 %의 소금물 300 g에서 물을 증발시켜 6 %의 소금물을 만들려고 할 때, 증발시켜야 하는 물의 양을 구하려고 한다.**

(1) 증발시켜야 하는 물의 양을 x g이라 할 때, 다음 표를 완성하시오.

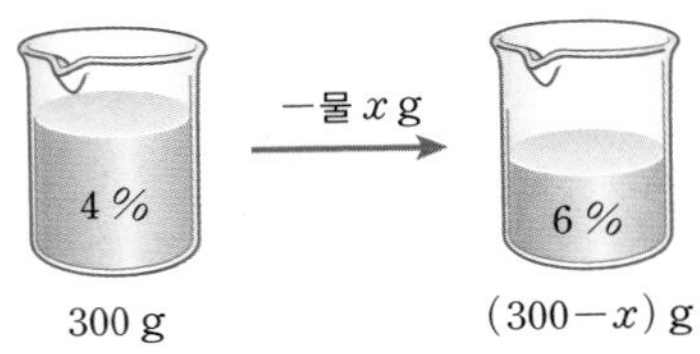

	증발시키기 전	증발시킨 후
농도(%)	4	
소금물의 양(g)	300	
소금의 양(g)	$\frac{4}{100}\times 300$	

(2) 방정식을 세우시오.

Tip (4 %의 소금물의 소금의 양)
=(6 %의 소금물의 소금의 양)

(3) 방정식을 푸시오.

(4) 증발시켜야 하는 물의 양을 구하시오.

04 **8 %의 설탕물 600 g에서 물을 증발시켜 12 %의 설탕물을 만들려고 할 때, 증발시켜야 하는 물의 양을 구하시오.**

소금의 양이 변하는 경우

05 **9 %의 소금물 400 g에 소금을 더 넣어 20 %의 소금물을 만들려고 할 때, 더 넣어야 하는 소금의 양을 구하려고 한다.**

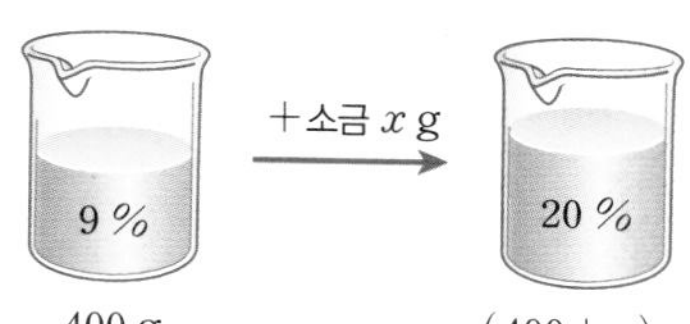

(1) 더 넣어야 하는 소금의 양을 x g이라 할 때, 다음 표를 완성하시오.

	소금을 넣기 전	소금을 넣은 후
농도(%)	9	
소금물의 양(g)	400	
소금의 양(g)	$\frac{9}{100}\times 400$	

(2) 방정식을 세우시오.

Tip (9 %의 소금물의 소금의 양)+(더 넣은 소금의 양)
=(20 %의 소금물의 소금의 양)

(3) 방정식을 푸시오.

(4) 더 넣어야 하는 소금의 양을 구하시오.

06 **4 %의 설탕물 600 g에 설탕을 더 넣어 10 %의 설탕물을 만들려고 할 때, 더 넣어야 하는 설탕의 양을 구하시오.**

07 **4 %의 소금물 100 g에 10 %의 소금물을 섞어 8 %의 소금물을 만들려고 할 때, 섞어야 하는 10 %의 소금물의 양을 구하려고 한다.**

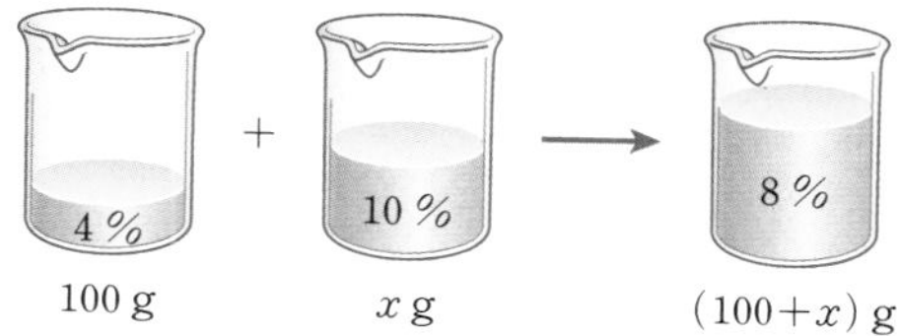

(1) 섞어야 하는 10 %의 소금물의 양을 x g이라 할 때, 다음 표를 완성하시오.

	4 %의 소금물	10 %의 소금물	섞은 소금물
농도(%)	4	10	8
소금물의 양(g)	100		
소금의 양(g)	$\frac{4}{100}\times 100$		

(2) 방정식을 세우시오.

Tip (4 %의 소금물의 소금의 양)
+(10 %의 소금물의 소금의 양)
=(8 %의 소금물의 소금의 양)

(3) 방정식을 푸시오.

(4) 섞어야 하는 10 %의 소금물의 양을 구하시오.

08 **9 %의 설탕물 200 g에 6 %의 설탕물을 섞어 8 %의 설탕물을 만들려고 할 때, 섞어야 하는 6 %의 설탕물의 양을 구하시오.**

정답과 풀이 55쪽

01

어떤 수의 3배에 7을 더한 수는 어떤 수의 4배보다 1만큼 작을 때, 어떤 수는?

① 5　② 6　③ 7　④ 8　⑤ 9

02

올해 민혁이와 삼촌의 나이의 합은 45살이고, 3년 후에는 삼촌의 나이가 민혁이의 나이의 2배가 될 때, 올해 민혁이의 나이는?

① 14살　② 15살　③ 16살　④ 17살　⑤ 18살

03

연속하는 세 홀수의 합이 57일 때, 가장 큰 수는?

① 13　② 15　③ 17　④ 19　⑤ 21

04

일의 자리의 숫자가 7인 두 자리의 자연수가 있다. 이 자연수는 각 자리의 숫자의 합의 3배와 같을 때, 이 자연수를 구하시오.

05

두 지점 A, B 사이를 시속 3 km로 걸어가면 자전거를 타고 시속 12 km로 가는 것보다 30분이 더 걸린다. 이때 두 지점 A, B 사이의 거리는?

① 1.5 km　② 2 km　③ 2.5 km　④ 3 km　⑤ 3.5 km

06

15 %의 소금물 800 g에 소금을 더 넣어 20 %의 소금물을 만들려고 한다. 이때 더 넣어야 하는 소금의 양은?

① 40 g　② 45 g　③ 50 g　④ 55 g　⑤ 60 g

좌표평면과 그래프

1. 좌표평면과 그래프

1. 좌표평면과 그래프

01 수직선 위의 점의 좌표

정답과 풀이 56쪽

(1) **좌표:** 수직선 위의 점에 대응하는 수
(2) 수직선 위의 점 P의 좌표가 a일 때, 기호로 P(a)로 나타낸다.
(3) **원점:** 좌표가 0인 점 O → O(0)

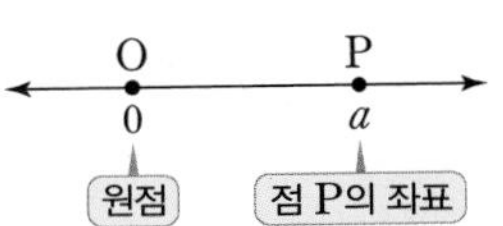

수직선 위의 점의 좌표를 기호로 나타내기

다음 수직선 위의 두 점 A, B의 좌표를 기호로 나타내시오.

따라하기

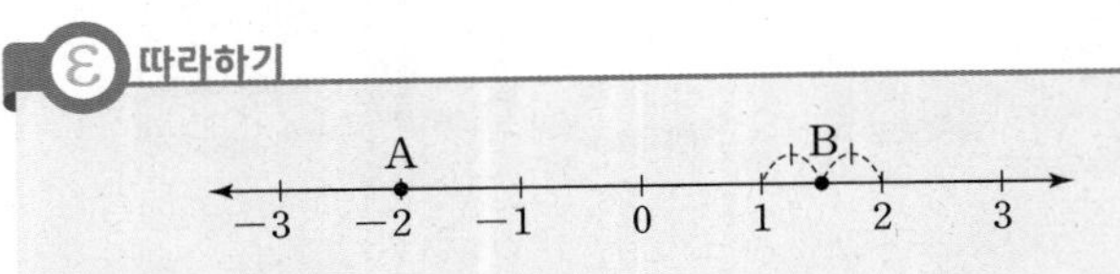

점 A의 좌표가 -2 → A(-2)
( ) 안에 좌표 쓰기

점 B의 좌표가 $\frac{3}{2}$ → B$\left(\frac{3}{2}\right)$
1에서 오른쪽으로 $\frac{1}{2}$만큼 더 감 → $1\frac{1}{2}$

01

A, B (−3 −2 −1 0 1 2 3)

02

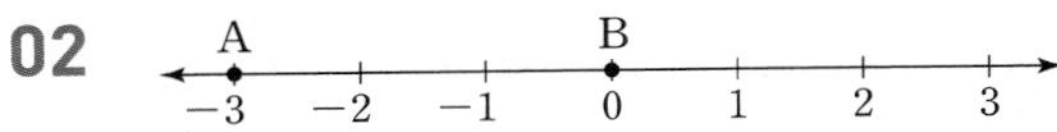

03

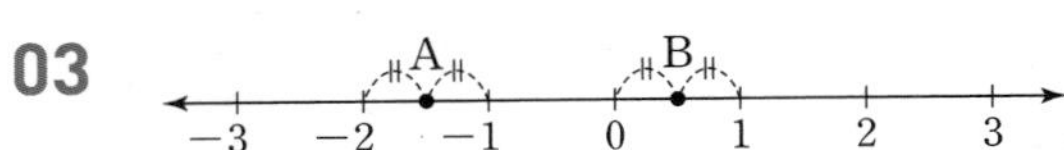

04

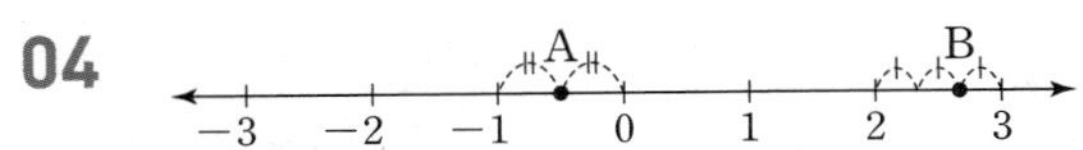

점을 수직선 위에 나타내기

두 점 A, B를 수직선 위에 나타내시오.

05 A(-3), B(1)

06 A(-2), B$\left(\frac{1}{2}\right)$

07 A$\left(-\frac{3}{2}\right)$, B$(3)$

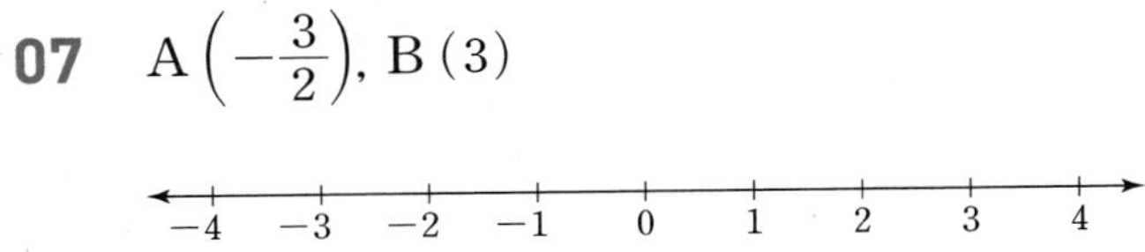

08 A$\left(-\frac{5}{2}\right)$, B$\left(\frac{7}{3}\right)$

09 A$\left(-\frac{8}{3}\right)$, B$(2.5)$

02 좌표평면 위의 점의 좌표

정답과 풀이 56쪽

(1) 좌표평면

두 수직선을 점 O에서 서로 수직으로 만나도록 그릴 때

① x축: 가로의 수직선 ┐
② y축: 세로의 수직선 ┘ 좌표축

③ 원점: 두 좌표축이 만나는 점 O

④ 좌표평면: 좌표축이 그려진 평면

(2) 좌표평면 위의 점의 좌표

① 순서쌍: 두 수의 순서를 정하여 두 수를 짝 지어 나타낸 것

② 좌표평면 위의 점 P의 x좌표가 a, y좌표가 b일 때 ➜ $P(a, b)$

참고 원점 O의 좌표는 (0, 0), x축 위의 좌표는 (x좌표, 0), y축 위의 좌표는 (0, y좌표)로 나타낸다.

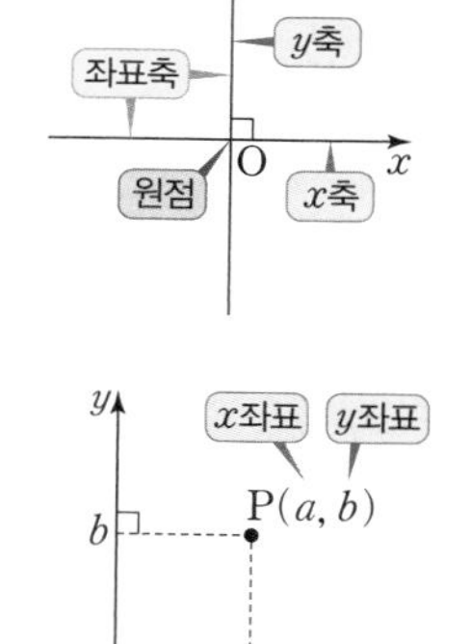

좌표평면 위의 점의 좌표를 기호로 나타내기

다음 좌표평면 위의 점의 좌표를 기호로 나타내시오.

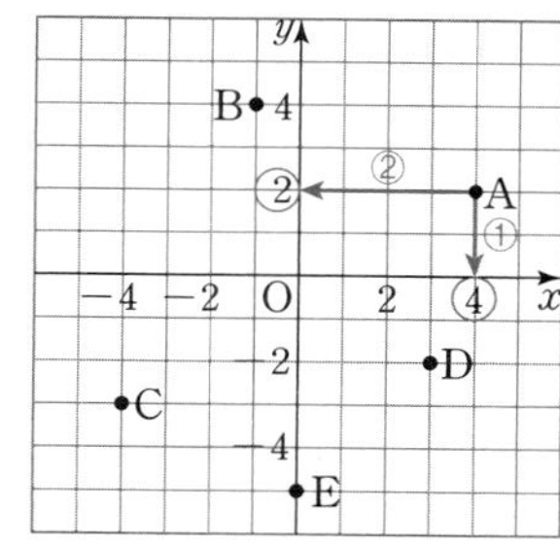

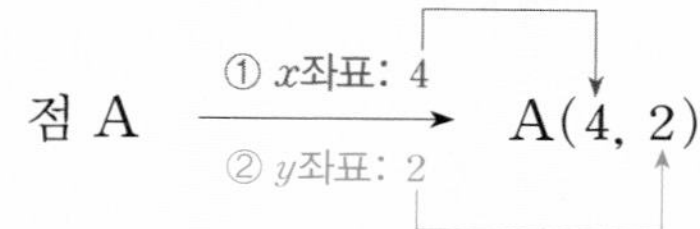

01 점 B

02 점 C

03 점 D

04 점 E

점을 좌표평면 위에 나타내기

다음 네 점을 좌표평면 위에 나타내시오.

05 $A(-4, 3)$, $B(2, -2)$, $C(3, 4)$, $D(-3, 0)$

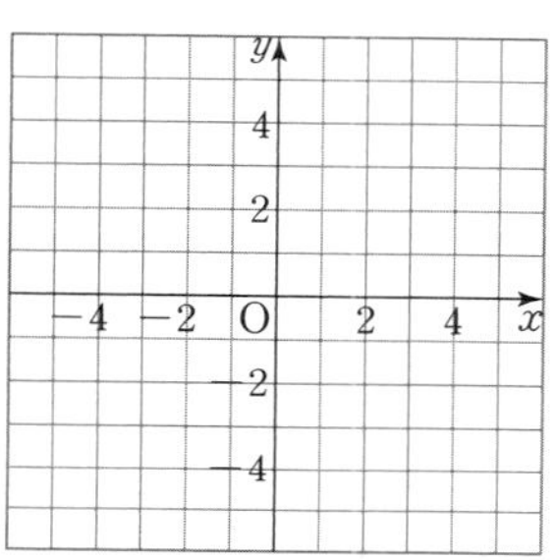

06 $A(0, 4)$, $B(4, 2)$, $C(-3, 1)$, $D(-2, -3)$

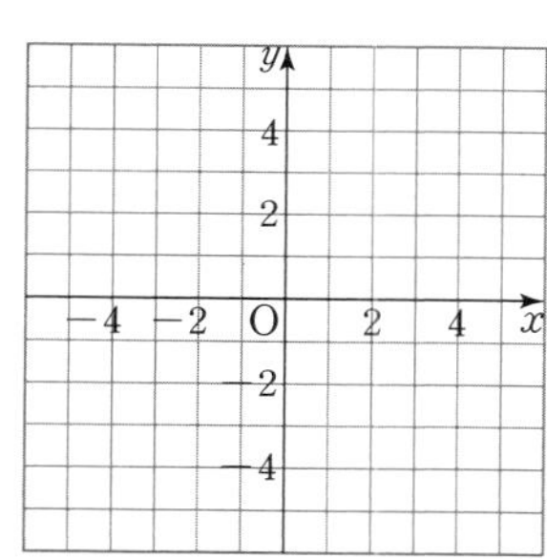

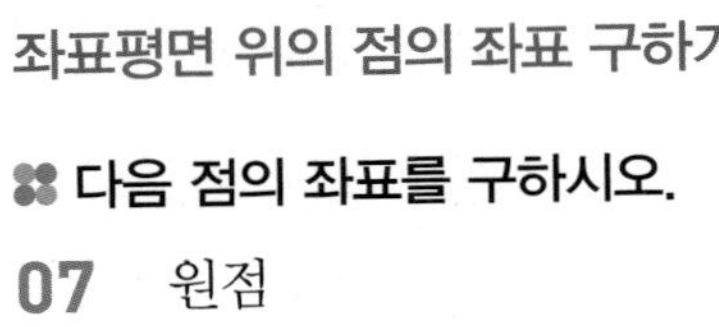

좌표평면 위의 점의 좌표 구하기

다음 점의 좌표를 구하시오.

07 원점

08 x좌표가 2, y좌표가 5인 점

09 x좌표가 3, y좌표가 -3인 점

10 x좌표가 -5, y좌표가 0인 점

11 x좌표가 -4, y좌표가 -7인 점

12 x좌표가 0, y좌표가 $\frac{1}{2}$인 점

13 x축 위에 있고, x좌표가 1인 점

Tip x축 위에 있는 점의 y좌표는 0이다.

14 x축 위에 있고, x좌표가 -5인 점

15 y축 위에 있고, y좌표가 3인 점

Tip y축 위에 있는 점의 x좌표는 0이다.

16 y축 위에 있고, y좌표가 -8인 점

좌표축 위의 점의 좌표 알기

다음과 같은 x축 또는 y축 위의 점에 대하여 a의 값을 구하시오.

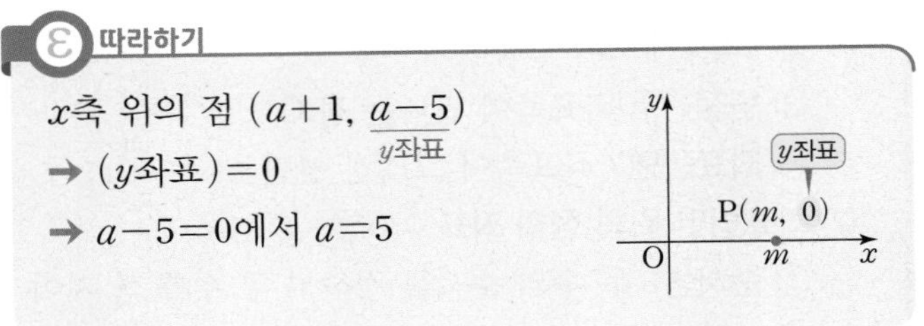

따라하기

x축 위의 점 $(a+1,\ \underline{a-5})$ (y좌표)

→ (y좌표)$=0$

→ $a-5=0$에서 $a=5$

17 x축 위의 점 $(3,\ a+2)$

18 x축 위의 점 $(a,\ 4a+1)$

19 x축 위의 점 $(2a-5,\ a)$

20 y축 위의 점 $(a+6,\ 6)$

21 y축 위의 점 $(2-3a,\ 5a)$

22 y축 위의 점 $(4a-8,\ a+7)$

23 대표 문제

x축 위의 점 $(a-8,\ 2a+4)$와 y축 위의 점 $(b+1,\ b)$에 대하여 $a+b$의 값은?

① -3 ② 1 ③ 3
④ 7 ⑤ 8

03 사분면

정답과 풀이 56쪽

(1) 사분면: 좌표평면은 좌표축에 의하여 네 부분으로 나누어지고, 그 각 부분을 제1사분면, 제2사분면, 제3사분면, 제4사분면이라 한다.

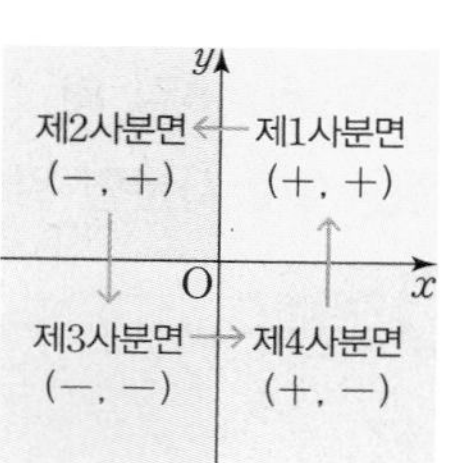

(2) 사분면 위의 점의 좌표의 부호

	제1사분면	제2사분면	제3사분면	제4사분면
x좌표의 부호	+	−	−	+
y좌표의 부호	+	+	−	−

참고 좌표축 위의 점은 어느 사분면에도 속하지 않는다.

좌표평면을 이용하여 점이 속하는 사분면 찾기

01 다음 점을 아래 좌표평면 위에 나타내고, 어느 사분면 위에 있는지 보기에서 고르시오.

보기
ㄱ. 제1사분면 ㄴ. 제2사분면
ㄷ. 제3사분면 ㄹ. 제4사분면

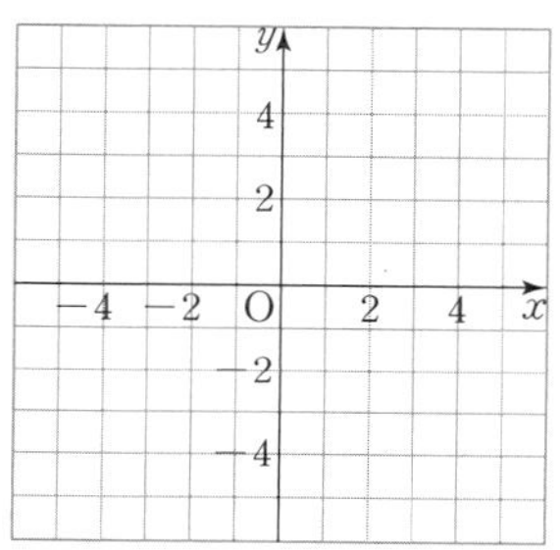

(1) A (3, 2)

(2) B (−2, −4)

(3) C (3, −5)

(4) D (−4, 3)

(5) E (4, −4)

(6) F (5, 4)

좌표의 부호를 이용하여 점이 속하는 사분면 찾기

다음 점은 제몇 사분면 위의 점인지 말하시오.

따라하기

A(−1, 5) → (−, +) → 제2사분면
B(0, −3) → y축 위의 점
→ 어느 사분면에도 속하지 않는다.

02 C (2, −6)

03 D (−1, −1)

04 E (5, 0)

05 F (3, 3)

06 G (0, 0)

07 H (−2, 1)

08 I (2, 0)

문자로 주어진 점이 속하는 사분면 찾기

※ $a>0$, $b>0$일 때, □ 안에 알맞은 부호를 써넣고 다음 점은 제몇 사분면 위의 점인지 말하시오.

따라하기

A($-a$, b) → ($-$, $+$) → 제2사분면
($a>0$이므로 $-a<0$)

09 B (a, b) → (□, □)

10 C (a, $-b$) → (□, □)

11 D ($-a$, $-b$) → (□, □)

※ $a<0$, $b>0$일 때, □ 안에 알맞은 부호를 써넣고 다음 점은 제몇 사분면 위의 점인지 말하시오.

12 A (a, b) → (□, □)

13 B ($-a$, b) → (□, □)

14 C (a, $-b$) → (□, □)

15 D (b, a) → (□, □)

16 E ($-a$, $-b$) → (□, □)

※ 점 P(a, b)가 제4사분면 위의 점일 때, 다음 점은 제몇 사분면 위의 점인지 말하시오.

따라하기

제4사분면 위의 점 P(a, b) → $a>0$, $b<0$
A($-a$, b) → ($-$, $-$) → 제3사분면
($a>0$이므로 $-a<0$)

17 B (a, $-b$)

18 C (b, a)

19 D ($-a$, $-b$)

20 E (ab, b)

21 F ($a-b$, $-a$)

22 G ($b-a$, ab)

23 대표 문제

$a>0$, $b<0$일 때, 점 (a, $a-b$)는 제몇 사분면 위의 점인가?

① 제1사분면 ② 제2사분면
③ 제3사분면 ④ 제4사분면
⑤ 어느 사분면에도 속하지 않는다.

04 대칭인 점의 좌표

정답과 풀이 57쪽

점 (a, b)에 대하여

① x축에 대하여 대칭인 점의 좌표 → $(a, \underline{-b})$ ← y좌표의 부호만 바뀐다.

② y축에 대하여 대칭인 점의 좌표 → $(\underline{-a}, b)$ ← x좌표의 부호만 바뀐다.

③ 원점에 대하여 대칭인 점의 좌표 → $(\underline{-a, -b})$ ← x, y좌표의 부호가 모두 바뀐다.

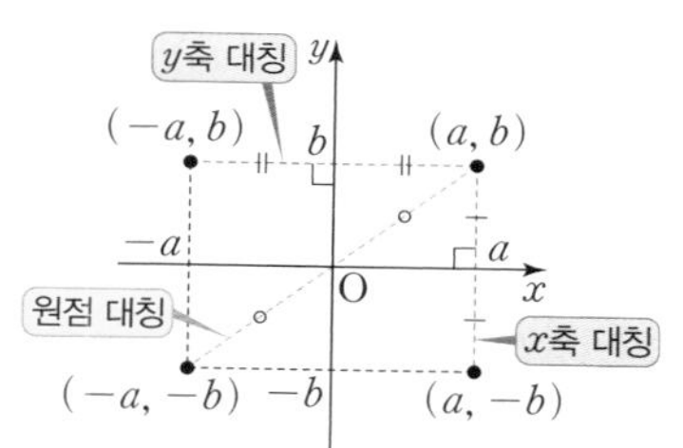

대칭인 점의 좌표

01 점 $A(3, 2)$에 대하여 다음 점을 좌표평면 위에 나타내고, 그 점의 좌표를 구하시오.

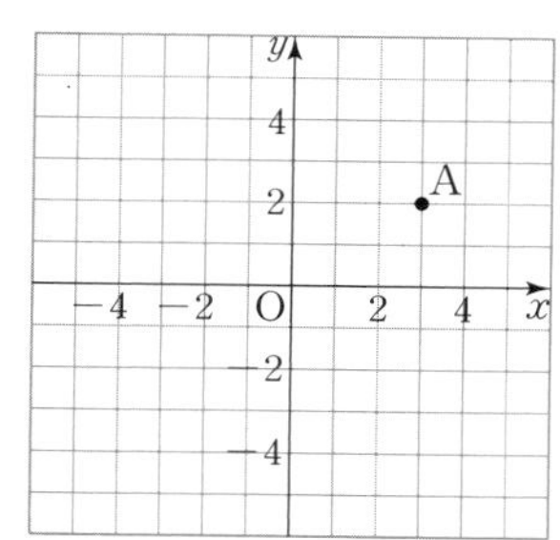

(1) x축에 대하여 대칭인 점 B의 좌표

→ B ($\square$, -2)

(2) y축에 대하여 대칭인 점 C의 좌표

→ C ($\square$, $\square$)

(3) 원점에 대하여 대칭인 점 D의 좌표

→ D ($\square$, $\square$)

점 $(6, 1)$에 대하여 다음 점의 좌표를 구하시오.

02 x축에 대하여 대칭인 점

03 y축에 대하여 대칭인 점

04 원점에 대하여 대칭인 점

점 $(-1, 7)$에 대하여 다음 점의 좌표를 구하시오.

05 x축에 대하여 대칭인 점

06 y축에 대하여 대칭인 점

07 원점에 대하여 대칭인 점

점 $(-3, -5)$에 대하여 다음 점의 좌표를 구하시오.

08 x축에 대하여 대칭인 점

09 y축에 대하여 대칭인 점

10 원점에 대하여 대칭인 점

11 대표 문제

두 점 $A(a, -4)$와 $B(-1, b+1)$이 x축에 대하여 대칭일 때, $a+b$의 값은?

① -6 ② -4 ③ 2
④ 4 ⑤ 6

좌표평면 위에서 도형의 넓이

점 $A(2, 4)$에 대하여 다음 물음에 답하시오.

12 x축에 대하여 대칭인 점 B의 좌표를 구하시오.

13 원점에 대하여 대칭인 점 C의 좌표를 구하시오.

14 세 점 A, B, C를 꼭짓점으로 하는 삼각형 ABC를 좌표평면 위에 나타내시오.

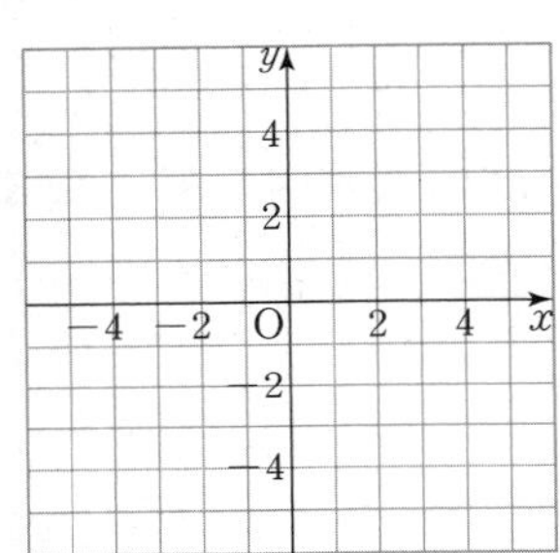

15 삼각형 ABC의 넓이를 구하시오.

Tip (삼각형의 넓이)$=\frac{1}{2}\times$(밑변의 길이)$\times$(높이)

점 $A(-3, 2)$에 대하여 다음 물음에 답하시오.

16 x축에 대하여 대칭인 점 B의 좌표를 구하시오.

17 y축에 대하여 대칭인 점 C의 좌표를 구하시오.

18 세 점 A, B, C를 꼭짓점으로 하는 삼각형 ABC를 좌표평면 위에 나타내시오.

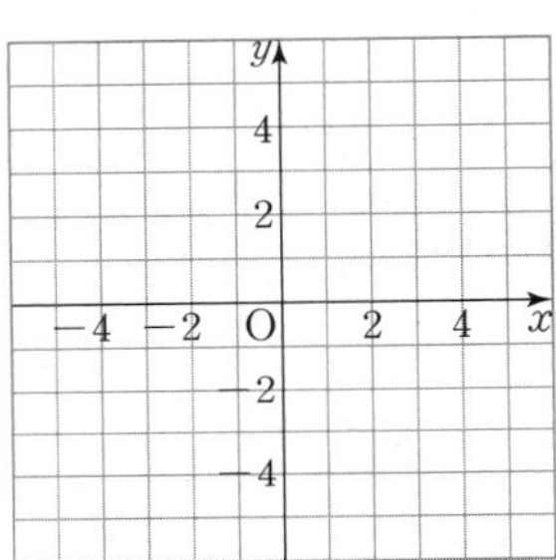

19 삼각형 ABC의 넓이를 구하시오.

05 그래프

정답과 풀이 58쪽

(1) **변수:** x, y와 같이 변하는 값을 나타내는 문자

(2) **그래프:** 두 변수 x, y 사이의 관계를 좌표평면 위에 그림으로 나타낸 것

예) 빈 물통에 1분에 1 L씩 물을 넣을 때, 물을 넣기 시작한 지 x분 후의 물의 양을 y L라 할 때, x와 y 사이의 관계를 그래프로 나타내면 다음과 같다.

표로 나타내기

x(분)	1	2	3	4
y(L)	1	2	3	4

→

순서쌍 (x, y)로 나타내기

$(1, 1)$, $(2, 2)$, $(3, 3)$, $(4, 4)$

→

그래프로 나타내기

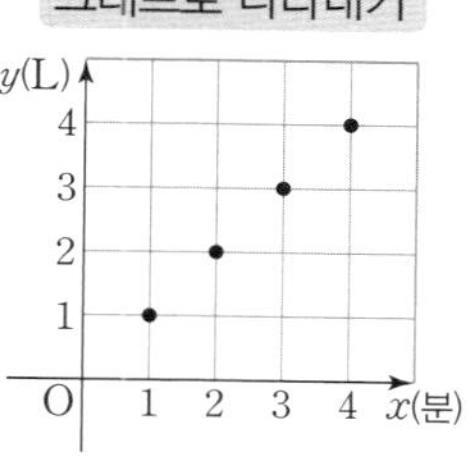

그래프로 나타내기

자연수 x의 약수의 개수를 y개라 할 때, 다음 물음에 답하시오.

01 표를 완성하시오.

x	1	2	3	4	5
y(개)	1				

02 위 **01**의 표를 보고 순서쌍 (x, y)를 구하시오.

Tip x가 1일 때, 약수의 개수 y는 1이므로 순서쌍으로 나타내면 $(1, 1)$이다.

03 위 **02**의 순서쌍 (x, y)를 좌표로 하는 점을 좌표평면 위에 나타내시오.

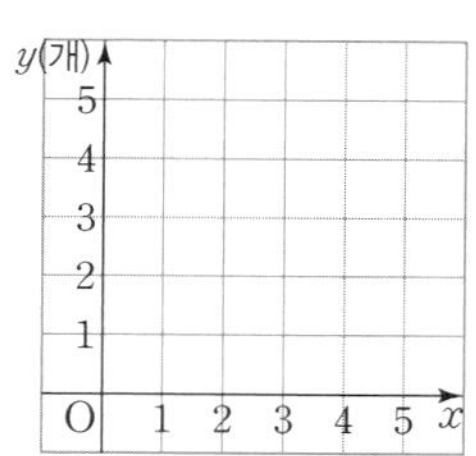

한 변의 길이가 x cm인 정사각형의 둘레의 길이를 y cm라 할 때, 다음 물음에 답하시오.

04 표를 완성하시오.

x(cm)	1	2	3	4	5
y(cm)	4				

05 위 **04**의 표를 보고 순서쌍 (x, y)를 구하시오.

06 위 **05**의 순서쌍 (x, y)를 좌표로 하는 점을 좌표평면 위에 나타내시오.

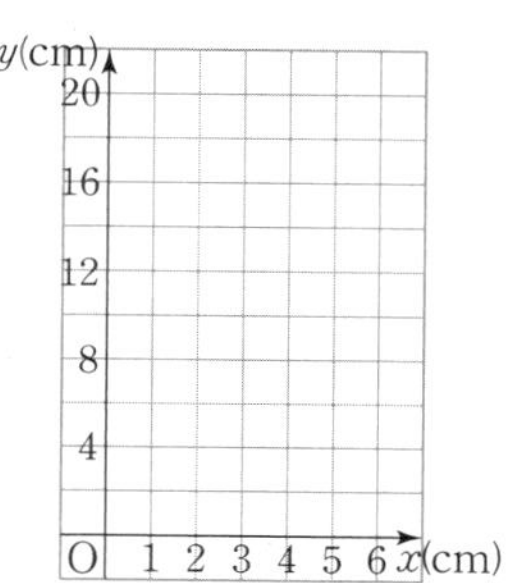

06 그래프의 해석

정답과 풀이 58쪽

두 양 사이의 관계를 그래프로 나타내면 두 양의 변화를 쉽게 알 수 있다.

예) 자동차가 x시간 동안 시속 y km로 이동할 때

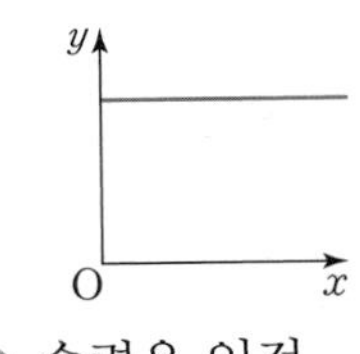

→ 속력은 일정

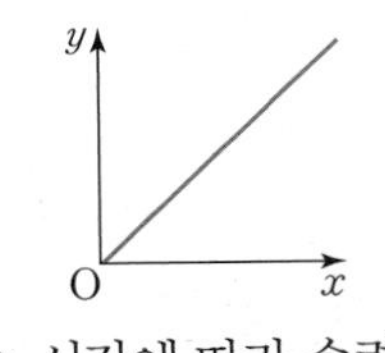

→ 시간에 따라 속력이 일정하게 증가

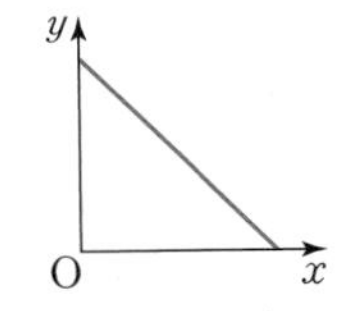

→ 시간에 따라 속력이 일정하게 감소

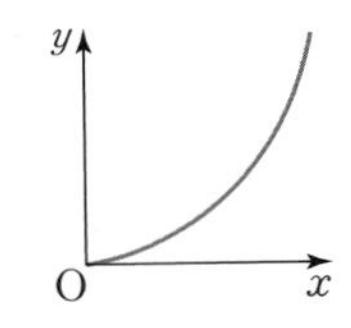

→ 시간에 따라 속력이 점점 빠르게 증가

시간과 거리에 대한 그래프 해석하기

다음은 준호가 집에서 400 m 떨어진 도서관에 갔다가 돌아왔을 때, 집에서 출발한 지 x분 후에 준호가 집으로부터 떨어진 거리 y m 사이의 관계를 나타낸 그래프이다. 물음에 답하시오.

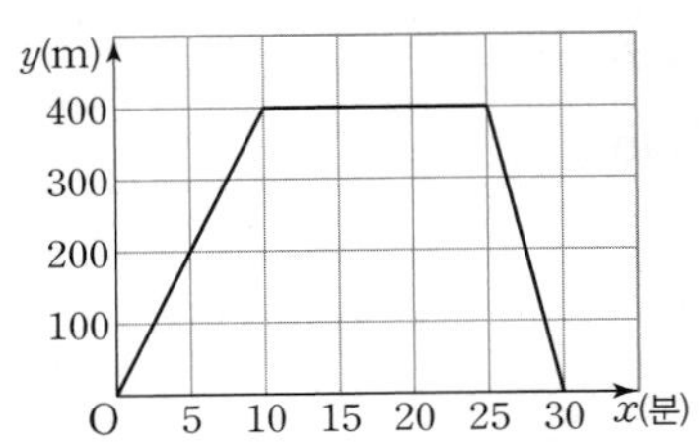

01 준호가 집에서 출발한 후 5분 동안 이동한 거리를 구하시오.

Tip x좌표가 5인 점의 y좌표를 구한다.

02 준호가 집에서 출발하여 도서관에 도착할 때까지 걸린 시간을 구하시오.

03 준호가 도서관에 머문 시간을 구하시오.

04 준호가 도서관에서 집으로 돌아오는데 걸린 시간을 구하시오.

다음은 예원이가 집에서 500 m 떨어진 학교에 갈 때, 집에서 출발한 지 x분 후에 예원이가 집으로부터 떨어진 거리 y m 사이의 관계를 나타낸 그래프이다. 물음에 답하시오.

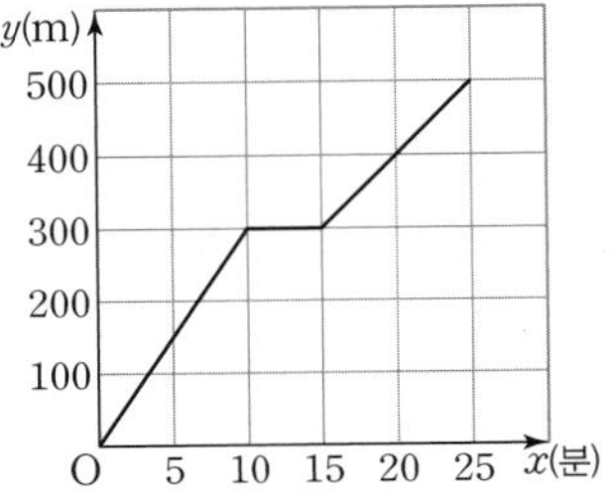

05 예원이가 집에서 출발한 후 10분 동안 이동한 거리를 구하시오.

06 예원이가 학교에 가는 중간에 친구를 만나기 위해 몇 분 동안 잠시 멈춰 있었는지 구하시오.

07 예원이가 집에서 출발하여 400 m를 이동하는데 걸린 시간을 구하시오.

08 예원이가 학교에 도착하는데 걸린 시간을 구하시오.

그릇의 모양에 따른 그래프 찾기

✤ 다음 그림과 같은 모양의 그릇에 시간당 일정한 양의 물을 넣을 때, 시간 x와 물의 높이 y 사이의 관계를 나타낸 그래프로 알맞은 것을 보기에서 고르시오.

보기

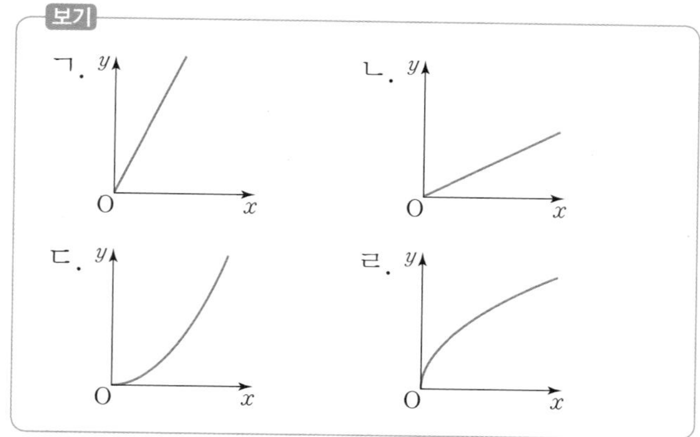

09

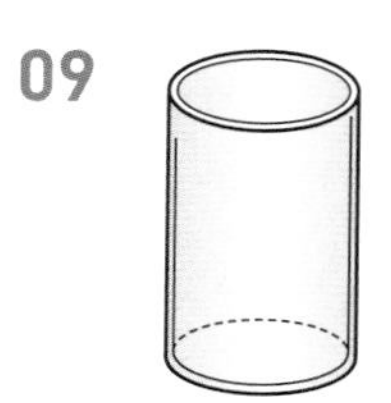

Tip 그릇의 폭이 일정하므로 물의 높이가 일정하게 증가한다.

10

11

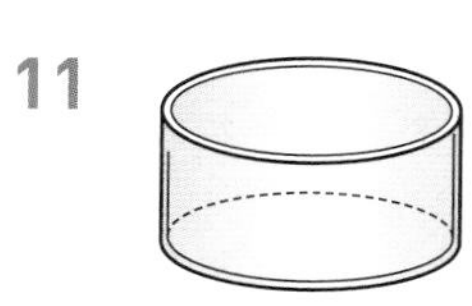

12

상황에 따른 그래프 찾기

✤ 다음 각 상황에 알맞은 그래프를 보기에서 고르시오.

보기

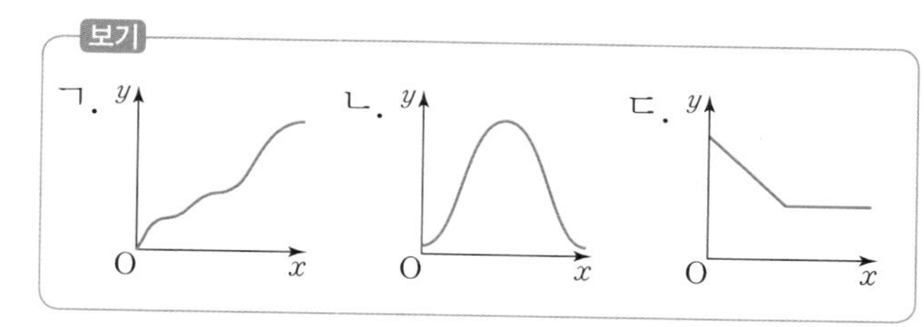

13 물을 가열하기 시작한지 x분 후의 물의 온도 y ℃

14 음료수 한 병을 일정한 속력으로 절반을 마시고 냉장고에 넣었을 때 x초 후 남은 음료수의 양 y mL

15 대관람차를 탑승한지 x분 후의 지면으로부터 탑승한 칸의 높이 y m

16 대표 문제

오른쪽 그림과 같은 모양의 물병에 일정한 속력으로 물을 채울 때, 다음 중 물의 높이를 시간에 따라 나타낸 그래프로 가장 알맞은 것은?

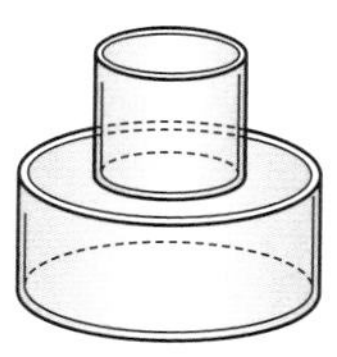

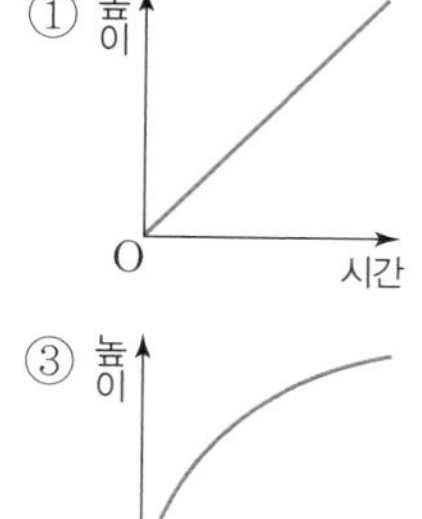

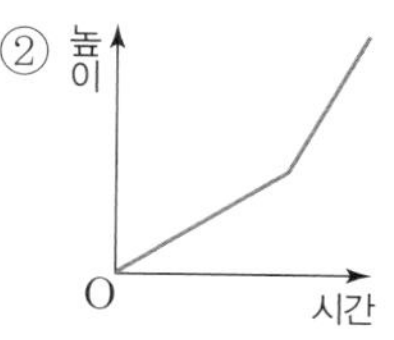

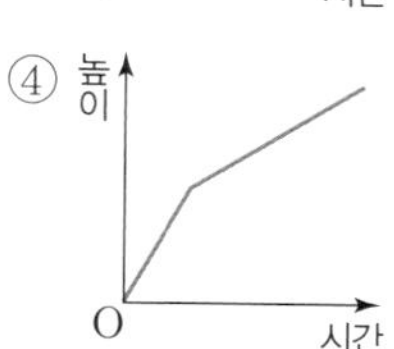

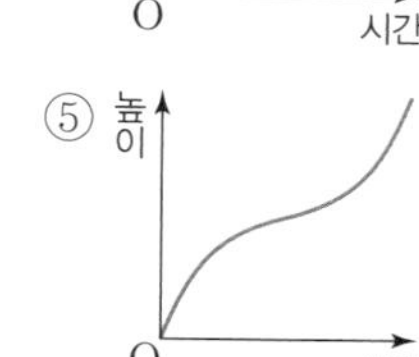

확인 문제

정답과 풀이 59쪽

01

다음 수직선 위의 점의 좌표를 기호로 나타낸 것 중에서 옳지 않은 것은?

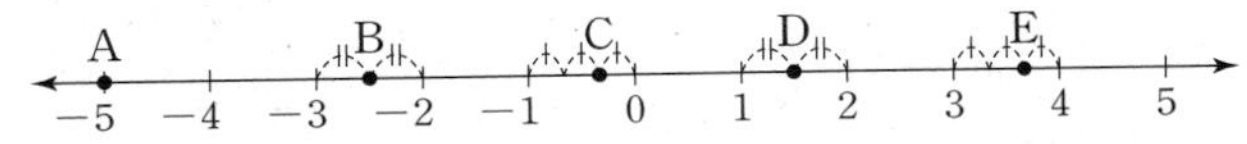

① A (-5) ② B$\left(-\frac{7}{2}\right)$ ③ C$\left(-\frac{1}{3}\right)$

④ D$\left(\frac{3}{2}\right)$ ⑤ E$\left(\frac{11}{3}\right)$

02

다음 중에서 좌표축 위의 점이 아닌 것은?

① $(3,\ 0)$ ② $(0,\ 0)$ ③ $(-4,\ 0)$

④ $(2,\ 1)$ ⑤ $(0,\ -1)$

03

다음 중에서 좌표평면에 대한 설명으로 옳은 것을 모두 고르면? (정답 2개)

① 점 $(0,\ -5)$는 y축 위에 있다.

② 두 점 $(1,\ 3)$, $(3,\ 1)$은 같은 점이다.

③ 점 $(2,\ -1)$은 제2사분면 위의 점이다.

④ 제4사분면 위의 점의 x좌표는 음수이다.

⑤ 점 $(4,\ 0)$은 어느 사분면에도 속하지 않는다.

04

점 $(a,\ b)$가 제3사분면 위의 점일 때, 다음 중에서 점 $(a+b,\ ab)$와 같은 사분면 위에 있는 점은?

① $(4,\ 5)$ ② $(-3,\ -1)$ ③ $(2,\ -2)$

④ $(1,\ 0)$ ⑤ $(-1,\ 6)$

05

다음 중에서 좌표평면 위의 점 $(3,\ -5)$와 원점에 대하여 대칭인 점의 좌표는?

① $(-5,\ 3)$ ② $(-3,\ -5)$ ③ $(-3,\ 5)$

④ $(3,\ 5)$ ⑤ $(5,\ -3)$

06

다음 상황에서 지원이가 집에서 출발한 지 x분 후에 지원이가 집으로부터 떨어진 거리를 y m라 할 때, x와 y 사이의 관계를 알맞게 나타낸 그래프는?

> 지원이는 집에서 출발하여 학교 가는 길에 준비물을 놓고 와서 집에 다시 되돌아갔다가 학교로 갔다.

①
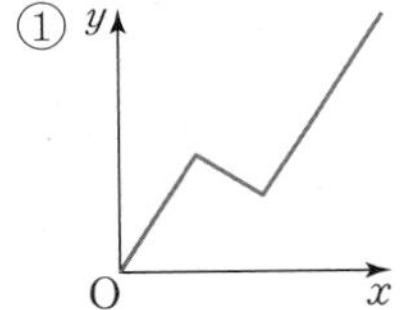

②
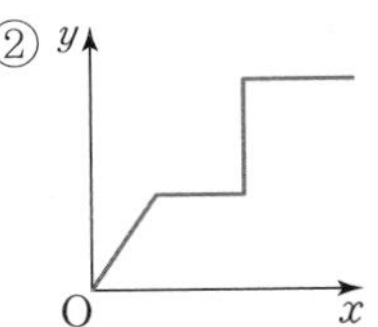

③
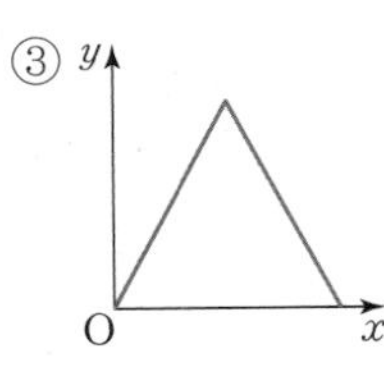

④
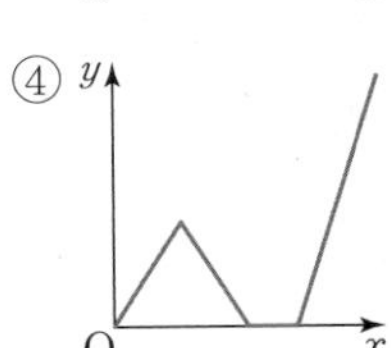

⑤
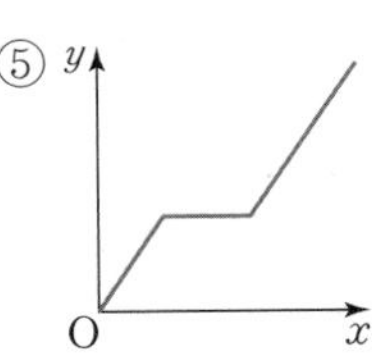

정비례와 반비례

1. 정비례와 반비례

1. 정비례와 반비례

01 정비례 관계

정답과 풀이 59쪽

(1) 정비례: 두 변수 x, y에 대하여 x의 값이 2배, 3배, 4배, …로 변함에 따라 y의 값도 2배, 3배, 4배, …로 변하는 관계가 있을 때 y는 x에 정비례한다고 한다.

(2) 정비례 관계식: y가 x에 정비례하면 $y=ax(a\neq0)$가 성립한다.

참고 y가 x에 정비례하면 $\frac{y}{x}$의 값은 항상 일정하다.

예

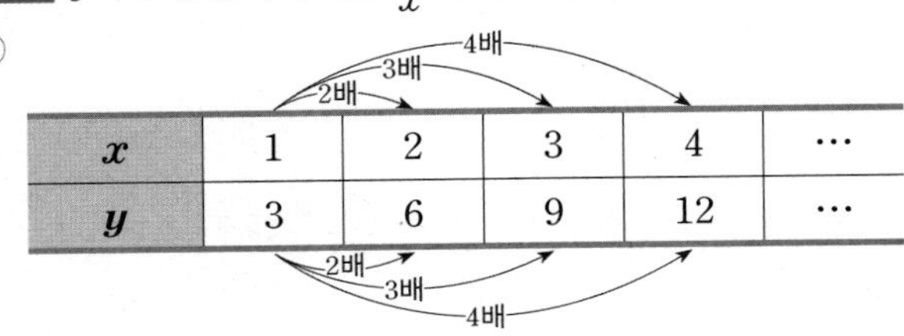

x	1	2	3	4	…
y	3	6	9	12	…

→ y가 x에 정비례 → 관계식은 $y=3x$

$\frac{y}{x}=\frac{3}{1}=\frac{6}{2}=\cdots=3$으로 일정하다.

정비례 관계 알기

01 **한 개에 300원인 지우개 x개의 가격이 y원일 때, 다음 물음에 답하시오.**

(1) 다음 표를 완성하시오.

x(개)	1	2	3	4	…
y(원)	300				…

(2) y가 x에 정비례하는지 말하시오.

x의 값이 2배가 되면 y의 값은 ☐배
x의 값이 3배가 되면 y의 값은 ☐배
→ y가 x에 정비례(한다 , 하지 않는다).

(3) x와 y 사이의 관계식을 구하시오.

$\frac{y}{x}=$ ☐ 이므로 $y=$ ☐
↑ 값이 일정하다.

02 **자동차를 타고 시속 60 km로 x시간 동안 달린 거리가 y km일 때, 다음 물음에 답하시오.**

(1) 다음 표를 완성하시오.

x(시간)	1	2	3	4	…
y (km)					…

(2) y가 x에 정비례하는지 말하시오.

(3) x와 y 사이의 관계식을 구하시오.

다음 중 y가 x에 정비례하는 것은 ○표, 정비례하지 않는 것은 ×표를 (　) 안에 써넣으시오.

03 $y=-x$ (　　)

04 $y=5x$ (　　)

05 $y=x+1$ (　　)

06 $\frac{y}{x}=4$ (　　)

07 $y=\frac{2}{5}x$ (　　)

08 $y=-2x+3$ (　　)

09 $xy=6$ (　　)

✤ 다음 중 y가 x에 정비례하는 것은 ○표, 정비례하지 않는 것은 ×표를 (   ) 안에 써넣으시오.

따라하기

한 변의 길이가 x cm인 정삼각형의 둘레의 길이 y cm

→ (정삼각형의 둘레의 길이)$=3\times$(한 변의 길이)

$y=3\times x$

→ $y=ax$ 꼴이므로 y가 x에 정비례한다.

10 토끼 x마리의 다리의 수 y개 (   )

11 나이가 x살인 형보다 3살 적은 동생의 나이 y살 (   )

12 25명의 학생 중 안경을 쓴 학생이 x명, 안경을 쓰지 않은 학생이 y명 (   )

13 한 자루에 700원인 연필 x자루의 가격 y원 (   )

14 가로의 길이가 x cm, 세로의 길이가 5 cm인 직사각형의 넓이 y cm^2 (   )

15 무게가 500 g인 케이크를 x조각으로 똑같이 나누었을 때 한 조각의 무게 y g (   )

16 빈 물통에 매분 5 L씩 물을 받을 때 x분 동안 받은 물의 양 y L (   )

✤ y가 x에 정비례하고 x, y의 값이 다음과 같을 때, x와 y 사이의 관계식을 구하시오.

따라하기

$x=3$일 때 $y=6$

→ y가 x에 정비례하므로 $y=ax$

$y=6$ 대입, $x=3$ 대입

$6=3a$에서 $a=2$이므로 $y=2x$

17 $x=1$일 때 $y=-3$

18 $x=3$일 때 $y=9$

19 $x=8$일 때 $y=4$

20 $x=-2$일 때 $y=5$

21 $x=-1$일 때 $y=-7$

22 $x=4$일 때 $y=-6$

23 대표 문제

y가 x에 정비례하고 $x=3$일 때 $y=12$이다. $x=-2$일 때 y의 값은?

① -12 ② -8 ③ 0

④ 4 ⑤ 8

02 정비례 관계의 그래프 그리기

정답과 풀이 60쪽

정비례 관계 $y=ax(a\neq0)$의 그래프 그리기

① 좌표평면 위에 원점 (0, 0)을 나타낸다.

② 0을 제외한 적당한 x의 값을 대입하여 y의 값을 구한다.

③ ②의 순서쌍 (x, y)를 좌표로 하는 점을 좌표평면 위에 나타낸다.

④ 원점과 ③의 점을 직선으로 연결한다.

㉮ $y=2x$의 그래프 그리기

x의 값이 정수

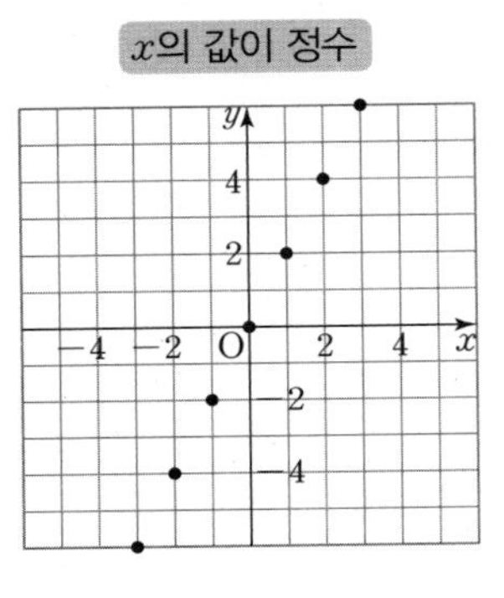

→ x의 값 사이의 간격을 작게 →

x의 값이 모든 수

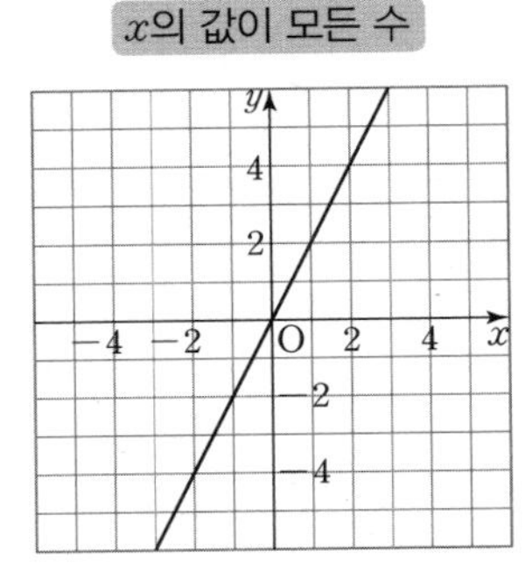

정비례 관계의 그래프 그리기

01 **정비례 관계 $y=-2x$에 대하여 물음에 답하시오.**

(1) 표를 완성하고, 그래프를 좌표평면 위에 그리시오.

x	-2	-1	0	1	2
y	4				

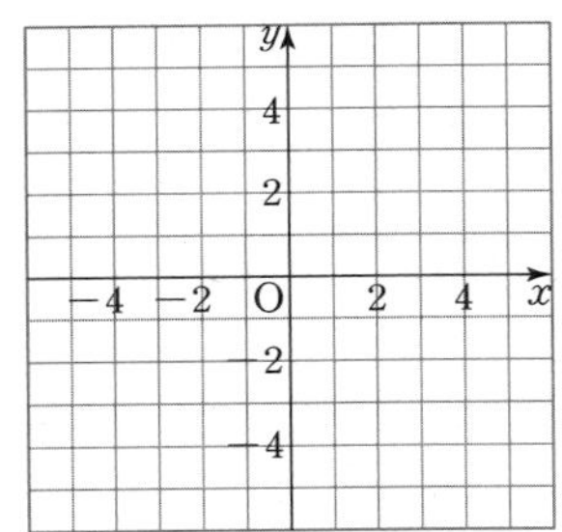

(2) x의 값의 범위가 수 전체일 때, $y=-2x$의 그래프를 좌표평면 위에 그리시오.

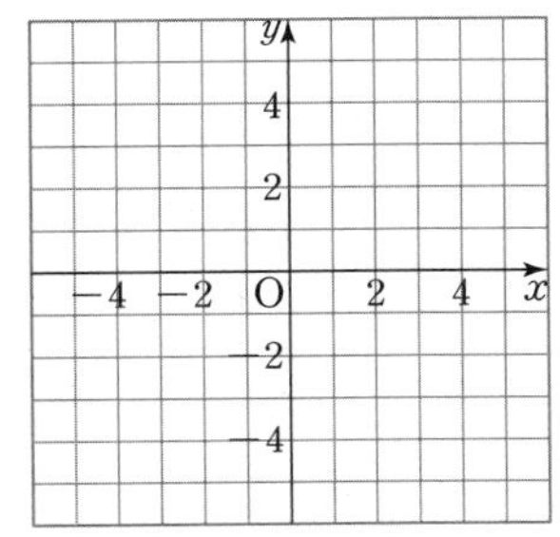

다음은 정비례 관계의 그래프가 지나는 두 점의 좌표를 나타낸 것이다. □ 안에 알맞은 수를 써넣고, 그래프를 좌표평면 위에 그리시오. (단, x의 값의 범위는 수 전체)

02 $y=\frac{1}{2}x$ → (0, □), (2, □)

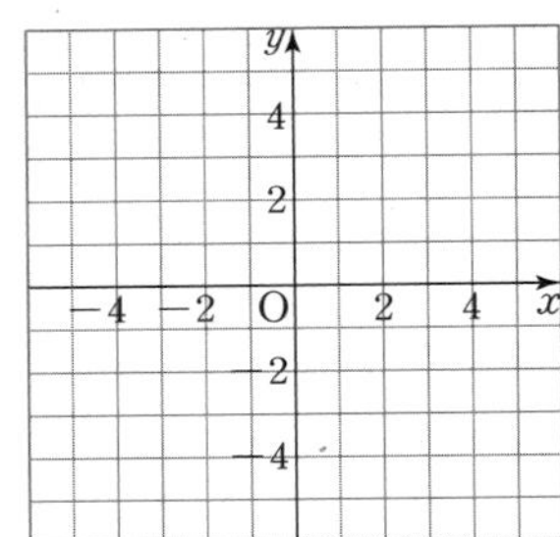

Tip 서로 다른 두 점을 지나는 직선은 오직 하나뿐이다.

03 $y=-\frac{2}{3}x$ → (0, □), (3, □)

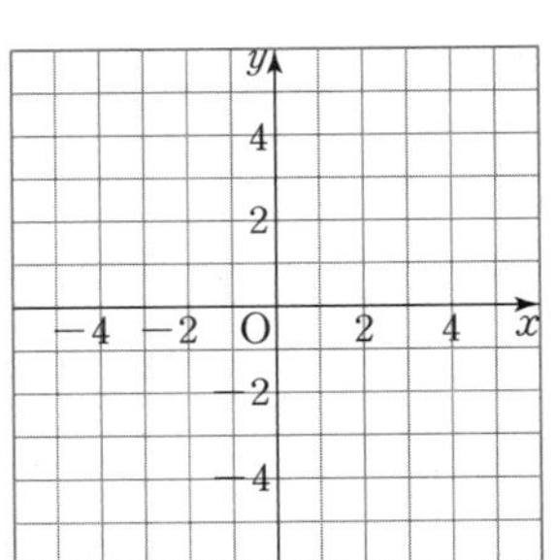

03 정비례 관계 그래프의 성질

정답과 풀이 60쪽

정비례 관계 $y=ax(a\neq0)$의 그래프는 원점을 지나는 직선이다.

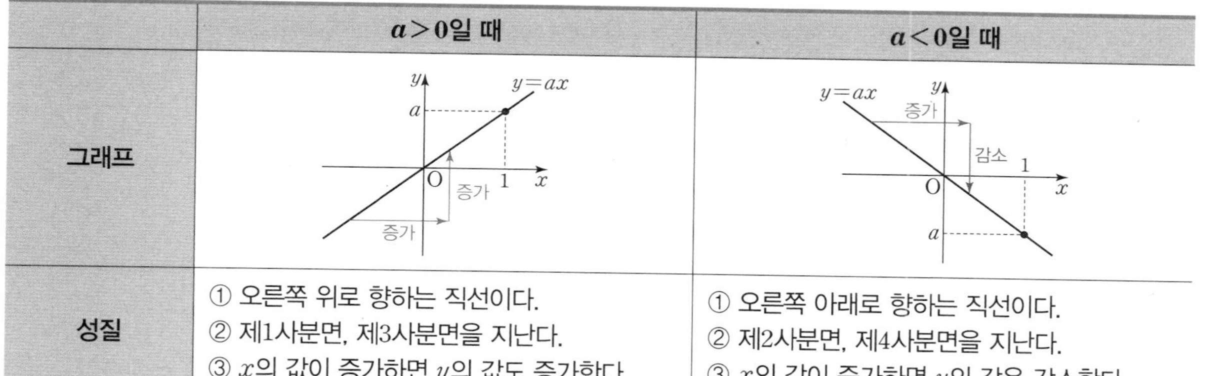

	$a>0$일 때	$a<0$일 때
그래프		
성질	① 오른쪽 위로 향하는 직선이다. ② 제1사분면, 제3사분면을 지난다. ③ x의 값이 증가하면 y의 값도 증가한다.	① 오른쪽 아래로 향하는 직선이다. ② 제2사분면, 제4사분면을 지난다. ③ x의 값이 증가하면 y의 값은 감소한다.

참고 정비례 관계 $y=ax(a\neq0)$의 그래프는 a의 절댓값이 클수록 y축에 가깝다.

정비례 관계 그래프의 성질

01 다음은 정비례 관계 $y=2x$, $y=x$, $y=\frac{1}{2}x$의 그래프이다. 이 그래프들에 대하여 옳은 것에 ○표 하고, □ 안에 알맞은 수를 써넣으시오.

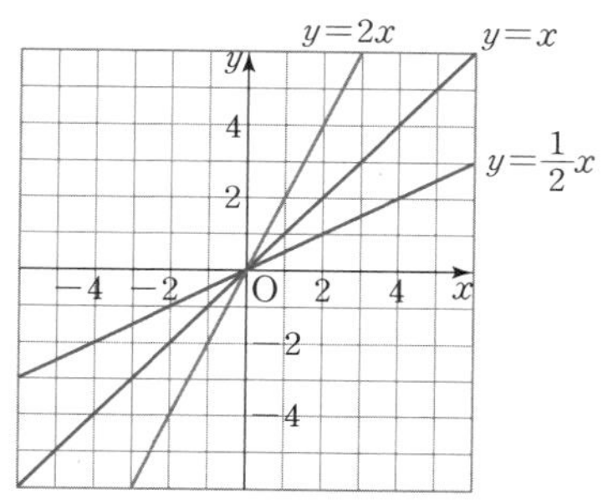

(1) 오른쪽 (위 , 아래)로 향하는 직선이다.

(2) 제 □ 사분면과 제 □ 사분면을 지난다.

(3) x의 값이 증가하면 y의 값은 (증가 , 감소) 한다.

(4) y축에 가장 가까운 그래프는 $y=$ □ x이다.

02 다음은 정비례 관계 $y=-2x$, $y=-x$, $y=-\frac{1}{2}x$의 그래프이다. 이 그래프들에 대하여 옳은 것에 ○표 하고, □ 안에 알맞은 수를 써넣으시오.

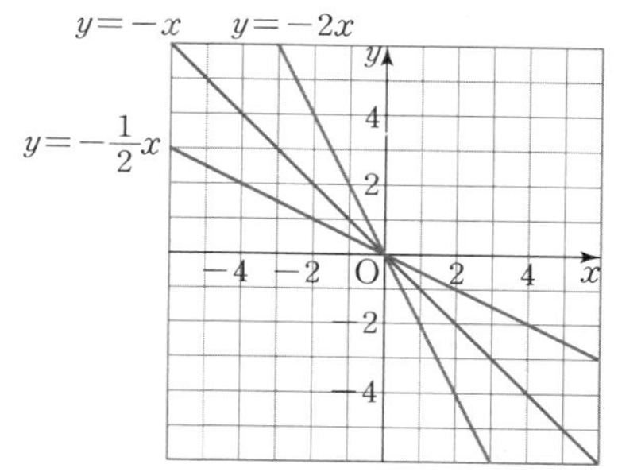

(1) 오른쪽 (위 , 아래)로 향하는 직선이다.

(2) 제 □ 사분면과 제 □ 사분면을 지난다.

(3) x의 값이 증가하면 y의 값은 (증가 , 감소) 한다.

(4) y축에 가장 가까운 그래프는 $y=$ □ x이다.

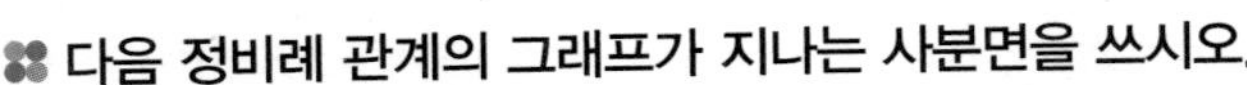

다음 정비례 관계의 그래프가 지나는 사분면을 쓰시오.

03 $y=-4x$ → 제☐사분면과 제☐사분면

04 $y=5x$ → 제☐사분면과 제☐사분면

05 $y=\frac{3}{4}x$ → 제☐사분면과 제☐사분면

06 $y=-\frac{1}{3}x$ → 제☐사분면과 제☐사분면

다음과 같은 정비례 관계의 그래프를 보기에서 모두 고르시오.

보기

ㄱ. $y=3x$　　ㄴ. $y=-6x$

ㄷ. $y=\frac{3}{2}x$　　ㄹ. $y=-\frac{4}{5}x$

07 오른쪽 아래로 향하는 그래프

08 제3사분면을 지나는 그래프

09 x의 값이 증가하면 y의 값은 감소하는 그래프

10 그래프가 y축에 가장 가까운 그래프

다음 정비례 관계식의 그래프를 아래 그림에서 찾아 그 기호를 쓰시오.

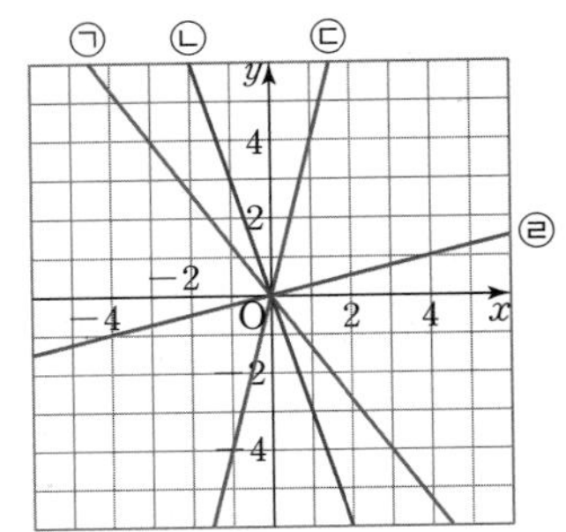

11 $y=4x$

→ 점 (0, 0), (1, ☐)를 지나는 직선을 찾으면 ☐이다.

12 $y=-3x$

13 $y=\frac{1}{4}x$

14 $y=-\frac{4}{3}x$

15 대표 문제

다음 중에서 정비례 관계 $y=-8x$의 그래프에 대한 설명으로 옳지 않은 것은?

① 원점을 지나는 직선이다.

② 점 $\left(\frac{1}{4}, -2\right)$를 지난다.

③ 오른쪽 아래로 향하는 직선이다.

④ 제2사분면, 제4사분면을 지난다.

⑤ x의 값이 증가하면 y의 값도 증가한다.

04 정비례 관계 그래프 위의 점

정답과 풀이 61쪽

점 (p, q)가 정비례 관계 $y=ax(a\neq0)$의 그래프 위의 점이면
① 정비례 관계 $y=ax$의 그래프가 점 (p, q)를 지난다.
② $y=ax$에 $x=p$, $y=q$를 대입하면 (좌변)=(우변)이다.
→ $q=ap$가 성립한다.

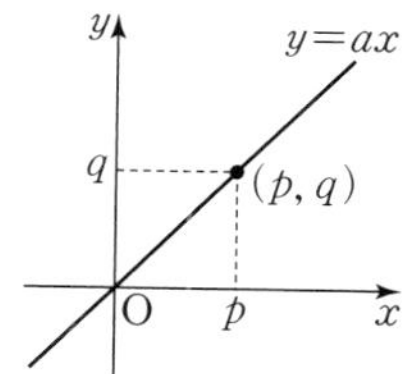

정비례 관계 그래프 위의 점

정비례 관계 $y=3x$의 그래프가 다음 점을 지날 때, a의 값을 구하시오.

$(a, 12)$ → $y=3x$에 대입
→ $12=3a$
→ $a=4$

01 $(a, 9)$

02 $(a, 18)$

03 $(2, a)$

04 $(-3, a)$

05 $(-a, 6)$

06 $\left(\frac{2}{3}, a\right)$

07 $(4, a+1)$

다음 점이 정비례 관계 $y=-2x$의 그래프 위의 점인 것은 ○표, 아닌 것은 ×표를 ( ) 안에 써넣으시오.

따라하기

$(2, 4)$ → $y=-2x$에 대입
→ $4\neq-4$ ← (좌변)≠(우변)
→ 점 $(2, 4)$는 $y=-2x$의 그래프 위의 점이 아니다.

08 $(1, -2)$ ( )

09 $(3, -6)$ ( )

10 $(0, 2)$ ( )

11 $(-6, 3)$ ( )

12 $\left(\frac{1}{2}, -1\right)$ ( )

13 $\left(-\frac{3}{4}, 3\right)$ ( )

정비례 관계 $y=ax$에서 a의 값 구하기

정비례 관계 $y=ax$의 그래프가 다음 점을 지날 때, 상수 a의 값을 구하시오.

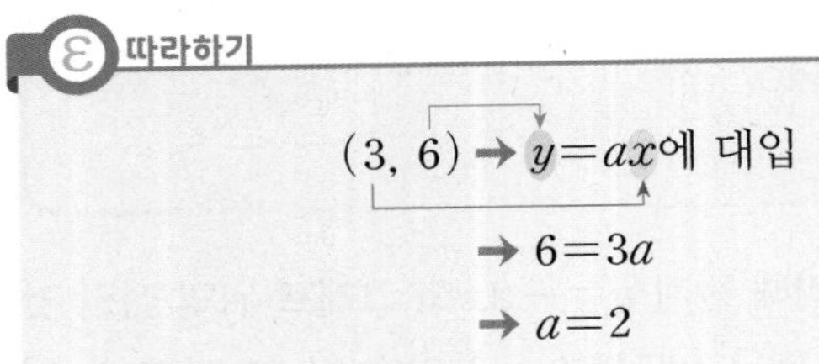

14 $(5,\ -5)$

15 $(-3,\ -9)$

16 $\left(\frac{1}{2},\ 3\right)$

17 $\left(-4,\ \frac{2}{5}\right)$

정비례 관계식 구하기

정비례 관계 $y=ax$의 그래프가 다음과 같을 때, 상수 a의 값을 구하시오.

18

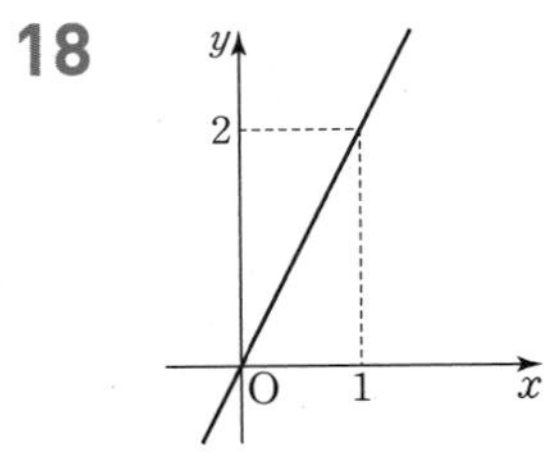

19

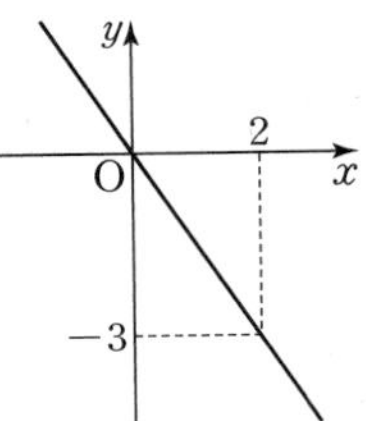

20

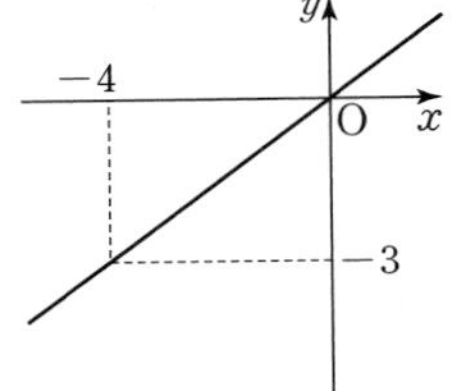

21

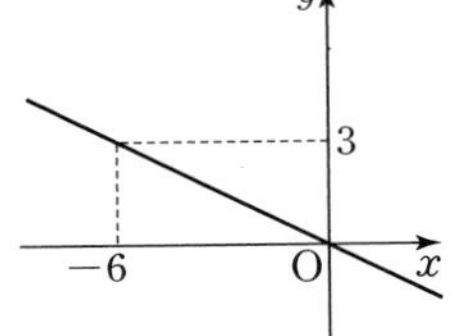

22

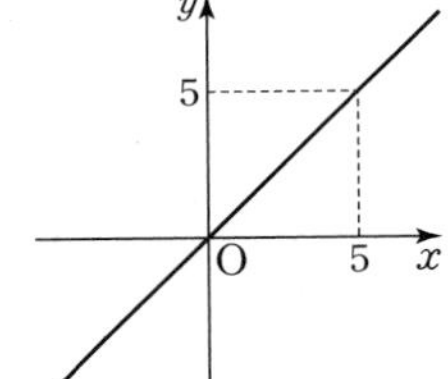

23 대표 문제

정비례 관계 $y=-\frac{4}{5}x$의 그래프가 점 $(-a,\ a+1)$을 지날 때, a의 값은?

① -5　② $-\frac{5}{9}$　③ $\frac{5}{9}$　④ 5　⑤ 9

05 반비례 관계

정답과 풀이 62쪽

(1) **반비례**: 두 변수 x, y에 대하여 x의 값이 2배, 3배, 4배, …로 변함에 따라 y의 값은 $\frac{1}{2}$배, $\frac{1}{3}$배, $\frac{1}{4}$배, …로 변하는 관계가 있을 때 y는 x에 반비례한다고 한다.

(2) **반비례 관계식**: y가 x에 반비례하면 $y=\frac{a}{x}(a\neq0)$가 성립한다.

참고 y가 x에 반비례하면 xy의 값은 항상 일정하다.

예

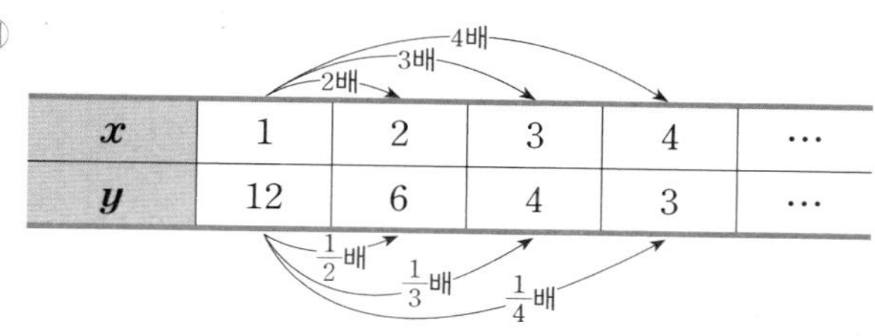

x	1	2	3	4	…
y	12	6	4	3	…

→ y가 x에 반비례 → 관계식은 $y=\frac{12}{x}$

└ $xy=1\times12=2\times6=\cdots=12$로 일정하다.

반비례 관계 알기

01 **공책 60권을 x명이 똑같이 나누어 가질 때, 한 명이 갖게 되는 공책의 수를 y권이라 한다. 다음 물음에 답하시오.**

(1) 다음 표를 완성하시오.

x(명)	1	2	3	4	…
y(권)	60				…

(2) y가 x에 반비례하는지 말하시오.

x의 값이 2배가 되면 y의 값은 □배

x의 값이 3배가 되면 y의 값은 □배

→ y가 x에 반비례(한다 , 하지 않는다).

(3) x와 y 사이의 관계식을 구하시오.

$xy=$□이므로 $y=$□

└ 값이 일정하다.

다음 중 y가 x에 반비례하는 것은 ○표, 반비례하지 않는 것은 ×표를 ( ) 안에 써넣으시오.

02 $y=-\frac{1}{x}$ ( )

03 $y=\frac{2}{5}x$ ( )

04 $y=5x$ ( )

05 $y=\frac{1}{8x}$ ( )

06 $y=\frac{x}{6}$ ( )

07 $xy=-3$ ( )

❖ 다음 중 y가 x에 반비례하는 것은 ○표, 반비례하지 않는 것은 ×표를 ( ) 안에 써넣으시오.

ε 따라하기

넓이가 35 cm^2인 직사각형의 가로의 길이가 x cm, 세로의 길이가 y cm

→ (직사각형의 넓이)=(가로의 길이)×(세로의 길이)

$35=x\times y$

→ $y=\frac{35}{x}$이므로 y가 x에 반비례한다.

08 50 km의 거리를 시속 x km의 속력으로 달릴 때 걸린 시간 y시간 ( )

09 둘레의 길이가 x cm인 정사각형의 한 변의 길이 y cm ( )

10 무게가 200 g인 떡을 x조각으로 똑같이 나눌 때 한 조각의 무게 y g ( )

11 8 L짜리 빈 물통에 매분 x L씩 물을 넣을 때 걸리는 시간 y분 ( )

12 학생 30명 중에서 여학생이 x명일 때 남학생 수 y명 ( )

❖ y가 x에 반비례하고 x, y의 값이 다음과 같을 때, x와 y 사이의 관계식을 구하시오.

ε 따라하기

$x=3$일 때 $y=2$

→ y가 x에 반비례하므로 $y=\frac{a}{x}$

$y=2$ 대입, $x=3$ 대입

$2=\frac{a}{3}$에서 $a=6$이므로 $y=\frac{6}{x}$

13 $x=1$일 때 $y=4$

14 $x=-2$일 때 $y=2$

15 $x=5$일 때 $y=-1$

16 $x=3$일 때 $y=-9$

17 $x=-4$일 때 $y=-2$

18 대표 문제

y가 x에 반비례하고 $x=2$일 때 $y=-6$이다. $x=-3$일 때 y의 값은?

① -8 ② -4 ③ 2
④ 4 ⑤ 8

06 반비례 관계의 그래프 그리기

정답과 풀이 62쪽

반비례 관계 $y=\frac{6}{x}$의 그래프 그리기

① $y=\frac{6}{x}$에 적당한 x의 값을 대입하여 y의 값을 구하고 순서쌍 (x, y)로 나타낸다.

→ $(-6, -1)$, $(-3, -2)$, $(-2, -3)$, $(-1, -6)$, $(1, 6)$, $(2, 3)$, $(3, 2)$, $(6, 1)$

② ①의 순서쌍 (x, y)를 좌표로 하는 점을 좌표평면 위에 나타낸다.

③ ②의 점들을 한 쌍의 매끄러운 곡선으로 연결한다.

x의 값이 정수

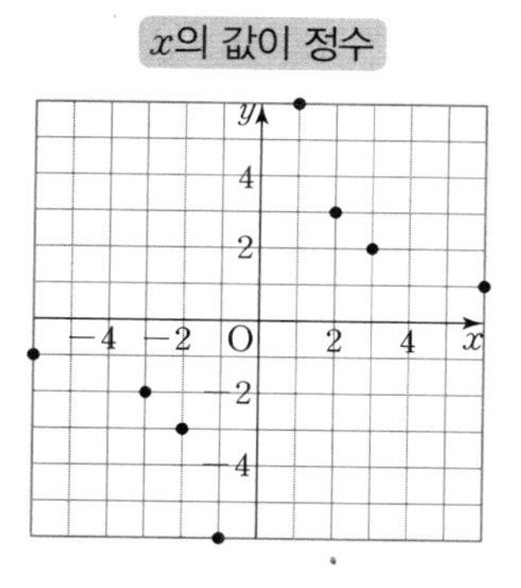

→

x의 값 사이의 간격을 작게

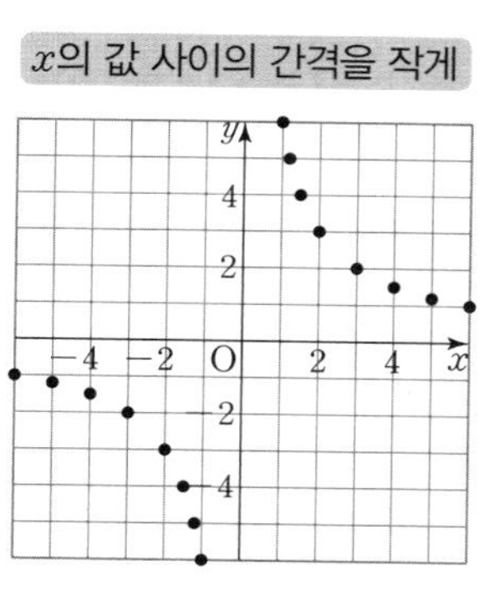

→

x의 값이 0이 아닌 모든 수

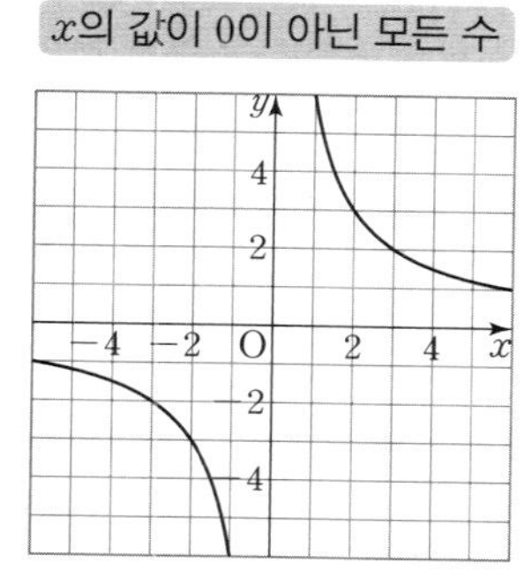

반비례 관계의 그래프 그리기

01 반비례 관계 $y=\frac{4}{x}$에 대하여 물음에 답하시오.

(1) 표를 완성하고, 그래프를 좌표평면 위에 그리시오.

x	-4	-2	-1	1	2	4
y	-1					

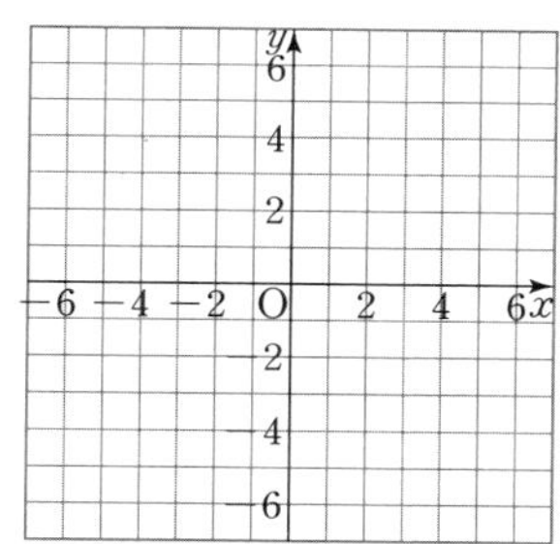

(2) x의 값의 범위가 0이 아닌 수 전체일 때, $y=\frac{4}{x}$의 그래프를 좌표평면 위에 그리시오.

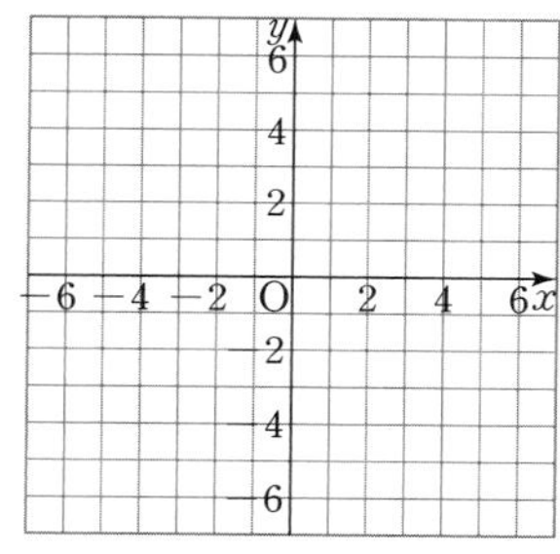

다음 반비례 관계에 대하여 표를 완성하고, 그래프를 좌표평면 위에 그리시오.

(단, x의 값의 범위는 0이 아닌 수 전체)

02 $y=\frac{12}{x}$

x	-6	-4	-3	-2	2	3	4	6
y								

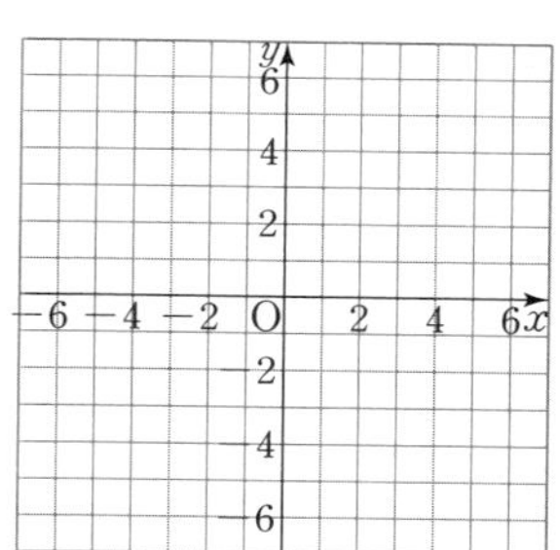

Tip 좌표평면 위에 점을 나타낸 후 한 쌍의 매끄러운 곡선으로 연결한다.

03 $y=-\frac{6}{x}$

x	-6	-3	-2	-1	1	2	3	6
y								

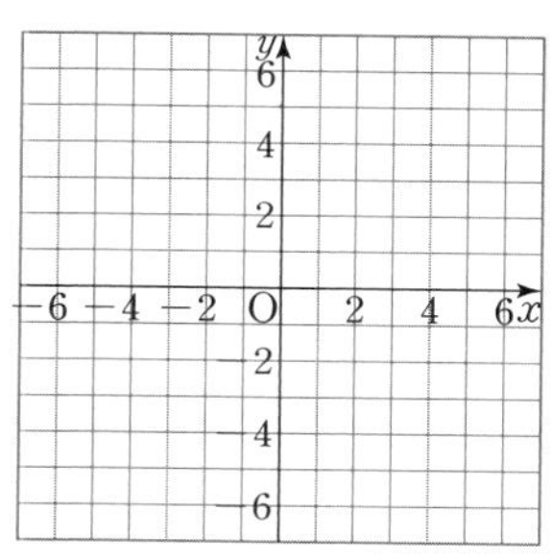

07 반비례 관계 그래프의 성질

정답과 풀이 63쪽

반비례 관계 $y=\frac{a}{x}(a\neq0)$의 그래프는 한 쌍의 매끄러운 곡선이다.

	$a>0$일 때	$a<0$일 때
그래프		
성질	① 제1사분면, 제3사분면을 지난다. ② 각 사분면에서 x의 값이 증가하면 y의 값은 감소한다.	① 제2사분면, 제4사분면을 지난다. ② 각 사분면에서 x의 값이 증가하면 y의 값도 증가한다.

참고 반비례 관계 $y=\frac{a}{x}(a\neq0)$의 그래프는 a의 절댓값이 클수록 원점에서 멀어진다.

반비례 관계 그래프의 성질

01 다음은 반비례 관계 $y=\frac{2}{x}$, $y=\frac{4}{x}$, $y=\frac{6}{x}$의 그래프이다. □ 안에 알맞은 수를 써넣고, 이 그래프들에 대하여 옳은 것에 ○표 하시오.

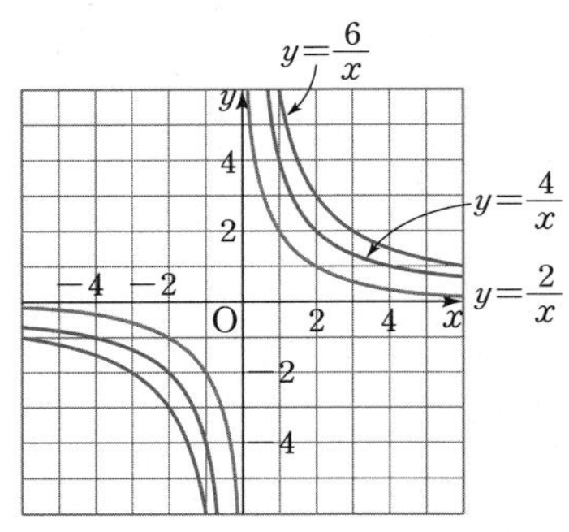

(1) 제□사분면과 제□사분면을 지난다.

(2) 각 사분면에서 x의 값이 증가하면 y의 값은 (증가 , 감소)한다.

(3) 원점에 가장 가까운 그래프는 $y=\frac{\square}{x}$이다.

02 다음은 반비례 관계 $y=-\frac{2}{x}$, $y=-\frac{4}{x}$, $y=-\frac{6}{x}$의 그래프이다. □ 안에 알맞은 수를 써넣고, 이 그래프들에 대하여 옳은 것에 ○표 하시오.

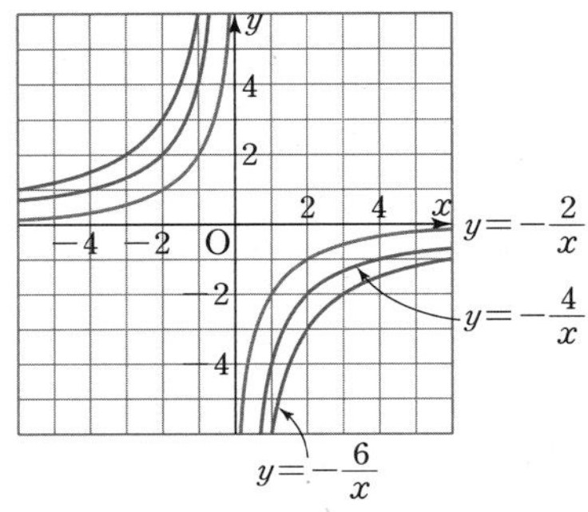

(1) 제□사분면과 제□사분면을 지난다.

(2) 각 사분면에서 x의 값이 증가하면 y의 값은 (증가 , 감소)한다.

(3) 원점에 가장 가까운 그래프는 $y=-\frac{\square}{x}$이다.

다음 반비례 관계의 그래프가 지나는 사분면을 쓰시오.

03 $y=\frac{9}{x}$ → 제☐사분면과 제☐사분면

04 $y=-\frac{1}{x}$ → 제☐사분면과 제☐사분면

05 $y=-\frac{20}{x}$ → 제☐사분면과 제☐사분면

06 $y=\frac{1}{3x}$ → 제☐사분면과 제☐사분면

다음 중 옳은 것은 ○표, 옳지 않은 것은 ×표를 (　　) 안에 써넣으시오.

07 반비례 관계 $y=\frac{16}{x}$의 그래프는 제1사분면을 지난다. (　　)

08 반비례 관계 $y=-\frac{1}{2x}$의 그래프는 제3사분면을 지난다. (　　)

09 반비례 관계 $y=\frac{1}{5x}$의 그래프는 각 사분면에서 x의 값이 증가하면 y의 값은 감소한다. (　　)

다음과 같은 반비례 관계의 그래프를 보기에서 모두 고르시오.

보기

ㄱ. $y=-\frac{3}{x}$	ㄴ. $y=\frac{1}{x}$
ㄷ. $y=\frac{5}{x}$	ㄹ. $y=-\frac{7}{x}$

10 제3사분면을 지나는 그래프

11 각 사분면에서 x의 값이 증가하면 y의 값도 증가하는 그래프

12 각 사분면에서 x의 값이 증가하면 y의 값은 감소하는 그래프

13 그래프가 원점에서 먼 순서대로 기호를 쓰시오.

14 대표 문제

다음 중에서 반비례 관계 $y=-\frac{10}{x}$의 그래프에 대한 설명으로 옳지 않은 것은?

① 원점을 지나지 않는다.
② 점 $(-5,\ -2)$를 지난다.
③ x축, y축과 만나지 않는다.
④ 제2사분면, 제4사분면을 지난다.
⑤ 각 사분면에서 x의 값이 증가하면 y의 값도 증가한다.

08 반비례 관계 그래프 위의 점

정답과 풀이 63쪽

점 $(p,\ q)$가 반비례 관계 $y=\frac{a}{x}(a\neq0)$의 그래프 위의 점이면

① 반비례 관계 $y=\frac{a}{x}$의 그래프가 점 $(p,\ q)$를 지난다.

② $y=\frac{a}{x}$에 $x=p,\ y=q$를 대입하면 (좌변)=(우변)이다.

→ $q=\frac{a}{p}$가 성립한다.

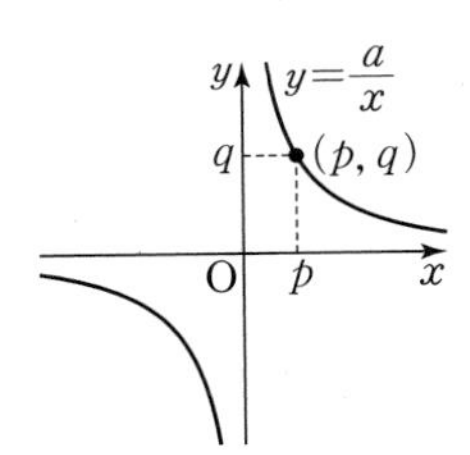

반비례 관계 그래프 위의 점

다음 점이 반비례 관계 $y=-\frac{18}{x}$의 그래프 위의 점인 것은 ○표, 아닌 것은 ×표를 ( ) 안에 써넣으시오.

ε 따라하기

$(2,\ -9)$ → $y=-\frac{18}{x}$에 대입

→ $-9=-9$ ← (좌변)=(우변)

→ $(2,\ -9)$는 $y=-\frac{18}{x}$의 그래프 위의 점이다.

01 $(-1,\ -18)$ ( )

02 $(-9,\ 2)$ ( )

03 $(-6,\ 4)$ ( )

04 $(3,\ -3)$ ( )

05 $\left(-12,\ \frac{3}{2}\right)$ ( )

06 $\left(9,\ -\frac{1}{2}\right)$ ( )

반비례 관계 $y=\frac{a}{x}$에서 a의 값 구하기

반비례 관계 $y=\frac{a}{x}$의 그래프가 다음 점을 지날 때, 상수 a의 값을 구하시오.

ε 따라하기

$(4,\ -1)$ → $y=\frac{a}{x}$에 대입

→ $-1=\frac{a}{4}$

→ $a=-4$

07 $(2,\ 2)$

08 $(-3,\ 1)$

09 $(-4,\ -5)$

10 $\left(-8,\ \frac{1}{4}\right)$

11 $\left(3,\ -\frac{2}{3}\right)$

09 정비례와 반비례 관계의 활용

정답과 풀이 64쪽

정비례 또는 반비례 관계의 활용 문제는 다음의 순서로 푼다.

① 변화하는 두 양을 변수 x와 y로 놓는다.

② 두 변수 x와 y 사이의 관계가 정비례 관계인지 반비례 관계인지 알아본다.

③ 정비례 관계이면 $y=ax$, 반비례 관계이면 $y=\frac{a}{x}$로 놓고 필요한 값을 구한다.

④ 구한 답이 문제의 조건에 맞는지 확인한다.

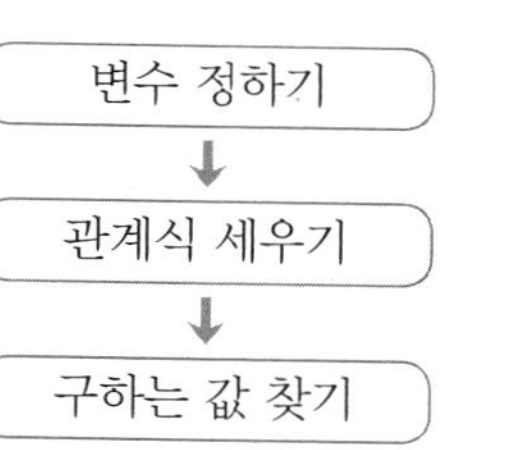

정비례 관계의 활용

01 **빈 물통에 매분 3 L씩 물을 채우고 있다. x분 후 물통 안에 들어 있는 물의 양을 y L라 할 때, 다음 물음에 답하시오.**

(1) 다음 표를 완성하시오.

x(분)	1	2	3	4	…
y(L)	3				…

(2) x와 y 사이의 관계식을 구하시오.

(물의 양)=(매분 채우는 물의 양)×(시간)
→ $y=\square x$

(3) 물을 채우기 시작한 지 15분 후 물통 안에 들어 있는 물의 양은 몇 L인지 구하시오.

02 **어떤 양초에 불을 붙이면 매분 0.4 cm씩 탄다고 한다. 불을 붙인 후 x분 동안 줄어드는 양초의 길이를 y cm라 할 때, 다음 물음에 답하시오.**

(1) x와 y 사이의 관계식을 구하시오.

(2) 불을 붙인 후 12분 동안 줄어드는 양초의 길이를 구하시오.

반비례 관계의 활용

03 **120쪽의 책을 하루에 x쪽씩 읽으려고 한다. 책을 모두 읽는 데 걸리는 기간을 y일이라 할 때, 다음 물음에 답하시오.**

(1) 다음 표를 완성하시오.

x(쪽)	1	2	3	4	…
y(일)	120				…

(2) x와 y 사이의 관계식을 구하시오.

(전체 쪽수)=(하루에 읽는 쪽수)×(기간)
→ $120=\square\times\square$이므로 $y=\square$

(3) 책을 하루에 8쪽씩 읽는다면 모두 읽는 데 걸리는 기간은 며칠인지 구하시오.

04 **지민이네 가족은 집에서 150 km 떨어진 휴양림에 가려고 한다. 자동차를 타고 시속 x km로 달릴 때 걸리는 시간을 y시간이라 할 때, 다음 물음에 답하시오.**

(1) x와 y 사이의 관계식을 구하시오.

(2) 시속 75 km로 달릴 때, 휴양림까지 가는 데 걸리는 시간을 구하시오.

확인 문제

정답과 풀이 64쪽

01

다음 중에서 y가 x에 정비례하는 것은?

① 두 수 x와 y의 합이 30이다.

② 시속 x km로 2시간 동안 이동한 거리가 y km이다.

③ 밑변의 길이가 x cm, 높이가 y cm인 평행사변형의 넓이가 45 cm^2이다.

④ 하루 24시간 중 깨어 있는 시간이 x시간일 때, 잠을 자는 시간은 y시간이다.

⑤ 물 5 L를 x명이 똑같이 나누어 마실 때, 한 사람이 마시게 되는 물의 양은 y L이다.

02

다음 정비례 관계 그래프 중에서 y축에 가장 가까운 것은?

① $y=-x$　② $y=-3x$　③ $y=5x$

④ $y=\frac{1}{2}x$　⑤ $y=-\frac{7}{4}x$

03

정비례 관계 $y=-\frac{2}{3}x$의 그래프가 두 점 $(a, -2)$, $(6, b)$를 지날 때, $a+b$의 값은?

① -7　② -3　③ -1

④ 1　⑤ 3

04

다음 보기 중에서 반비례 관계 $y=-\frac{4}{x}$의 그래프를 고르시오.

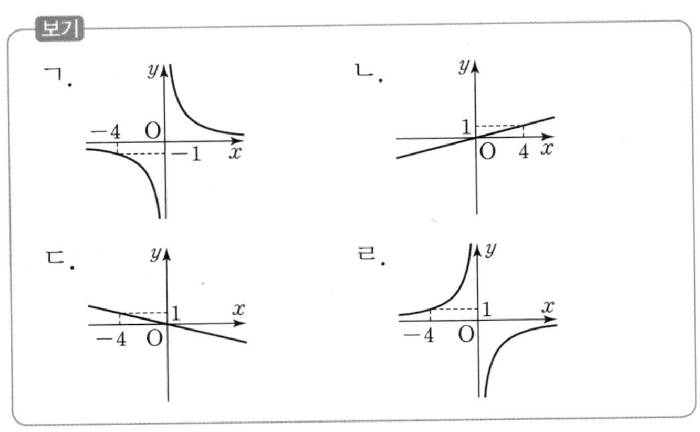

05

반비례 관계 $y=\frac{12}{x}$의 그래프 위의 점이 아닌 것을 모두 고르면? (정답 2개)

① $(4, 3)$　② $(-2, 6)$　③ $(-1, -12)$

④ $\left(8, \frac{3}{2}\right)$　⑤ $\left(-10, -\frac{5}{6}\right)$

06

오른쪽 그림은 반비례 관계의 그래프이다. 이때 k의 값을 구하시오.

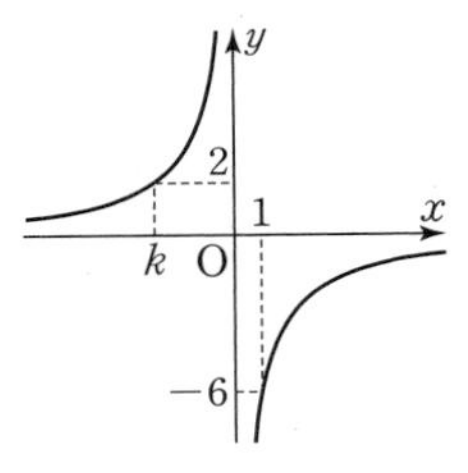

중 | 학 | 도 | 역 | 시 EBS

중학 수학의 기초력 강화

연산 ε 엡실론

정답과 풀이

중학 수학 1·1

Contents

이 책의 차례

정답과 풀이

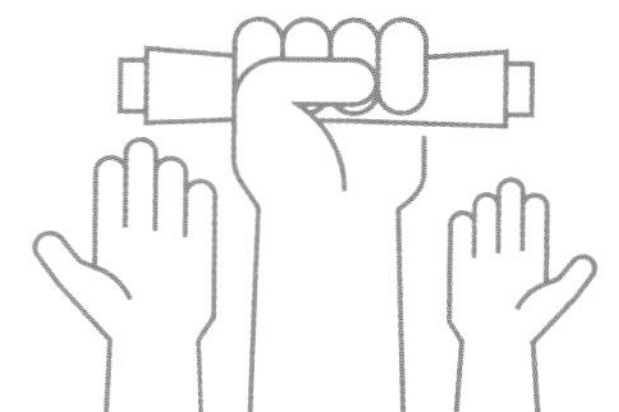

정답과 풀이

1 소인수분해

1. 소인수분해

01 약수와 배수 | 6쪽 |

01 1, 2, 7, 14	02 1, 5, 25	
03 1, 3, 11, 33	04 1, 5, 7, 35	
05 1, 2, 3, 6, 7, 14, 21, 42	06 1, 2, 5, 10, 25, 50	
07 1, 3, 7, 9, 21, 63	08 60	09 105
10 180	11 270	12 ③

01 $14=1\times14=2\times7$
따라서 14의 약수는 1, 2, 7, 14이다.

02 $25=1\times25=5\times5$
따라서 25의 약수는 1, 5, 25이다.

03 $33=1\times33=3\times11$
따라서 33의 약수는 1, 3, 11, 33이다.

04 $35=1\times35=5\times7$
따라서 35의 약수는 1, 5, 7, 35이다.

05 $42=1\times42=2\times21=3\times14=6\times7$
따라서 42의 약수는 1, 2, 3, 6, 7, 14, 21, 42이다.

06 $50=1\times50=2\times25=5\times10$
따라서 50의 약수는 1, 2, 5, 10, 25, 50이다.

07 $63=1\times63=3\times21=7\times9$
따라서 63의 약수는 1, 3, 7, 9, 21, 63이다.

08 4의 배수이므로 (15번째의 수)$=4\times15=60$

09 7의 배수이므로 (15번째의 수)$=7\times15=105$

10 12의 배수이므로 (15번째의 수)$=12\times15=180$

11 18의 배수이므로 (15번째의 수)$=18\times15=270$

12 56을 나누어떨어지게 하는 수는 56의 약수이다.
따라서 56의 약수는 1, 2, 4, 7, 8, 14, 28, 56으로 모두 8개이다.

02 소수와 합성수 | 7쪽 |

01 소수	02 합성수	03 소수	04 합성수	05 합성수
06 합성수	07 소수	08 소수	09 합성수	10 소수
11 ×	12 ×	13 ○	14 ○	15 ×
16 ×	17 ②			

01 13의 약수는 1, 13이므로 13은 소수이다.

02 21의 약수는 1, 3, 7, 21이므로 21은 합성수이다.

03 23의 약수는 1, 23이므로 23은 소수이다.

04 27의 약수는 1, 3, 9, 27이므로 27은 합성수이다.

05 34의 약수는 1, 2, 17, 34이므로 34는 합성수이다.

06 39의 약수는 1, 3, 13, 39이므로 39는 합성수이다.

07 41의 약수는 1, 41이므로 41은 소수이다.

08 47의 약수는 1, 47이므로 47은 소수이다.

09 57의 약수는 1, 3, 19, 57이므로 57은 합성수이다.

10 59의 약수는 1, 59이므로 59는 소수이다.

11 2는 가장 작은 소수이면서 유일하게 짝수인 소수이다.

12 합성수의 약수는 3개 이상이다.

13 4의 약수는 1, 2, 4이므로 4는 합성수이다.

14 10 이하의 소수는 2, 3, 5, 7의 4개이다.

15 자연수는 1, 소수, 합성수로 이루어져 있다.

16 소수의 약수의 개수는 2개이다.

17 ① 가장 작은 소수는 2이다.
③ 6 이하의 합성수는 4, 6의 2개이다.
④ 51의 약수는 1, 3, 17, 51이므로 51은 합성수이다.
⑤ 9는 합성수이지만 홀수이다.

03 거듭제곱 | 8쪽 |

01 3, 7	02 10, 3	03 $\frac{1}{3}$, 5	04 7^5
05 11^3	06 $2^2\times3^4$	07 $3^3\times5^2\times7^3$	08 $\left(\frac{1}{5}\right)^2$
09 $\left(\frac{2}{3}\right)^5$	10 $\left(\frac{3}{5}\right)^2\times\left(\frac{1}{7}\right)^3$	11 $\left(\frac{1}{11}\right)^4\times\left(\frac{1}{13}\right)^2$	
12 $\frac{1}{3^4}$	13 $\frac{1}{2^2\times5^3}$	14 ⑤	

14 $2^3=2\times2\times2=8$

04 소인수분해

| 9~10쪽 |

01 1, 2, 11, 22 / 2, 11
02 1, 2, 3, 5, 6, 10, 15, 30 / 2, 3, 5
03 1, 3, 5, 15, 25, 75 / 3, 5
04 $2^3\times3$　05 $2^2\times3\times7$　06 $2^2\times3^3$
07 $2^2\times7$　08 $2\times3\times7$　09 $2\times3\times5^2$
10 3^5　11 2×3^3　12 $2\times3\times17$
13 $2^2\times3^2\times5$　14 ②

01 22 → 1 × 22, 22 → 2 × 11

02 30 → 1 × 30, 30 → 2 × 15, 30 → 3 × 10, 30 → 5 × 6

03 75 → 1 × 75, 75 → 3 × 25, 75 → 5 × 15

04 $24=2\times12$
$=2\times2\times6$
$=2\times2\times2\times3$

05 $84=2\times42$
$=2\times2\times21$
$=2\times2\times3\times7$

06 $108=2\times54$
$=2\times2\times27$
$=2\times2\times3\times9$
$=2\times2\times3\times3\times3$

07 28 → 2, 14; 14 → 2, 7

08 42 → 2, 21; 21 → 3, 7

09 150 → 2, 75; 75 → 3, 25; 25 → 5, 5

10 243 → 3, 81; 81 → 3, 27; 27 → 3, 9; 9 → 3, 3

11 2) 54
3) 27
3) 9
3

12 2) 102
3) 51
17

13 2) 180
2) 90
3) 45
3) 15
5

14 135를 소인수분해하면 $135=3^3\times5$
$a=3$, $b=1$이므로 $a+b=4$

5) 135
3) 27
3) 9
3

05 제곱인 수

| 11쪽 |

01 14	02 10	03 5	04 35	05 6
06 10	07 3	08 14	09 21	10 10

01 2^3과 7의 지수가 짝수가 되어야 하므로 곱할 수 있는 가장 작은 자연수는 $2\times7=14$이다.

02 2와 5의 지수가 짝수가 되어야 하므로 곱할 수 있는 가장 작은 자연수는 $2\times5=10$이다.

03 $45=3^2\times5$에서 5의 지수가 짝수가 되어야 하므로 곱할 수 있는 가장 작은 자연수는 5이다.

04 $140=2^2\times5\times7$에서 5와 7의 지수가 짝수가 되어야 하므로 곱할 수 있는 가장 작은 자연수는 $5\times7=35$이다.

05 $216=2^3\times3^3$에서 2^3과 3^3의 지수가 짝수가 되어야 하므로 곱할 수 있는 가장 작은 자연수는 $2\times3=6$이다.

06 2^3과 5^3의 지수가 짝수가 되어야 하므로 나눌 수 있는 가장 작은 자연수는 $2\times5=10$이다.

07 3의 지수가 짝수가 되어야 하므로 나눌 수 있는 가장 작은 자연수는 3이다.

08 2와 7의 지수가 짝수가 되어야 하므로 나눌 수 있는 가장 작은 자연수는 $2\times7=14$이다.

09 $84=2^2\times3\times7$에서 3과 7의 지수가 짝수가 되어야 하므로 나눌 수 있는 가장 작은 자연수는 $3\times7=21$이다.

10 $160=2^5\times5$에서 2^5과 5의 지수가 짝수가 되어야 하므로 나눌 수 있는 가장 작은 자연수는 $2\times5=10$이다.

06 소인수분해를 이용하여 약수 구하기 | 12~13쪽 |

01 1, 2, 2^2, 2^3, 2^4(또는 1, 2, 4, 8, 16) / 5
02 1, 7, 7^2(또는 1, 7, 49) / 3
03 1, 3, 3^2, 3^3, 3^4, 3^5(또는 1, 3, 9, 27, 81, 243) / 6
04

×	1	5
1	1	5
3	3	15

1, 3, 5, 15

05

×	1	3	3^2
1	1	3	9
2	2	6	18

1, 2, 3, 6, 9, 18

06 $2^2\times3^2$

×	1	3	3^2
1	1	3	9
2	2	6	18
2^2	4	12	36

1, 2, 3, 4, 6, 9, 12, 18, 36

07 $2^3\times5$

×	1	5
1	1	5
2	2	10
2^2	4	20
2^3	8	40

1, 2, 4, 5, 8, 10, 20, 40

08 3×5^2

×	1	5	5^2
1	1	5	25
3	3	15	75

1, 3, 5, 15, 25, 75

09 $2^2\times5^2$

×	1	5	5^2
1	1	5	25
2	2	10	50
2^2	4	20	100

1, 2, 4, 5, 10, 20, 25, 50, 100

10 4 **11** 20 **12** 35 **13** 12 **14** 8
15 12 **16** ③

10 3×7의 약수의 개수는 $(1+1)\times(1+1)=2\times2=4$

11 $2^3\times5^4$의 약수의 개수는 $(3+1)\times(4+1)=4\times5=20$

12 $2^4\times3^6$의 약수의 개수는 $(4+1)\times(6+1)=5\times7=35$

13 $96=2^5\times3$이므로 약수의 개수는
$(5+1)\times(1+1)=6\times2=12$

14 $104=2^3\times13$이므로 약수의 개수는
$(3+1)\times(1+1)=4\times2=8$

15 $500=2^2\times5^3$이므로 약수의 개수는
$(2+1)\times(3+1)=3\times4=12$

16 $2^2\times3^3$의 약수를 구하면 다음과 같다.

×	1	3	3^2	3^3
1	1	3	3^2	3^3
2	2	2×3	2×3^2	2×3^3
2^2	2^2	$2^2\times3$	$2^2\times3^2$	$2^2\times3^3$

확인문제 | 14쪽 |

01 ④ **02** ㄹ **03** ④ **04** ③ **05** ⑤ **06** ②, ④

01 ④ 25의 약수는 1, 5, 25이므로 합성수이다.

02 ㄱ. 소수가 아닌 자연수 1은 약수가 1개이다.
ㄴ. 91의 약수는 1, 7, 13, 91이므로 합성수이다.
ㄷ. 12를 소인수분해하면 $2^2\times3$이다.

03 ④ $\frac{1}{5}\times\frac{1}{5}\times\frac{1}{5}=\left(\frac{1}{5}\right)^3$

04

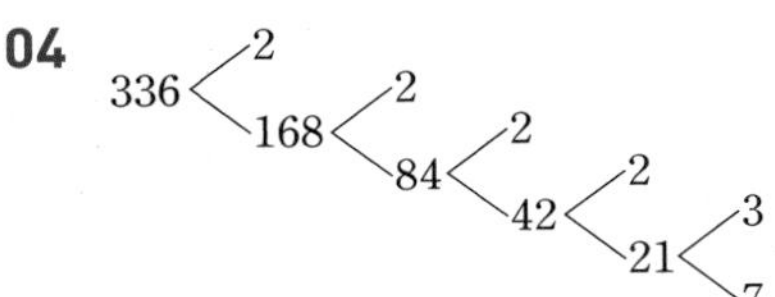

$336=2^4\times3\times7$이므로 $a=4$, $b=1$, $c=7$
따라서 $a+b+c=4+1+7=12$

05 210을 소인수분해하면
$210=2\times3\times5\times7$이므로
소인수는 2, 3, 5, 7이다.

2) 210
3) 105
5) 35
7

06 $200=2^3\times5^2$이므로 200의 약수를 구하면 다음과 같다.

×	1	5	5^2
1	1	5	5^2
2	2	2×5	2×5^2
2^2	2^2	$2^2\times5$	$2^2\times5^2$
2^3	2^3	$2^3\times5$	$2^3\times5^2$

2. 최대공약수와 최소공배수

01 공약수와 최대공약수 | 15～16쪽 |

01 (1) 1, 2, 4, 8
(2) 1, 2, 4, 7, 14, 28
(3) 1, 2, 4
(4) 4
02 (1) 1, 2, 3, 5, 6, 10, 15, 30
(2) 1, 3, 5, 9, 15, 45
(3) 1, 3, 5, 15
(4) 15
03 (1) 1, 3, 9, 27
(2) 1, 3, 7, 9, 21, 63
(3) 1, 3, 9, 27, 81
(4) 1, 3, 9
(5) 9
04 1, 5, 25 **05** 1, 2, 4, 8, 16, 32
06 1, 2, 4, 5, 8, 10, 16, 20, 40, 80
07 1, 3, 9, 11, 33, 99 **08** ④
09 × **10** × **11** ○ **12** ○ **13** ○
14 ○ **15** × **16** ○ **17** ○ **18** ×
19 × **20** × **21** × **22** ②

08 A, B의 공약수는 두 수의 최대공약수인 16의 약수이므로 1, 2, 4, 8, 16이다. 따라서 A, B의 공약수가 아닌 것은 ④ 6이다.

09 10과 42의 최대공약수는 2이므로 두 수는 서로소가 아니다.

10 14와 35의 최대공약수는 7이므로 두 수는 서로소가 아니다.

11 8과 27의 최대공약수는 1이므로 두 수는 서로소이다.

12 28과 81의 최대공약수는 1이므로 두 수는 서로소이다.

13 7과 34의 최대공약수는 1이므로 두 수는 서로소이다.

14 13과 22의 최대공약수는 1이므로 두 수는 서로소이다.

15 33과 77의 최대공약수는 11이므로 두 수는 서로소가 아니다.

18 18과 45의 최대공약수는 9이므로 두 수는 서로소가 아니다.

19 5와 15의 최대공약수는 5이므로 두 수는 서로소가 아니다.

20 4와 9는 서로소이지만 두 수 모두 소수가 아니다.

21 서로소인 두 수의 공약수는 1의 1개뿐이다.

22 35와 서로소인 것은 3, 12의 2개이다.

02 최대공약수 구하기 | 17～19쪽 |

01 6 **02** 12 **03** 15 **04** 9 **05** 12
06 14 **07** 21 **08** 8 **09** 12 **10** 18
11 21 **12** 18 **13** 4 **14** 6 **15** 9
16 12 **17** 12 **18** 15 **19** 24 **20** 4
21 45 **22** 21 **23** 70 **24** 6 **25** 75
26 15 **27** 6 **28** 14 **29** 18 **30** 6
31 12 **32** 22 **33** ②

01
2) 18 42
3) 9 21
3 7
(최대공약수)$=2\times3=6$

02
2) 24 36
2) 12 18
3) 6 9
2 3
(최대공약수)$=2\times2\times3=12$

03
3) 45 60
5) 15 20
3 4
(최대공약수)$=3\times5=15$

04
3) 18 27 36
3) 6 9 12
2 3 4
(최대공약수)$=3\times3=9$

05
2) 24 60 96
2) 12 30 48
3) 6 15 24
2 5 8
(최대공약수)$=2\times2\times3=12$

06
2) 42 56 140
7) 21 28 70
3 4 10
(최대공약수)$=2\times7=14$

07
3) 63 84 105
7) 21 28 35
3 4 5
(최대공약수)$=3\times7=21$

08
$32=2^5$
$56=2^3\times7$
(최대공약수)$=2^3=8$

09
$$\begin{array}{r} 36=2^2\times3^2 \\ 48=2^4\times3 \\ \hline (\text{최대공약수})=2^2\times3=12 \end{array}$$

10
$$\begin{array}{r} 54=2\times3^3 \\ 72=2^3\times3^2 \\ \hline (\text{최대공약수})=2\times3^2=18 \end{array}$$

11
$$\begin{array}{r} 63=3^2\times7 \\ 105=3\times5\times7 \\ \hline (\text{최대공약수})=3\times7=21 \end{array}$$

12
$$\begin{array}{r} 126=2\times3^2\times7 \\ 180=2^2\times3^2\times5 \\ \hline (\text{최대공약수})=2\times3^2=18 \end{array}$$

13
$$\begin{array}{r} 8=2^3 \\ 12=2^2\times3 \\ 20=2^2\times5 \\ \hline (\text{최대공약수})=2^2=4 \end{array}$$

14
$$\begin{array}{r} 18=2\times3^2 \\ 42=2\times3\times7 \\ 72=2^3\times3^2 \\ \hline (\text{최대공약수})=2\times3=6 \end{array}$$

15
$$\begin{array}{r} 27=3^3 \\ 45=3^2\times5 \\ 99=3^2\times11 \\ \hline (\text{최대공약수})=3^2=9 \end{array}$$

16
$$\begin{array}{r} 48=2^4\times3 \\ 84=2^2\times3\times7 \\ 108=2^2\times3^3 \\ \hline (\text{최대공약수})=2^2\times3=12 \end{array}$$

17
$$\begin{array}{r} 60=2^2\times3\times5 \\ 96=2^5\times3 \\ 132=2^2\times3\times11 \\ \hline (\text{최대공약수})=2^2\times3=12 \end{array}$$

18
$$\begin{array}{r} 75=3\times5^2 \\ 90=2\times3^2\times5 \\ 300=2^2\times3\times5^2 \\ \hline (\text{최대공약수})=3\times5=15 \end{array}$$

19
$$\begin{array}{r} 2^4\times3 \\ 2^3\times3^2 \\ \hline (\text{최대공약수})=2^3\times3=24 \end{array}$$

20
$$\begin{array}{r} 2^3\times3 \\ 2^2\times5 \\ \hline (\text{최대공약수})=2^2=4 \end{array}$$

21
$$\begin{array}{r} 3^2\times5 \\ 3^3\times5\times7 \\ \hline (\text{최대공약수})=3^2\times5=45 \end{array}$$

22
$$\begin{array}{r} 2\times3\times7 \\ 3^2\times5\times7 \\ \hline (\text{최대공약수})=3\times7=21 \end{array}$$

23
$$\begin{array}{r} 2\times5^2\times7 \\ 2^2\times5\times7^3 \\ \hline (\text{최대공약수})=2\times5\times7=70 \end{array}$$

24
$$\begin{array}{r} 2\times3^2 \\ 2^2\times3 \\ 2^3\times3^3 \\ \hline (\text{최대공약수})=2\times3=6 \end{array}$$

25
$$\begin{array}{r} 3\times5^3 \\ 2\times3^2\times5^2 \\ 2^3\times3^3\times5^2 \\ \hline (\text{최대공약수})=3\times5^2=75 \end{array}$$

26
$$\begin{array}{r} 2^4\times3^2\times5 \\ 2^2\times3\times5^3 \\ 3\times5^2\times7^2 \\ \hline (\text{최대공약수})=3\times5=15 \end{array}$$

27
$$\begin{array}{r} 30=2\times3\times5 \\ 72=2^3\times3^2 \\ \hline (\text{최대공약수})=2\times3=6 \end{array}$$

28
$$\begin{array}{r} 42=2\times3\times7 \\ 56=2^3\times7 \\ \hline (\text{최대공약수})=2\times7=14 \end{array}$$

29
$$\begin{array}{r} 54=2\times3^3 \\ 144=2^4\times3^2 \\ \hline (\text{최대공약수})=2\times3^2=18 \end{array}$$

30
$$\begin{array}{r} 18=2\times3^2 \\ 60=2^2\times3\times5 \\ 90=2\times3^2\times5 \\ \hline (\text{최대공약수})=2\times3=6 \end{array}$$

31
$$\begin{array}{r} 36=2^2\times3^2 \\ 84=2^2\times3\times7 \\ 300=2^2\times3\times5^2 \\ \hline (\text{최대공약수})=2^2\times3=12 \end{array}$$

32
$$\begin{array}{r} 66=2\times3\times11 \\ 110=2\times5\times11 \\ 132=2^2\times3\times11 \\ \hline (\text{최대공약수})=2\times11=22 \end{array}$$

33 $36=2^2\times3^2$, $90=2\times3^2\times5$이므로 36과 90의 최대공약수는 2×3^2이다.
따라서 $a=1$, $b=2$이므로 $a+b=3$

03 공배수와 최소공배수 | 20쪽 |

01 (1) 8, 16, 24, 32, 40, 48, ⋯
(2) 12, 24, 36, 48, 60, 72, ⋯
(3) 24, 48, 72, 96, ⋯
(4) 24
02 (1) 6, 12, 18, 24, 30, 36, ⋯
(2) 9, 18, 27, 36, 45, 54, ⋯
(3) 18, 36, 54, 72, 90, 108, ⋯
(4) 18, 36, 54, 72, ⋯
(5) 18
03 (1) 10, 20, 30, 40, 50, 60, ⋯
(2) 15, 30, 45, 60, 75, 90, ⋯
(3) 20, 40, 60, 80, 100, 120, ⋯
(4) 60, 120, 180, 240, ⋯
(5) 60
04 4, 8, 12　05 9, 18, 27　06 14, 28, 42
07 30, 60, 90　08 ③

08 A, B의 공배수는 두 수의 최소공배수인 8의 배수이다.
따라서 A, B의 공배수가 아닌 것은 ③ 36이다.

04 최소공배수 구하기 | 21~23쪽 |

01 105	02 48	03 90	04 24	05 225
06 270	07 140	08 84	09 72	10 280
11 180	12 168	13 126	14 200	15 120
16 224	17 490	18 315	19 72	20 60
21 315	22 700	23 396	24 900	25 315
26 600	27 132	28 220	29 180	30 400
31 756	32 495	33 ④		

01
$$\begin{array}{r|rr} 3 & 15 & 21 \\ \hline & 5 & 7 \end{array}$$
(최소공배수)$=3\times5\times7=105$

02
$$\begin{array}{r|rr} 2 & 16 & 24 \\ \hline 2 & 8 & 12 \\ \hline 2 & 4 & 6 \\ \hline & 2 & 3 \end{array}$$
(최소공배수)$=2\times2\times2\times2\times3=48$

03
$$\begin{array}{r|rr} 3 & 30 & 45 \\ \hline 5 & 10 & 15 \\ \hline & 2 & 3 \end{array}$$
(최소공배수)$=3\times5\times2\times3=90$

04
$$\begin{array}{r|rrr} 2 & 4 & 6 & 8 \\ \hline 2 & 2 & 3 & 4 \\ \hline & 1 & 3 & 2 \end{array}$$
(최소공배수)$=2\times2\times3\times2=24$

05
$$\begin{array}{r|rrr} 5 & 15 & 25 & 45 \\ \hline 3 & 3 & 5 & 9 \\ \hline & 1 & 5 & 3 \end{array}$$
(최소공배수)$=5\times3\times5\times3=225$

06
$$\begin{array}{r|rrr} 2 & 18 & 54 & 90 \\ \hline 3 & 9 & 27 & 45 \\ \hline 3 & 3 & 9 & 15 \\ \hline & 1 & 3 & 5 \end{array}$$
(최소공배수)$=2\times3\times3\times3\times5=270$

07
$$\begin{array}{r|rrr} 7 & 28 & 35 & 70 \\ \hline 2 & 4 & 5 & 10 \\ \hline 5 & 2 & 5 & 5 \\ \hline & 2 & 1 & 1 \end{array}$$
(최소공배수)$=7\times2\times5\times2=140$

08
$12=2^2\times3$
$42=2\times3\times7$
(최소공배수)$=2^2\times3\times7=84$

09
$18=2\times3^2$
$24=2^3\times3$
(최소공배수)$=2^3\times3^2=72$

10
$28=2^2\times7$
$40=2^3\times5$
(최소공배수)$=2^3\times5\times7=280$

11
$36=2^2\times3^2$
$90=2\times3^2\times5$
(최소공배수)$=2^2\times3^2\times5=180$

12
$42=2\times3\times7$
$56=2^3\times7$
(최소공배수)$=2^3\times3\times7=168$

13
$6=2\times3$
$9=3^2$
$21=3\times7$
(최소공배수)$=2\times3^2\times7=126$

14
$8=2^3$
$20=2^2\times5$
$25=5^2$
(최소공배수)$=2^3\times5^2=200$

15
$10=2\times5$
$15=3\times5$
$24=2^3\times3$
(최소공배수)$=2^3\times3\times5=120$

16
$$\begin{aligned}14&=2\times7\\32&=2^5\\56&=2^3\times7\end{aligned}$$
$(\text{최소공배수})=2^5\times7=224$

17
$$\begin{aligned}35&=5\times7\\49&=7^2\\70&=2\times5\times7\end{aligned}$$
$(\text{최소공배수})=2\times5\times7^2=490$

18
$$\begin{aligned}45&=3^2\times5\\63&=3^2\times7\\105&=3\times5\times7\end{aligned}$$
$(\text{최소공배수})=3^2\times5\times7=315$

19
$$2\times3^2,\quad 2^3\times3$$
$(\text{최소공배수})=2^3\times3^2=72$

20
$$2^2\times3,\quad 3\times5$$
$(\text{최소공배수})=2^2\times3\times5=60$

21
$$3^2\times7,\quad 3\times5\times7$$
$(\text{최소공배수})=3^2\times5\times7=315$

22
$$2\times5\times7,\quad 2^2\times5^2$$
$(\text{최소공배수})=2^2\times5^2\times7=700$

23
$$2^2\times3\times11,\quad 2\times3^2\times11$$
$(\text{최소공배수})=2^2\times3^2\times11=396$

24
$$2\times3^2,\quad 3\times5^2,\quad 2^2\times5^2$$
$(\text{최소공배수})=2^2\times3^2\times5^2=900$

25
$$3\times7,\quad 3^2\times5,\quad 5\times7$$
$(\text{최소공배수})=3^2\times5\times7=315$

26
$$2^3\times3,\quad 2\times3\times5,\quad 2\times5^2$$
$(\text{최소공배수})=2^3\times3\times5^2=600$

27
$$\begin{aligned}12&=2^2\times3\\33&=3\times11\end{aligned}$$
$(\text{최소공배수})=2^2\times3\times11=132$

28
$$\begin{aligned}20&=2^2\times5\\55&=5\times11\end{aligned}$$
$(\text{최소공배수})=2^2\times5\times11=220$

29
$$\begin{aligned}36&=2^2\times3^2\\60&=2^2\times3\times5\end{aligned}$$
$(\text{최소공배수})=2^2\times3^2\times5=180$

30
$$\begin{aligned}16&=2^4\\20&=2^2\times5\\50&=2\times5^2\end{aligned}$$
$(\text{최소공배수})=2^4\times5^2=400$

31
$$\begin{aligned}27&=3^3\\63&=3^2\times7\\84&=2^2\times3\times7\end{aligned}$$
$(\text{최소공배수})=2^2\times3^3\times7=756$

32
$$\begin{aligned}45&=3^2\times5\\99&=3^2\times11\\165&=3\times5\times11\end{aligned}$$
$(\text{최소공배수})=3^2\times5\times11=495$

33 $54=2\times3^3$, $60=2^2\times3\times5$이므로 54와 60의 최소공배수는 $2^2\times3^3\times5$이다.
따라서 $a=2$, $b=3$, $c=1$이므로 $a+b+c=6$

05 최대공약수와 최소공배수의 관계 | 24쪽 |

01 240 **02** 126 **03** 216 **04** 8 **05** 84
06 54, 18 **07** 24 **08** 36, 6, 36, 18, 12, 18

01 (두 자연수의 곱)=(최대공약수)×(최소공배수)
$=4\times60=240$

02 (두 자연수의 곱)=(최대공약수)×(최소공배수)
$=3\times42=126$

03 (두 자연수의 곱)=(최대공약수)×(최소공배수)
$=6\times36=216$

04 (두 자연수의 곱)=(최대공약수)×(최소공배수)이므로
$320=(\text{최대공약수})\times40$
따라서 (최대공약수)=8

05 (두 자연수의 곱)=(최대공약수)×(최소공배수)이므로
$504=6\times(\text{최소공배수})$
따라서 (최소공배수)=84

06 $A\times27=(\text{최대공약수})\times(\text{최소공배수})=9\times54$
$A\times27=486$이므로 $A=18$

07 $A\times40=(\text{최대공약수})\times(\text{최소공배수})=8\times120$
$A\times40=960$이므로 $A=24$

06 최대공약수의 활용

| 25~26쪽 |

01 18, 24, 공약수, 최대공약수, 6 **02** 10 **03** 9
04 80, 60, 공약수, 최대공약수, 20 **05** 18 cm
06 36, 54, 공약수, 최대공약수, 18 **07** 14 **08** 24
09 12, 40, 공약수, 최대공약수, 4 **10** 12 **11** 6

01 가능한 한 많은 학생들에게 남김없이 똑같이 나누어 줄 수 있는 학생 수는 18과 24의 최대공약수이므로 $2\times3=6$

$18=2\times3^2$, $24=2^3\times3$ → 2×3

02 가능한 한 많은 학생들에게 남김없이 똑같이 나누어 줄 수 있는 학생 수는 20과 30의 최대공약수이므로 $2\times5=10$

$20=2^2\times5$, $30=2\times3\times5$ → 2×5

03 최대한 많은 모둠으로 나눌 수 있는 모둠 수는 27과 45의 최대공약수이므로
$3^2=9$

$27=3^3$, $45=3^2\times5$ → 3^2

04 가능한 한 큰 타일의 한 변의 길이는 80과 60의 최대공약수이므로
$2^2\times5=20$ (cm)

$80=2^4\times5$, $60=2^2\times3\times5$ → $2^2\times5$

05 가능한 한 큰 종이의 한 변의 길이는 126과 90의 최대공약수이므로
$2\times3^2=18$ (cm)

$126=2\times3^2\times7$, $90=2\times3^2\times5$ → 2×3^2

06 가장 큰 자연수는 36과 54의 최대공약수이므로 $2\times3^2=18$

$36=2^2\times3^2$, $54=2\times3^3$ → 2×3^2

07 가장 큰 자연수는 28과 42의 최대공약수이므로 $2\times7=14$

$28=2^2\times7$, $42=2\times3\times7$ → 2×7

08 어떤 자연수로 74와 98을 나누면 모두 나머지가 2이므로 $74-2$와 $98-2$, 즉 72와 96을 나누면 나누어떨어진다.
이때 가장 큰 자연수는 72와 96의 최대공약수이므로
$2^3\times3=24$

$72=2^3\times3^2$, $96=2^5\times3$ → $2^3\times3$

09 가장 큰 자연수 n의 값은 12와 40의 최대공약수이므로 $2^2=4$

$12=2^2\times3$, $40=2^3\times5$ → 2^2

10 가장 큰 자연수 n의 값은 24와 60의 최대공약수이므로 $2^2\times3=12$

$24=2^3\times3$, $60=2^2\times3\times5$ → $2^2\times3$

11 자연수 n의 값은 72와 90의 공약수이다.
이때 72와 90의 최대공약수는 $2\times3^2=18$이므로 자연수 n의 값은 1, 2, 3, 6, 9, 18의 6개이다.

$72=2^3\times3^2$, $90=2\times3^2\times5$ → 2×3^2

07 최소공배수의 활용

| 27~29쪽 |

01 32, 80, 공배수, 최소공배수, 160 **02** 450분
03 오전 10시 **04** 공배수, 최소공배수, 42
05 (1) 40 cm (2) 10 **06** 12, 16, 공배수, 최소공배수, 48
07 (1) 45 (2) A: 5바퀴, B: 3바퀴
08 14, 21, 공배수, 최소공배수, 42 **09** 90 **10** 140
11 24, 36, 최소공배수, 72 **12** 84 **13** 240
14 최대공약수, 최소공배수, $\frac{20}{3}$ **15** $\frac{24}{7}$ **16** $\frac{45}{2}$

01 두 버스가 동시에 출발한 후 처음으로 다시 동시에 출발할 때까지 걸리는 시간은 32와 80의 최소공배수이므로
$2^5\times5=160$(분)

$32=2^5$, $80=2^4\times5$ → $2^5\times5$

02 두 기차가 동시에 출발한 후 처음으로 다시 동시에 출발할 때까지 걸리는 시간은 75와 90의 최소공배수이므로
$2\times3^2\times5^2=450$(분)

$75=3\times5^2$, $90=2\times3^2\times5$ → $2\times3^2\times5^2$

03 두 놀이 기구가 동시에 운행을 시작한 후 처음으로 다시 동시에 운행할 때까지 걸리는 시간은 12와 15의 최소공배수이므로
$2^2\times3\times5=60$(분)
따라서 구하는 시각은 60분 후, 즉 1시간 후인 오전 10시이다.

$12=2^2\times3$, $15=3\times5$ → $2^2\times3\times5$

04 가능한 한 작은 정사각형의 한 변의 길이는 6과 21의 최소공배수이므로
$2\times3\times7=42$ (cm)

$6=2\times3$, $21=3\times7$ → $2\times3\times7$

05 (1) 가능한 한 작은 정사각형의 한 변의 길이는 8과 20의 최소공배수이므로
$2^3\times5=40$ (cm)

$8=2^3$, $20=2^2\times5$ → $2^3\times5$

(2) 필요한 타일의 개수는 가로 방향으로 $40\div8=5$, 세로 방향으로 $40\div20=2$이므로
필요한 타일의 개수는 $5\times2=10$이다.

06 두 톱니바퀴가 회전하기 시작한 후 처음으로 다시 같은 톱니에서 맞물릴 때까지 맞물린 톱니의 개수는 12와 16의 최소공배수이므로 $2^4\times3=48$

$12=2^2\times3$, $16=2^4$ → $2^4\times3$

07 (1) 두 톱니바퀴가 회전하기 시작한 후 처음으로 다시 같은 톱니에서 맞물릴 때까지 맞물린 톱니의 개수는 9와 15의 최소공배수이므로 $3^2\times5=45$

$9=3^2$, $15=3\times5$ → $3^2\times5$

(2) 두 톱니바퀴가 처음으로 다시 같은 톱니에서 맞물리는 것은 A: $45\div9=5$(바퀴), B: $45\div15=3$(바퀴) 회전한 후이다.

08 가장 작은 자연수는 14와 21의 최소공배수이므로 $2\times3\times7=42$

$14=2\times7$, $21=3\times7$ → $2\times3\times7$

09 가장 작은 자연수는 18과 45의 최소공배수이므로 $2\times3^2\times5=90$

$18=2\times3^2$, $45=3^2\times5$ → $2\times3^2\times5$

10 가장 작은 자연수는 20과 35의 최소공배수이므로 $2^2\times5\times7=140$

$20=2^2\times5$, $35=5\times7$ → $2^2\times5\times7$

11 가장 작은 자연수 n의 값은 24와 36의 최소공배수이므로 $2^3\times3^2=72$

$24=2^3\times3$, $36=2^2\times3^2$ → $2^3\times3^2$

12 가장 작은 자연수 n의 값은 28과 42의 최소공배수이므로 $2^2\times3\times7=84$

$28=2^2\times7$, $42=2\times3\times7$ → $2^2\times3\times7$

13 가장 작은 자연수는 24와 80의 최소공배수이므로 $2^4\times3\times5=240$

$24=2^3\times3$, $80=2^4\times5$ → $2^4\times3\times5$

14 a는 9와 33의 최대공약수이므로 $a=3$

b는 4와 10의 최소공배수이므로 $b=2^2\times5=20$

따라서 $\frac{b}{a}=\frac{20}{3}$

$9=3^2$, $33=3\times11$ → 3

$4=2^2$, $10=2\times5$ → $2^2\times5$

15 구하는 분수를 $\frac{b}{a}$라 하면

a는 21과 35의 최대공약수이므로 $a=7$

b는 8과 12의 최소공배수이므로 $b=2^3\times3=24$

따라서 구하는 분수는 $\frac{24}{7}$이다.

$21=3\times7$, $35=5\times7$ → 7

$8=2^3$, $12=2^2\times3$ → $2^3\times3$

16 구하는 분수를 $\frac{b}{a}$라 하면

a는 14와 16의 최대공약수이므로 $a=2$

b는 9와 15의 최소공배수이므로 $b=3^2\times5=45$

따라서 구하는 분수는 $\frac{45}{2}$이다.

$14=2\times7$, $16=2^4$ → 2

$9=3^2$, $15=3\times5$ → $3^2\times5$

확인문제

| 30쪽 |

01 ② 02 ① 03 ⑤ 04 ③ 05 ① 06 ②

01 36과 45의 공약수는 최대공약수인 $3^2=9$의 약수이므로 1, 3, 9의 3개이다.

$36=2^2\times3^2$, $45=3^2\times5$ → 3^2

02 두 수의 최대공약수는 각각 다음과 같다.

ㄱ. 1 ㄴ. 1 ㄷ. 3 ㄹ. 4

따라서 두 수가 서로소인 것은 ㄱ, ㄴ이다.

03 A, B의 공배수는 두 수의 최소공배수인 16의 배수이다.
$16\times6=96$, $16\times7=112$이므로 공배수 중에서 가장 큰 두 자리 자연수는 96이다.

04

$2^3\times3^2\times5$
$2\times3^3\times7$
(최대공약수)$=2\times3^2$

$2^3\times3^2\times5$
$2\times3^3\times7$
(최소공배수)$=2^3\times3^3\times5\times7$

05 가능한 한 많은 학생들에게 똑같이 나누어 줄 수 있는 학생 수는 60과 72의 최대공약수이므로 $2^2\times3=12$

$60=2^2\times3\times5$, $72=2^3\times3^2$ → $2^2\times3$

06 두 모래시계를 동시에 뒤집은 후 처음으로 다시 동시에 뒤집을 때까지 걸리는 시간은 32와 48의 최소공배수이므로 $2^5\times3=96$(분)

$32=2^5$, $48=2^4\times3$ → $2^5\times3$

2 정수와 유리수

1. 정수와 유리수

01 양수와 음수 | 32쪽 |

01 -4층　**02** $+6$ kg　**03** $+20$분
04 -15 ℃　**05** -5000원　**06** $+2200$ m
07 $+9$, 양수　**08** -7, 음수　**09** $-\frac{1}{2}$, 음수
10 $+4.3$, 양수　**11** ④

11 ① -7년 ② $+12$점 ③ -20 % ⑤ $+150$ m

02 정수 | 33쪽 |

01 (1) $+13$, 9, $+50$ (2) $+13$, 9, $+50$ (3) -5, -21 (4) 0
02 (1) $+7$, $\frac{10}{5}$ (2) -12, $-\frac{4}{2}$ (3) -12, $-\frac{4}{2}$, 0
(4) -12, $+7$, $-\frac{4}{2}$, 0, $\frac{10}{5}$
03 (1) 20, $+19$ (2) -8, $-\frac{15}{3}$ (3) 0, -8, $-\frac{15}{3}$
(4) 20, 0, -8, $+19$, $-\frac{15}{3}$
04 ○　**05** ×　**06** ×　**07** ③

02 (1) $\frac{10}{5}=2$이므로 양의 정수이다.
(2) $-\frac{4}{2}=-2$이므로 음의 정수이다.
(3) 자연수(양의 정수)가 아닌 정수는 0과 음의 정수이다.

03 (2) $-\frac{15}{3}=-5$이므로 음의 정수이다.
(3) 자연수(양의 정수)가 아닌 정수는 0과 음의 정수이다.

06 정수는 양의 정수, 0, 음의 정수로 이루어져 있다.

07 정수는 7, $\frac{12}{6}=2$, 0, -21이므로 모두 4개이다.

03 유리수 | 34쪽 |

01 $+\frac{2}{2}$, 32, $+4$, $\frac{5}{6}$, $+0.95$
02 -7, $-\frac{7}{4}$, $-\frac{18}{9}$, -1.6　**03** $+\frac{2}{2}$, 32, $+4$
04 -7, $-\frac{18}{9}$　**05** -7, $+\frac{2}{2}$, 0, 32, $-\frac{18}{9}$, $+4$
06 $-\frac{7}{4}$, -1.6, $\frac{5}{6}$, $+0.95$　**07** ×　**08** ○
09 ○　**10** ×　**11** ②, ④

03 $+\frac{2}{2}=+1$이므로 양의 정수이다.

04 $-\frac{18}{9}=-2$이므로 음의 정수이다.

07 음의 유리수는 -6, -0.7, $-\frac{1}{5}$의 3개이다.

08 양수(양의 유리수)는 $+17$, 3.1, $\frac{12}{4}$의 3개이다.

10 $\frac{12}{4}=3$이므로 정수이다.

11 ⑤ $\frac{21}{7}=3$이므로 정수이다.

04 수직선 | 35쪽 |

01 A: -1, B: $+2$　**02** A: -4, B: 0
03 A: $-\frac{1}{2}(-0.5)$, B: $+\frac{7}{2}(+3.5)$
04 A: $-\frac{4}{3}$, B: $+\frac{1}{3}$
05 A B -2 -1 0 $+1$ $+2$
06 A B -3 -2 -1 0 $+1$ $+2$ $+3$
07 A B -2 -1 0 $+1$ $+2$
08 ②

03 B: $+3\frac{1}{2}=+\frac{7}{2}$

04 A: $-1\frac{1}{3}=-\frac{4}{3}$

05 B: $+\frac{5}{3}=+1\frac{2}{3}$이므로 $+1$에서 오른쪽으로 $\frac{2}{3}$만큼 더 가서 점을 찍는다.

06 B: $+\frac{5}{2}=+2\frac{1}{2}$이므로 $+2$에서 오른쪽으로 $\frac{1}{2}$만큼 더 가서 점을 찍는다.

07 A: $-\frac{5}{4}=-1\frac{1}{4}$이므로 -1에서 왼쪽으로 $\frac{1}{4}$만큼 더 가서 점을 찍는다.
B: $+\frac{7}{4}=+1\frac{3}{4}$이므로 $+1$에서 오른쪽으로 $\frac{3}{4}$만큼 더 가서 점을 찍는다.

08 ② B: -1.5

05 절댓값

| 36~37쪽 |

01 $|-4|=4$ **02** $|+12|=12$ **03** $|0|=0$

04 $|-5.2|=5.2$ **05** $\left|+\frac{5}{7}\right|=\frac{5}{7}$ **06** $\left|-\frac{10}{9}\right|=\frac{10}{9}$

07 25 **08** $\frac{1}{3}$ **09** 10.8

10 10 **11** 5 **12** 3

13 ③ **14** -8, $+8$ **15** -11

16 0 **17** $-\frac{5}{6}$, $+\frac{5}{6}$ **18** $+3.4$

19 $+10$ **20** $-\frac{8}{9}$ **21** -2, $+2$

22 -5, $+5$ **23** -9, $+9$ **24** -1.4, $+1.4$

25 $-\frac{3}{5}$, $+\frac{3}{5}$ **26** ③

07 -25의 절댓값 ➔ $|-25|=25$

08 $+\frac{1}{3}$의 절댓값 ➔ $\left|+\frac{1}{3}\right|=\frac{1}{3}$

09 -10.8의 절댓값 ➔ $|-10.8|=10.8$

10 $|-1|+|+9|=1+9=10$

11 $|-8|-|-3|=8-3=5$

12 $|-7|-|+4|=7-4=3$

13 ① $|-6|=6$ ② $|+5|=5$ ③ $|+2.9|=2.9$

④ $\left|-\frac{10}{3}\right|=\frac{10}{3}=3\frac{1}{3}$ ⑤ $|-7|=7$

따라서 절댓값이 가장 작은 수는 ③ $+2.9$이다.

21

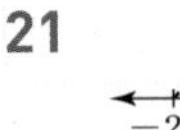

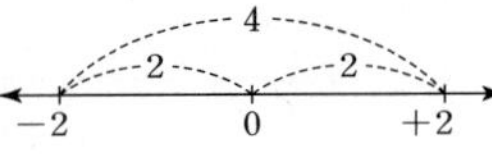

22

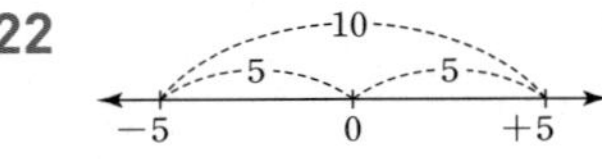

23

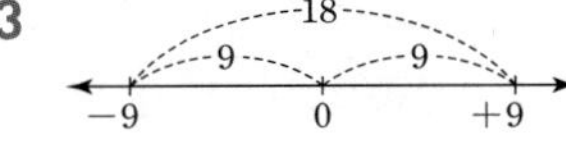

24

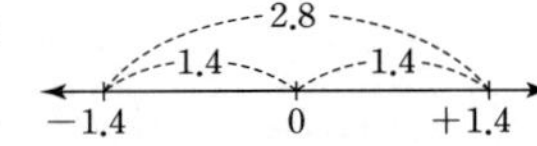

25

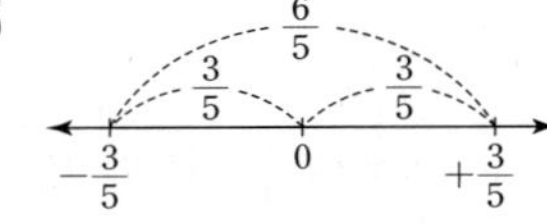

26 절댓값이 6인 두 수는 -6과 $+6$이고, 두 점 사이의 거리는 12이다.

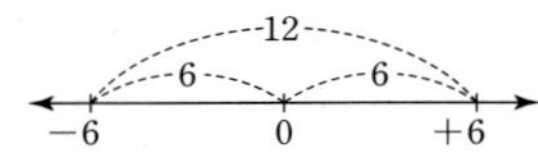

06 수의 대소 관계

| 38~39쪽 |

01 < **02** > **03** < **04** > **05** >

06 > **07** < **08** < **09** < **10** >

11 > **12** < **13** < **14** > **15** <

16 > **17** > **18** < **19** > **20** >

21 < **22** $\frac{1}{2}$, 0, $-\frac{1}{3}$ **23** 1, 0, -1, -3, -4

24 7, 3, -5, -6, -8 **25** $\frac{7}{4}$, 0, $-\frac{1}{2}$, -3, -3.2

26 0.1, 0, $-\frac{3}{4}$, $-\frac{8}{5}$, -2 **27** ⑤

12 $\frac{2}{3}=\frac{10}{15}$, $\frac{4}{5}=\frac{12}{15}$이고

$\frac{10}{15}<\frac{12}{15}$이므로 $\frac{2}{3}<\frac{4}{5}$

13 $0.7=\frac{7}{10}=\frac{14}{20}$, $\frac{3}{4}=\frac{15}{20}$이고

$\frac{14}{20}<\frac{15}{20}$이므로 $0.7<\frac{3}{4}$

19 $-\frac{5}{2}=-\frac{10}{4}$이고 $-\frac{5}{4}>-\frac{10}{4}$이므로

$-\frac{5}{4}>-\frac{5}{2}$

20 $-\frac{1}{6}=-\frac{7}{42}$, $-\frac{2}{7}=-\frac{12}{42}$이고

$-\frac{7}{42}>-\frac{12}{42}$이므로 $-\frac{1}{6}>-\frac{2}{7}$

21 $-\frac{3}{2}=-1.5$이고 $-1.5<-1.4$이므로 $-\frac{3}{2}<-1.4$

25 $-\frac{1}{2}=-0.5$

26 $-\frac{8}{5}=-1\frac{3}{5}$

27 ① $|-2|=2$, $|-7|=7$이고 음수끼리는 절댓값이 큰 수가 작으므로 $-2>-7$

② (양수)>(음수)이므로 $1.9>-0.6$

③ 0>(음수)이므로 $0>-\frac{1}{5}$

④ $-\frac{3}{4}=-\frac{15}{20}$, $-\frac{4}{5}=-\frac{16}{20}$이고

$-\frac{15}{20}>-\frac{16}{20}$이므로 $-\frac{3}{4}>-\frac{4}{5}$

⑤ $\frac{4}{3}=\frac{8}{6}$, $\frac{3}{2}=\frac{9}{6}$이고

$\frac{8}{6}<\frac{9}{6}$이므로 $\frac{4}{3}<\frac{3}{2}$

따라서 부등호가 나머지 넷과 다른 하나는 ⑤이다.

07 부등호의 사용 | 40~41쪽 |

01 $>$　02 $<$　03 $\le$　04 $\ge$　05 $\le$, $\le$
06 $<$, $\le$　07 $<$, $<$　08 $x<7$　09 $x\ge -5$
10 $x\le \frac{1}{2}$　11 $-6\le x<-1$　12 $\frac{3}{5}<x<4$
13 $-0.5<x\le 3.5$　14 $-1.8\le x\le \frac{7}{3}$
15 -2, -1, 0, 1, 2　16 0, 1, 2
17 -2, -1, 0　18 -2, -1, 0, 1, 2
19 -3, -2, -1, 0　20 -4, -3, -2, -1
21 -1, 0, 1, 2　22 -2, -1, 0, 1
23 ③

15 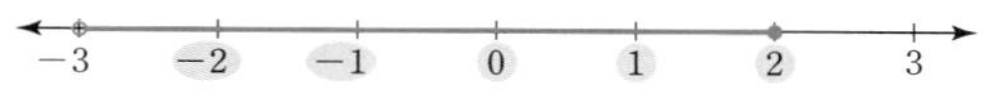

16 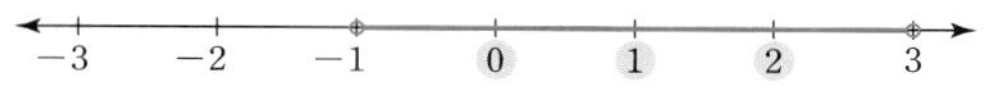

17 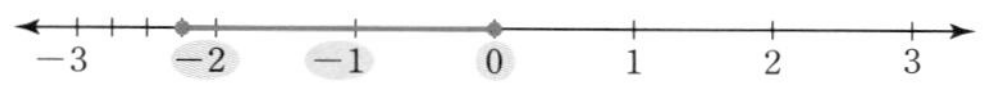

18 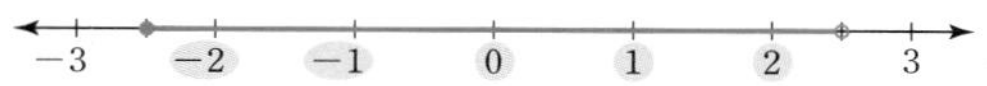

19 x는 -4보다 크고 1보다 작은 정수이므로 -3, -2, -1, 0이다.

20 x는 -4.1보다 크거나 같고 -1보다 작거나 같은 정수이므로 -4, -3, -2, -1이다.

21 x는 $-\frac{4}{3}=-1\frac{1}{3}$보다 크고 2보다 작거나 같은 정수이므로 -1, 0, 1, 2이다.

22 x는 $-\frac{11}{5}=-2\frac{1}{5}$보다 크거나 같고 $\frac{3}{2}=1\frac{1}{2}$보다 작은 정수이므로 -2, -1, 0, 1이다.

23 x는 $-\frac{7}{2}=-3\frac{1}{2}$보다 크고 1보다 작거나 같은 정수이므로 -3, -2, -1, 0, 1의 5개이다.

확인문제 | 42쪽 |

01 ③, ⑤　02 ①, ⑤　03 ③　04 ⑤　05 ③　06 ④

01 양의 정수는 $+15$, $\frac{27}{9}=3$이다.

02 ① 0은 양수도 아니고 음수도 아니다.
⑤ $-\frac{14}{7}=-2$이므로 정수이다.

03 ① $|-2.8|=2.8$　② $\left|-\frac{2}{3}\right|=\frac{2}{3}$　③ $\left|-\frac{1}{6}\right|=\frac{1}{6}$
④ $|0|=0$　⑤ $|+1|=1$
$0<\frac{1}{6}<\frac{2}{3}<1<2.8$이므로 절댓값이 두 번째로 작은 수는 ③ $-\frac{1}{6}$이다.

04 $a=\left|-\frac{8}{5}\right|=\frac{8}{5}$
절댓값이 $\frac{2}{5}$인 수는 $\frac{2}{5}$, $-\frac{2}{5}$이므로 $b=\frac{2}{5}$
따라서 $a+b=\frac{8}{5}+\frac{2}{5}=\frac{10}{5}=2$

05 ③ $\left|-\frac{7}{4}\right|=\frac{7}{4}$, $\left|-\frac{5}{4}\right|=\frac{5}{4}$이므로 $\left|-\frac{7}{4}\right|>\left|-\frac{5}{4}\right|$
음수끼리는 절댓값이 큰 수가 작으므로 $-\frac{7}{4}<-\frac{5}{4}$

06 '초과'는 '크다.'를, '크지 않다.'는 '작거나 같다.'를 뜻하므로 'a는 -5 초과이고 8보다 크지 않다.'를 부등호를 사용하여 나타내면 $-5<a\le 8$이다.

2. 유리수의 덧셈과 뺄셈

01 부호가 같은 두 수의 덧셈 | 43~45쪽 |

01 $+6$　02 $+8$　03 -7　04 -9　05 $+8$
06 $+12$　07 $+17$　08 $+21$　09 $+26$　10 $+35$
11 $+32$　12 -6　13 -10　14 -17　15 -21
16 -20　17 -26　18 -29　19 -29　20 -47
21 $+\frac{7}{3}$　22 $+\frac{10}{7}$　23 $-\frac{6}{5}$　24 $-\frac{8}{3}$　25 $+\frac{3}{4}$
26 $+\frac{29}{24}$　27 $-\frac{1}{2}$　28 $-\frac{29}{20}$　29 $+1.4$　30 $+7.8$
31 -2.5　32 -12.2　33 $+\frac{7}{10}$　34 $+\frac{61}{30}$　35 $-\frac{7}{10}$
36 $-\frac{59}{35}$　37 $+12$　38 -10　39 $+\frac{5}{6}$　40 -4.7
41 ⑤

01 수직선의 원점에서 오른쪽으로 2만큼 간 후, 다시 오른쪽으로 4만큼 갔으므로 덧셈식은 $(+2)+(+4)=+6$

02 수직선의 원점에서 오른쪽으로 5만큼 간 후, 다시 오른쪽으로 3만큼 갔으므로 덧셈식은 $(+5)+(+3)=+8$

03 수직선의 원점에서 왼쪽으로 4만큼 간 후, 다시 왼쪽으로 3만큼 갔으므로 덧셈식은 $(-4)+(-3)=-7$

04 수직선의 원점에서 왼쪽으로 7만큼 간 후, 다시 왼쪽으로 2만큼 갔으므로 덧셈식은 $(-7)+(-2)=-9$

05 $(+1)+(+7)=+(1+7)=+8$

06 $(+3)+(+9)=+(3+9)=+12$

07 $(+6)+(+11)=+(6+11)=+17$

08 $(+13)+(+8)=+(13+8)=+21$

09 $(+5)+(+21)=+(5+21)=+26$

10 $(+16)+(+19)=+(16+19)=+35$

11 $(+20)+(+12)=+(20+12)=+32$

12 $(-1)+(-5)=-(1+5)=-6$

13 $(-6)+(-4)=-(6+4)=-10$

14 $(-9)+(-8)=-(9+8)=-17$

15 $(-11)+(-10)=-(11+10)=-21$

16 $(-16)+(-4)=-(16+4)=-20$

17 $(-17)+(-9)=-(17+9)=-26$

18 $(-15)+(-14)=-(15+14)=-29$

19 $(-23)+(-6)=-(23+6)=-29$

20 $(-19)+(-28)=-(19+28)=-47$

21 $\left(+\frac{2}{3}\right)+\left(+\frac{5}{3}\right)=+\left(\frac{2}{3}+\frac{5}{3}\right)=+\frac{7}{3}$

22 $\left(+\frac{6}{7}\right)+\left(+\frac{4}{7}\right)=+\left(\frac{6}{7}+\frac{4}{7}\right)=+\frac{10}{7}$

23 $\left(-\frac{2}{5}\right)+\left(-\frac{4}{5}\right)=-\left(\frac{2}{5}+\frac{4}{5}\right)=-\frac{6}{5}$

24 $\left(-\frac{5}{6}\right)+\left(-\frac{11}{6}\right)=-\left(\frac{5}{6}+\frac{11}{6}\right)=-\frac{16}{6}=-\frac{8}{3}$

25 $\left(+\frac{1}{2}\right)+\left(+\frac{1}{4}\right)=\left(+\frac{2}{4}\right)+\left(+\frac{1}{4}\right)=+\left(\frac{2}{4}+\frac{1}{4}\right)=+\frac{3}{4}$

26 $\left(+\frac{5}{6}\right)+\left(+\frac{3}{8}\right)=\left(+\frac{20}{24}\right)+\left(+\frac{9}{24}\right)$

$=+\left(\frac{20}{24}+\frac{9}{24}\right)=+\frac{29}{24}$

27 $\left(-\frac{1}{3}\right)+\left(-\frac{1}{6}\right)=\left(-\frac{2}{6}\right)+\left(-\frac{1}{6}\right)$

$=-\left(\frac{2}{6}+\frac{1}{6}\right)=-\frac{3}{6}=-\frac{1}{2}$

28 $\left(-\frac{3}{4}\right)+\left(-\frac{7}{10}\right)=\left(-\frac{15}{20}\right)+\left(-\frac{14}{20}\right)$

$=-\left(\frac{15}{20}+\frac{14}{20}\right)=-\frac{29}{20}$

29 $(+0.6)+(+0.8)=+(0.6+0.8)=+1.4$

30 $(+4.6)+(+3.2)=+(4.6+3.2)=+7.8$

31 $(-0.7)+(-1.8)=-(0.7+1.8)=-2.5$

32 $(-4.9)+(-7.3)=-(4.9+7.3)=-12.2$

33 $(+0.3)+\left(+\frac{2}{5}\right)=\left(+\frac{3}{10}\right)+\left(+\frac{2}{5}\right)=\left(+\frac{3}{10}\right)+\left(+\frac{4}{10}\right)$

$=+\left(\frac{3}{10}+\frac{4}{10}\right)=+\frac{7}{10}$

34 $\left(+\frac{5}{6}\right)+(+1.2)=\left(+\frac{5}{6}\right)+\left(+\frac{6}{5}\right)=\left(+\frac{25}{30}\right)+\left(+\frac{36}{30}\right)$

$=+\left(\frac{25}{30}+\frac{36}{30}\right)=+\frac{61}{30}$

35 $(-0.2)+\left(-\frac{1}{2}\right)=\left(-\frac{1}{5}\right)+\left(-\frac{1}{2}\right)=\left(-\frac{2}{10}\right)+\left(-\frac{5}{10}\right)$

$=-\left(\frac{2}{10}+\frac{5}{10}\right)=-\frac{7}{10}$

36 $\left(-\frac{2}{7}\right)+(-1.4)=\left(-\frac{2}{7}\right)+\left(-\frac{7}{5}\right)=\left(-\frac{10}{35}\right)+\left(-\frac{49}{35}\right)$

$=-\left(\frac{10}{35}+\frac{49}{35}\right)=-\frac{59}{35}$

37 $(+4)+(+8)=+(4+8)=+12$

38 $(-7)+(-3)=-(7+3)=-10$

39 $\left(+\frac{1}{2}\right)+\left(+\frac{1}{3}\right)=\left(+\frac{3}{6}\right)+\left(+\frac{2}{6}\right)=+\left(\frac{3}{6}+\frac{2}{6}\right)=+\frac{5}{6}$

40 $(-0.2)+(-4.5)=-(0.2+4.5)=-4.7$

41 ① $(+4)+(+11)=+(4+11)=+15$

② $(-8)+(-10)=-(8+10)=-18$

③ $(+3.9)+(+6.3)=+(3.9+6.3)=+10.2$

④ $\left(-\frac{2}{5}\right)+\left(-\frac{2}{3}\right)=\left(-\frac{6}{15}\right)+\left(-\frac{10}{15}\right)$

$=-\left(\frac{6}{15}+\frac{10}{15}\right)=-\frac{16}{15}$

⑤ $\left(+\frac{1}{4}\right)+(+0.6)=\left(+\frac{1}{4}\right)+\left(+\frac{3}{5}\right)$

$=\left(+\frac{5}{20}\right)+\left(+\frac{12}{20}\right)$

$=+\left(\frac{5}{20}+\frac{12}{20}\right)=+\frac{17}{20}$

따라서 옳지 않은 것은 ⑤이다.

02 부호가 다른 두 수의 덧셈

| 46~48쪽 |

01 $+1$	02 -2	03 -3	04 $+3$	05 $+2$
06 -4	07 -7	08 -7	09 $+10$	10 -18
11 0	12 $+2$	13 -2	14 -6	15 $+5$
16 -10	17 -7	18 -2	19 $+2$	20 -30
21 $+2$	22 $+\frac{3}{5}$	23 -1	24 $+\frac{3}{2}$	25 $+\frac{1}{6}$
26 $-\frac{1}{12}$	27 $+\frac{3}{40}$	28 $-\frac{1}{15}$	29 $+0.1$	30 -1.5
31 $+1.1$	32 -0.9	33 $-\frac{3}{10}$	34 $-\frac{27}{20}$	35 $-\frac{3}{10}$
36 $+\frac{17}{8}$	37 -7	38 $+4$	39 $+\frac{1}{2}$	40 $+1.8$
41 ③, ⑤				

01 수직선의 원점에서 오른쪽으로 4만큼 간 후, 다시 왼쪽으로 3만큼 갔으므로 덧셈식은 $(+4)+(-3)=+1$

02 수직선의 원점에서 오른쪽으로 5만큼 간 후, 다시 왼쪽으로 7만큼 갔으므로 덧셈식은 $(+5)+(-7)=-2$

03 수직선의 원점에서 왼쪽으로 8만큼 간 후, 다시 오른쪽으로 5만큼 갔으므로 덧셈식은 $(-8)+(+5)=-3$

04 수직선의 원점에서 왼쪽으로 3만큼 간 후, 다시 오른쪽으로 6만큼 갔으므로 덧셈식은 $(-3)+(+6)=+3$

05 $(+8)+(-6)=+(8-6)=+2$

06 $(+5)+(-9)=-(9-5)=-4$

07 $(+3)+(-10)=-(10-3)=-7$

08 $(+6)+(-13)=-(13-6)=-7$

09 $(+12)+(-2)=+(12-2)=+10$

10 $(+9)+(-27)=-(27-9)=-18$

11 절댓값이 같고 부호가 다른 두 수의 합은 0이다.
→ $(+15)+(-15)=0$

12 $(-4)+(+6)=+(6-4)=+2$

13 $(-7)+(+5)=-(7-5)=-2$

14 $(-8)+(+2)=-(8-2)=-6$

15 $(-9)+(+14)=+(14-9)=+5$

16 $(-15)+(+5)=-(15-5)=-10$

17 $(-18)+(+11)=-(18-11)=-7$

18 $(-20)+(+18)=-(20-18)=-2$

19 $(-25)+(+27)=+(27-25)=+2$

20 어떤 수와 0의 합은 그 수 자신이다.
→ $(-30)+0=-30$

21 $\left(+\frac{8}{3}\right)+\left(-\frac{2}{3}\right)=+\left(\frac{8}{3}-\frac{2}{3}\right)=+\frac{6}{3}=+2$

22 $\left(+\frac{4}{5}\right)+\left(-\frac{1}{5}\right)=+\left(\frac{4}{5}-\frac{1}{5}\right)=+\frac{3}{5}$

23 $\left(-\frac{11}{9}\right)+\left(+\frac{2}{9}\right)=-\left(\frac{11}{9}-\frac{2}{9}\right)=-\frac{9}{9}=-1$

24 $\left(-\frac{1}{4}\right)+\left(+\frac{7}{4}\right)=+\left(\frac{7}{4}-\frac{1}{4}\right)=+\frac{6}{4}=+\frac{3}{2}$

25 $\left(+\frac{1}{2}\right)+\left(-\frac{1}{3}\right)=\left(+\frac{3}{6}\right)+\left(-\frac{2}{6}\right)=+\left(\frac{3}{6}-\frac{2}{6}\right)=+\frac{1}{6}$

26 $\left(+\frac{3}{4}\right)+\left(-\frac{5}{6}\right)=\left(+\frac{9}{12}\right)+\left(-\frac{10}{12}\right)$
$=-\left(\frac{10}{12}-\frac{9}{12}\right)=-\frac{1}{12}$

27 $\left(-\frac{5}{8}\right)+\left(+\frac{7}{10}\right)=\left(-\frac{25}{40}\right)+\left(+\frac{28}{40}\right)$
$=+\left(\frac{28}{40}-\frac{25}{40}\right)=+\frac{3}{40}$

28 $\left(-\frac{4}{5}\right)+\left(+\frac{11}{15}\right)=\left(-\frac{12}{15}\right)+\left(+\frac{11}{15}\right)$
$=-\left(\frac{12}{15}-\frac{11}{15}\right)=-\frac{1}{15}$

29 $(+0.5)+(-0.4)=+(0.5-0.4)=+0.1$

30 $(+2.1)+(-3.6)=-(3.6-2.1)=-1.5$

31 $(-0.8)+(+1.9)=+(1.9-0.8)=+1.1$

32 $(-7.3)+(+6.4)=-(7.3-6.4)=-0.9$

33 $(+0.2)+\left(-\frac{1}{2}\right)=\left(+\frac{1}{5}\right)+\left(-\frac{1}{2}\right)=\left(+\frac{2}{10}\right)+\left(-\frac{5}{10}\right)$
$=-\left(\frac{5}{10}-\frac{2}{10}\right)=-\frac{3}{10}$

34 $\left(+\frac{1}{4}\right)+(-1.6)=\left(+\frac{1}{4}\right)+\left(-\frac{8}{5}\right)=\left(+\frac{5}{20}\right)+\left(-\frac{32}{20}\right)$
$=-\left(\frac{32}{20}-\frac{5}{20}\right)=-\frac{27}{20}$

35 $(-0.7)+\left(+\frac{2}{5}\right)=\left(-\frac{7}{10}\right)+\left(+\frac{2}{5}\right)=\left(-\frac{7}{10}\right)+\left(+\frac{4}{10}\right)$
$=-\left(\frac{7}{10}-\frac{4}{10}\right)=-\frac{3}{10}$

36 $\left(-\frac{3}{8}\right)+(+2.5)=\left(-\frac{3}{8}\right)+\left(+\frac{5}{2}\right)=\left(-\frac{3}{8}\right)+\left(+\frac{20}{8}\right)$
$=+\left(\frac{20}{8}-\frac{3}{8}\right)=+\frac{17}{8}$

37 $(+2)+(-9)=-(9-2)=-7$

38 $(-6)+(+10)=+(10-6)=+4$

39 $\left(+\frac{2}{3}\right)+\left(-\frac{1}{6}\right)=\left(+\frac{4}{6}\right)+\left(-\frac{1}{6}\right)=+\left(\frac{4}{6}-\frac{1}{6}\right)$

$=+\frac{3}{6}=+\frac{1}{2}$

40 $(-3.5)+(+5.3)=+(5.3-3.5)=+1.8$

41 ① $(+5)+(-10)=-(10-5)=-5$

② $(-12)+(+15)=+(15-12)=+3$

③ $(+2.6)+(-3.1)=-(3.1-2.6)=-0.5$

④ $\left(+\frac{7}{4}\right)+\left(-\frac{3}{2}\right)=\left(+\frac{7}{4}\right)+\left(-\frac{6}{4}\right)$

$=+\left(\frac{7}{4}-\frac{6}{4}\right)=+\frac{1}{4}$

⑤ $\left(-\frac{9}{8}\right)+(+1.1)=\left(-\frac{9}{8}\right)+\left(+\frac{11}{10}\right)$

$=\left(-\frac{45}{40}\right)+\left(+\frac{44}{40}\right)$

$=-\left(\frac{45}{40}-\frac{44}{40}\right)=-\frac{1}{40}$

따라서 옳은 것은 ③, ⑤이다.

03 덧셈의 계산 법칙

| 49쪽 |

01 $+5$, $+6$, 0, (가) 교환법칙, (나) 결합법칙

02 $+\frac{3}{5}$, $+\frac{3}{5}$, $+1$, $+\frac{3}{2}$, (가) 교환법칙, (나) 결합법칙

03 -3.1, -3.1, -5, -3.5, (가) 교환법칙, (나) 결합법칙

04 $+6$　**05** $+2$　**06** -5　**07** $-\frac{2}{3}$　**08** $+\frac{1}{2}$

09 $+2$　**10** $+0.7$

04 $(-5)+(+6)+(+5)=(+6)+(-5)+(+5)$

$=(+6)+\{(-5)+(+5)\}$

$=(+6)+0$

$=+6$

05 $(-2)+(+9)+(-5)=(+9)+(-2)+(-5)$

$=(+9)+\{(-2)+(-5)\}$

$=(+9)+(-7)$

$=+2$

06 $\left(+\frac{4}{7}\right)+(-6)+\left(+\frac{3}{7}\right)=(-6)+\left(+\frac{4}{7}\right)+\left(+\frac{3}{7}\right)$

$=(-6)+\left\{\left(+\frac{4}{7}\right)+\left(+\frac{3}{7}\right)\right\}$

$=(-6)+(+1)$

$=-5$

07 $\left(-\frac{1}{6}\right)+\left(+\frac{2}{3}\right)+\left(-\frac{7}{6}\right)=\left(+\frac{2}{3}\right)+\left(-\frac{1}{6}\right)+\left(-\frac{7}{6}\right)$

$=\left(+\frac{2}{3}\right)+\left\{\left(-\frac{1}{6}\right)+\left(-\frac{7}{6}\right)\right\}$

$=\left(+\frac{2}{3}\right)+\left(-\frac{4}{3}\right)$

$=-\frac{2}{3}$

08 $\left(+\frac{5}{8}\right)+\left(-\frac{5}{4}\right)+\left(+\frac{9}{8}\right)=\left(-\frac{5}{4}\right)+\left(+\frac{5}{8}\right)+\left(+\frac{9}{8}\right)$

$=\left(-\frac{5}{4}\right)+\left\{\left(+\frac{5}{8}\right)+\left(+\frac{9}{8}\right)\right\}$

$=\left(-\frac{5}{4}\right)+\left(+\frac{7}{4}\right)$

$=+\frac{2}{4}=+\frac{1}{2}$

09 $(+1.5)+(-2)+(+2.5)=(-2)+(+1.5)+(+2.5)$

$=(-2)+\{(+1.5)+(+2.5)\}$

$=(-2)+(+4)$

$=+2$

10 $(-1.7)+(+4.6)+(-2.2)$

$=(+4.6)+(-1.7)+(-2.2)$

$=(+4.6)+\{(-1.7)+(-2.2)\}$

$=(+4.6)+(-3.9)$

$=+0.7$

04 두 수의 뺄셈

| 50~53쪽 |

01 -2	**02** $+1$	**03** -3	**04** -5	**05** -17
06 -13	**07** $+3$	**08** $+11$	**09** $+18$	**10** $+2$
11 -3	**12** -4	**13** $+2$	**14** -11	**15** -3
16 $+7$	**17** -5	**18** -4	**19** $+5$	**20** -33
21 $+31$	**22** $+4$	**23** -5	**24** -43	**25** $+57$
26 -18	**27** -39	**28** $+21$	**29** $+5$	**30** -9
31 ④	**32** $+1$	**33** $-\frac{1}{2}$	**34** $-\frac{10}{7}$	**35** $-\frac{4}{3}$
36 $-\frac{1}{2}$	**37** -3.9	**38** -7.5	**39** $+5$	**40** $+2$
41 $+\frac{2}{7}$	**42** $-\frac{3}{11}$	**43** $+\frac{43}{24}$	**44** $+10.3$	**45** -1.8
46 $+\frac{15}{8}$	**47** $-\frac{23}{10}$	**48** $+\frac{11}{20}$	**49** $-\frac{8}{15}$	**50** -4
51 $+1.4$	**52** $-\frac{8}{15}$	**53** $-\frac{19}{8}$	**54** $+\frac{5}{8}$	**55** $+\frac{71}{45}$
56 -2	**57** -1	**58** $+1$	**59** $-\frac{13}{10}$	**60** $+6.3$
61 ⑤				

01 $(+1)-(+3)=(+1)+(-3)=-(3-1)=-2$

02 $(+9)-(+8)=(+9)+(-8)=+(9-8)=+1$

03 $(+11)-(+14)=(+11)+(-14)=-(14-11)=-3$

04 $(-1)-(+4)=(-1)+(-4)=-(1+4)=-5$

05 $(-7)-(+10)=(-7)+(-10)=-(7+10)=-17$

06 $(-10)-(+3)=(-10)+(-3)=-(10+3)=-13$

07 $(+1)-(-2)=(+1)+(+2)=+(1+2)=+3$

08 $(+5)-(-6)=(+5)+(+6)=+(5+6)=+11$

09 $(+8)-(-10)=(+8)+(+10)=+(8+10)=+18$

10 $(-4)-(-6)=(-4)+(+6)=+(6-4)=+2$

11 $(-8)-(-5)=(-8)+(+5)=-(8-5)=-3$

12 $(-11)-(-7)=(-11)+(+7)=-(11-7)=-4$

13 $(+4)-(+2)=(+4)+(-2)=+(4-2)=+2$

14 $(-5)-(+6)=(-5)+(-6)=-(5+6)=-11$

15 $(+6)-(+9)=(+6)+(-9)=-(9-6)=-3$

16 $(+2)-(-5)=(+2)+(+5)=+(2+5)=+7$

17 $(-6)-(-1)=(-6)+(+1)=-(6-1)=-5$

18 $(+16)-(+20)=(+16)+(-20)=-(20-16)=-4$

19 $(+21)-(+16)=(+21)+(-16)=+(21-16)=+5$

20 $(-18)-(+15)=(-18)+(-15)=-(18+15)=-33$

21 $(+13)-(-18)=(+13)+(+18)=+(13+18)=+31$

22 $(-10)-(-14)=(-10)+(+14)=+(14-10)=+4$

23 $(+25)-(+30)=(+25)+(-30)=-(30-25)=-5$

24 $(-24)-(+19)=(-24)+(-19)=-(24+19)=-43$

25 $(+32)-(-25)=(+32)+(+25)=+(32+25)=+57$

26 $(+27)-(+45)=(+27)+(-45)=-(45-27)=-18$

27 $(-23)-(+16)=(-23)+(-16)=-(23+16)=-39$

28 $(+9)-(-12)=(+9)+(+12)=+(9+12)=+21$

29 $(-17)-(-22)=(-17)+(+22)=+(22-17)=+5$

30 $(-50)-(-41)=(-50)+(+41)=-(50-41)=-9$

31 ① $(+4)-(+3)=(+4)+(-3)=+(4-3)=+1$
② $(-7)-(-10)=(-7)+(+10)=+(10-7)=+3$
③ $(-5)-(-8)=(-5)+(+8)=+(8-5)=+3$
④ $(-13)-(+16)=(-13)+(-16)$
$=-(13+16)=-29$
⑤ $(+4)-(-2)=(+4)+(+2)=+(4+2)=+6$
따라서 $-29<+1<+3<+6$이므로 계산 결과가 가장 작은 것은 ④이다.

32 $\left(+\frac{3}{2}\right)-\left(+\frac{1}{2}\right)=\left(+\frac{3}{2}\right)+\left(-\frac{1}{2}\right)=+\left(\frac{3}{2}-\frac{1}{2}\right)=+1$

33 $\left(+\frac{1}{4}\right)-\left(+\frac{3}{4}\right)=\left(+\frac{1}{4}\right)+\left(-\frac{3}{4}\right)$
$=-\left(\frac{3}{4}-\frac{1}{4}\right)=-\frac{2}{4}=-\frac{1}{2}$

34 $\left(-\frac{6}{7}\right)-\left(+\frac{4}{7}\right)=\left(-\frac{6}{7}\right)+\left(-\frac{4}{7}\right)=-\left(\frac{6}{7}+\frac{4}{7}\right)=-\frac{10}{7}$

35 $\left(-\frac{4}{9}\right)-\left(+\frac{8}{9}\right)=\left(-\frac{4}{9}\right)+\left(-\frac{8}{9}\right)$
$=-\left(\frac{4}{9}+\frac{8}{9}\right)=-\frac{12}{9}=-\frac{4}{3}$

36 $\left(+\frac{1}{3}\right)-\left(+\frac{5}{6}\right)=\left(+\frac{1}{3}\right)+\left(-\frac{5}{6}\right)=\left(+\frac{2}{6}\right)+\left(-\frac{5}{6}\right)$
$=-\left(\frac{5}{6}-\frac{2}{6}\right)=-\frac{3}{6}=-\frac{1}{2}$

37 $(+1.8)-(+5.7)=(+1.8)+(-5.7)$
$=-(5.7-1.8)=-3.9$

38 $(-2.6)-(+4.9)=(-2.6)+(-4.9)$
$=-(2.6+4.9)=-7.5$

39 $\left(+\frac{3}{2}\right)-\left(-\frac{7}{2}\right)=\left(+\frac{3}{2}\right)+\left(+\frac{7}{2}\right)=+\left(\frac{3}{2}+\frac{7}{2}\right)=+5$

40 $\left(+\frac{7}{6}\right)-\left(-\frac{5}{6}\right)=\left(+\frac{7}{6}\right)+\left(+\frac{5}{6}\right)=+\left(\frac{7}{6}+\frac{5}{6}\right)=+2$

41 $\left(-\frac{3}{7}\right)-\left(-\frac{5}{7}\right)=\left(-\frac{3}{7}\right)+\left(+\frac{5}{7}\right)=+\left(\frac{5}{7}-\frac{3}{7}\right)=+\frac{2}{7}$

42 $\left(-\frac{9}{11}\right)-\left(-\frac{6}{11}\right)=\left(-\frac{9}{11}\right)+\left(+\frac{6}{11}\right)$
$=-\left(\frac{9}{11}-\frac{6}{11}\right)=-\frac{3}{11}$

43 $\left(+\frac{7}{6}\right)-\left(-\frac{5}{8}\right)=\left(+\frac{7}{6}\right)+\left(+\frac{5}{8}\right)=\left(+\frac{28}{24}\right)+\left(+\frac{15}{24}\right)$
$=+\left(\frac{28}{24}+\frac{15}{24}\right)=+\frac{43}{24}$

44 $(+6.5)-(-3.8)=(+6.5)+(+3.8)$
$=+(6.5+3.8)=+10.3$

45 $(-7.1)-(-5.3)=(-7.1)+(+5.3)$
$=-(7.1-5.3)=-1.8$

46 $\left(+\frac{5}{2}\right)-\left(+\frac{5}{8}\right)=\left(+\frac{5}{2}\right)+\left(-\frac{5}{8}\right)=\left(+\frac{20}{8}\right)+\left(-\frac{5}{8}\right)$
$=+\left(\frac{20}{8}-\frac{5}{8}\right)=+\frac{15}{8}$

47 $\left(-\frac{4}{5}\right)-\left(+\frac{3}{2}\right)=\left(-\frac{4}{5}\right)+\left(-\frac{3}{2}\right)=\left(-\frac{8}{10}\right)+\left(-\frac{15}{10}\right)$
$=-\left(\frac{8}{10}+\frac{15}{10}\right)=-\frac{23}{10}$

48 $\left(+\frac{1}{4}\right)-\left(-\frac{3}{10}\right)=\left(+\frac{1}{4}\right)+\left(+\frac{3}{10}\right)=\left(+\frac{5}{20}\right)+\left(+\frac{6}{20}\right)$
$=+\left(\frac{5}{20}+\frac{6}{20}\right)=+\frac{11}{20}$

49 $\left(-\frac{6}{5}\right)-\left(-\frac{2}{3}\right)=\left(-\frac{6}{5}\right)+\left(+\frac{2}{3}\right)=\left(-\frac{18}{15}\right)+\left(+\frac{10}{15}\right)$
$=-\left(\frac{18}{15}-\frac{10}{15}\right)=-\frac{8}{15}$

50 $(-2.1)-(+1.9)=(-2.1)+(-1.9)=-(2.1+1.9)=-4$

51 $(+0.9)-(-0.5)=(+0.9)+(+0.5)$
$=+(0.9+0.5)=+1.4$

52 $(+0.8)-\left(+\frac{4}{3}\right)=\left(+\frac{4}{5}\right)-\left(+\frac{4}{3}\right)=\left(+\frac{4}{5}\right)+\left(-\frac{4}{3}\right)$
$=\left(+\frac{12}{15}\right)+\left(-\frac{20}{15}\right)=-\left(\frac{20}{15}-\frac{12}{15}\right)$
$=-\frac{8}{15}$

53 $\left(-\frac{7}{8}\right)-(+1.5)=\left(-\frac{7}{8}\right)-\left(+\frac{3}{2}\right)=\left(-\frac{7}{8}\right)+\left(-\frac{3}{2}\right)$
$=\left(-\frac{7}{8}\right)+\left(-\frac{12}{8}\right)=-\left(\frac{7}{8}+\frac{12}{8}\right)$
$=-\frac{19}{8}$

54 $(+0.5)-\left(-\frac{1}{8}\right)=\left(+\frac{1}{2}\right)-\left(-\frac{1}{8}\right)=\left(+\frac{1}{2}\right)+\left(+\frac{1}{8}\right)$
$=\left(+\frac{4}{8}\right)+\left(+\frac{1}{8}\right)=+\left(\frac{4}{8}+\frac{1}{8}\right)$
$=+\frac{5}{8}$

55 $\left(-\frac{2}{9}\right)-(-1.8)=\left(-\frac{2}{9}\right)-\left(-\frac{9}{5}\right)=\left(-\frac{2}{9}\right)+\left(+\frac{9}{5}\right)$
$=\left(-\frac{10}{45}\right)+\left(+\frac{81}{45}\right)=+\left(\frac{81}{45}-\frac{10}{45}\right)$
$=+\frac{71}{45}$

56 $(+5)-(+7)=(+5)+(-7)=-(7-5)=-2$

57 $(-6)-(-5)=(-6)+(+5)=-(6-5)=-1$

58 $\left(+\frac{5}{8}\right)-\left(-\frac{3}{8}\right)=\left(+\frac{5}{8}\right)+\left(+\frac{3}{8}\right)=+\left(\frac{5}{8}+\frac{3}{8}\right)=+1$

59 $\left(-\frac{4}{5}\right)-\left(+\frac{1}{2}\right)=\left(-\frac{4}{5}\right)+\left(-\frac{1}{2}\right)=\left(-\frac{8}{10}\right)+\left(-\frac{5}{10}\right)$
$=-\left(\frac{8}{10}+\frac{5}{10}\right)=-\frac{13}{10}$

60 $(+4.7)-(-1.6)=(+4.7)+(+1.6)$
$=+(4.7+1.6)=+6.3$

61 ① $(-1.5)-(-2.5)=(-1.5)+(+2.5)$
$=+(2.5-1.5)=+1$
② $(+3.6)-(+1.2)=(+3.6)+(-1.2)$
$=+(3.6-1.2)=+2.4$
③ $\left(+\frac{5}{2}\right)-\left(-\frac{3}{2}\right)=\left(+\frac{5}{2}\right)+\left(+\frac{3}{2}\right)=+\left(\frac{5}{2}+\frac{3}{2}\right)=+4$
④ $\left(-\frac{1}{3}\right)-\left(-\frac{5}{6}\right)=\left(-\frac{1}{3}\right)+\left(+\frac{5}{6}\right)=\left(-\frac{2}{6}\right)+\left(+\frac{5}{6}\right)$
$=+\left(\frac{5}{6}-\frac{2}{6}\right)=+\frac{3}{6}=+\frac{1}{2}$
⑤ $\left(-\frac{4}{5}\right)-(+1.2)=\left(-\frac{4}{5}\right)-\left(+\frac{6}{5}\right)$
$=\left(-\frac{4}{5}\right)+\left(-\frac{6}{5}\right)$
$=-\left(\frac{4}{5}+\frac{6}{5}\right)=-2$
따라서 계산 결과가 -2인 것은 ⑤이다.

05 덧셈과 뺄셈의 혼합 계산

| 54~55쪽 |

01 -6	02 $+11$	03 -12	04 $+11$	05 $+23$
06 -21	07 $+11$	08 $+16$	09 $+20$	10 $+21$
11 -12	12 $+6$	13 -20	14 -5	15 $+\frac{5}{6}$
16 $-\frac{11}{5}$	17 $+\frac{8}{7}$	18 $+\frac{1}{2}$	19 $-\frac{1}{4}$	20 $-\frac{49}{15}$
21 $+3$	22 -0.8	23 -6	24 -6.1	25 -0.3
26 0	27 ④			

01 $(+1)+(-3)-(+4)=(+1)+(-3)+(-4)$
$=(+1)+\{(-3)+(-4)\}$
$=(+1)+(-7)=-6$

02 $(+3)-(-6)+(+2)=(+3)+(+6)+(+2)$
$=\{(+3)+(+6)\}+(+2)$
$=(+9)+(+2)=+11$

03 $(-7)+(-11)-(-6)=(-7)+(-11)+(+6)$
$=\{(-7)+(-11)\}+(+6)$
$=(-18)+(+6)$
$=-12$

04 $(+9)-(-5)+(-3)=(+9)+(+5)+(-3)$
$=\{(+9)+(+5)\}+(-3)$
$=(+14)+(-3)$
$=+11$

05 $(+8)-(-10)+(+5)=(+8)+(+10)+(+5)$
$=\{(+8)+(+10)\}+(+5)$
$=(+18)+(+5)$
$=+23$

06 $(+1)-(+9)+(-13)=(+1)+(-9)+(-13)$
$=(+1)+\{(-9)+(-13)\}$
$=(+1)+(-22)$
$=-21$

07 $(+8)+(-6)-(-9)=(+8)+(-6)+(+9)$
$=\{(+8)+(+9)\}+(-6)$
$=(+17)+(-6)$
$=+11$

08 $(-2)-(-11)+(+7)=(-2)+(+11)+(+7)$
$=(-2)+\{(+11)+(+7)\}$
$=(-2)+(+18)$
$=+16$

09 $(+17)-(-13)+(-10)=(+17)+(+13)+(-10)$
$=\{(+17)+(+13)\}+(-10)$
$=(+30)+(-10)$
$=+20$

10 $(-5)-(-20)+(+6)=(-5)+(+20)+(+6)$
$=(-5)+\{(+20)+(+6)\}$
$=(-5)+(+26)$
$=+21$

11 $(-7)+(-15)-(-10)=(-7)+(-15)+(+10)$
$=\{(-7)+(-15)\}+(+10)$
$=(-22)+(+10)$
$=-12$

12 $(-3)+(-5)-(-6)+(+8)$
$=(-3)+(-5)+(+6)+(+8)$
$=\{(-3)+(-5)\}+\{(+6)+(+8)\}$
$=(-8)+(+14)$
$=+6$

13 $(+2)-(+18)-(-9)+(-13)$
$=(+2)+(-18)+(+9)+(-13)$
$=\{(+2)+(+9)\}+\{(-18)+(-13)\}$
$=(+11)+(-31)$
$=-20$

14 $(-18)-(-15)+(-12)-(-10)$
$=(-18)+(+15)+(-12)+(+10)$
$=\{(-18)+(-12)\}+\{(+15)+(+10)\}$
$=(-30)+(+25)$
$=-5$

15 $\left(+\frac{2}{3}\right)+\left(-\frac{1}{6}\right)-\left(-\frac{1}{3}\right)=\left(+\frac{2}{3}\right)+\left(-\frac{1}{6}\right)+\left(+\frac{1}{3}\right)$
$=\left\{\left(+\frac{2}{3}\right)+\left(+\frac{1}{3}\right)\right\}+\left(-\frac{1}{6}\right)$
$=(+1)+\left(-\frac{1}{6}\right)$
$=+\frac{5}{6}$

16 $\left(-\frac{7}{4}\right)+\left(-\frac{1}{5}\right)-\left(+\frac{1}{4}\right)=\left(-\frac{7}{4}\right)+\left(-\frac{1}{5}\right)+\left(-\frac{1}{4}\right)$
$=\left\{\left(-\frac{7}{4}\right)+\left(-\frac{1}{4}\right)\right\}+\left(-\frac{1}{5}\right)$
$=(-2)+\left(-\frac{1}{5}\right)$
$=-\frac{11}{5}$

17 $\left(-\frac{4}{7}\right)+(+2)-\left(+\frac{2}{7}\right)=\left(-\frac{4}{7}\right)+(+2)+\left(-\frac{2}{7}\right)$
$=\left\{\left(-\frac{4}{7}\right)+\left(-\frac{2}{7}\right)\right\}+(+2)$
$=\left(-\frac{6}{7}\right)+(+2)$
$=+\frac{8}{7}$

18 $\left(+\frac{6}{5}\right)+\left(-\frac{1}{2}\right)-\left(+\frac{1}{5}\right)=\left(+\frac{6}{5}\right)+\left(-\frac{1}{2}\right)+\left(-\frac{1}{5}\right)$
$=\left\{\left(+\frac{6}{5}\right)+\left(-\frac{1}{5}\right)\right\}+\left(-\frac{1}{2}\right)$
$=(+1)+\left(-\frac{1}{2}\right)$
$=+\frac{1}{2}$

19 $\left(-\frac{3}{8}\right)-\left(+\frac{3}{4}\right)-\left(-\frac{7}{8}\right)=\left(-\frac{3}{8}\right)+\left(-\frac{3}{4}\right)+\left(+\frac{7}{8}\right)$
$=\left\{\left(-\frac{3}{8}\right)+\left(+\frac{7}{8}\right)\right\}+\left(-\frac{3}{4}\right)$
$=\left(+\frac{1}{2}\right)+\left(-\frac{3}{4}\right)$
$=\left(+\frac{2}{4}\right)+\left(-\frac{3}{4}\right)$
$=-\frac{1}{4}$

20 $\left(+\frac{3}{5}\right)-\left(+\frac{7}{3}\right)+\left(-\frac{1}{3}\right)-\left(+\frac{6}{5}\right)$
$=\left(+\frac{3}{5}\right)+\left(-\frac{7}{3}\right)+\left(-\frac{1}{3}\right)+\left(-\frac{6}{5}\right)$
$=\left\{\left(+\frac{3}{5}\right)+\left(-\frac{6}{5}\right)\right\}+\left\{\left(-\frac{7}{3}\right)+\left(-\frac{1}{3}\right)\right\}$
$=\left(-\frac{3}{5}\right)+\left(-\frac{8}{3}\right)$
$=\left(-\frac{9}{15}\right)+\left(-\frac{40}{15}\right)$
$=-\frac{49}{15}$

21 $\left(-\frac{7}{10}\right)+\left(+\frac{3}{2}\right)-\left(+\frac{3}{10}\right)-\left(-\frac{5}{2}\right)$
$=\left(-\frac{7}{10}\right)+\left(+\frac{3}{2}\right)+\left(-\frac{3}{10}\right)+\left(+\frac{5}{2}\right)$
$=\left\{\left(-\frac{7}{10}\right)+\left(-\frac{3}{10}\right)\right\}+\left\{\left(+\frac{3}{2}\right)+\left(+\frac{5}{2}\right)\right\}$
$=(-1)+(+4)$
$=+3$

22 $(-0.6)+(-1.1)-(-0.9)$
$=(-0.6)+(-1.1)+(+0.9)$
$=\{(-0.6)+(-1.1)\}+(+0.9)$
$=(-1.7)+(+0.9)$
$=-0.8$

23 $(+3.5)-(+5)+(-4.5)=(+3.5)+(-5)+(-4.5)$
$=(+3.5)+\{(-5)+(-4.5)\}$
$=(+3.5)+(-9.5)$
$=-6$

24 $(-6.7)-(-2.1)+(-1.5)$
$=(-6.7)+(+2.1)+(-1.5)$
$=\{(-6.7)+(-1.5)\}+(+2.1)$
$=(-8.2)+(+2.1)$
$=-6.1$

25 $(-1.3)-(-2.1)+(+3.6)-(+4.7)$
$=(-1.3)+(+2.1)+(+3.6)+(-4.7)$
$=\{(-1.3)+(-4.7)\}+\{(+2.1)+(+3.6)\}$
$=(-6)+(+5.7)$
$=-0.3$

26 $(+1.6)+(+4.2)-(+2.5)-(+3.3)$
$=(+1.6)+(+4.2)+(-2.5)+(-3.3)$
$=\{(+1.6)+(+4.2)\}+\{(-2.5)+(-3.3)\}$
$=(+5.8)+(-5.8)$
$=0$

27 $\left(+\frac{3}{5}\right)+\left(-\frac{7}{4}\right)-(-5)+\left(-\frac{17}{20}\right)$
$=\left(+\frac{3}{5}\right)+\left(-\frac{7}{4}\right)+(+5)+\left(-\frac{17}{20}\right)$
$=\left\{\left(+\frac{12}{20}\right)+\left(-\frac{35}{20}\right)\right\}+(+5)+\left(-\frac{17}{20}\right)$
$=\left(-\frac{23}{20}\right)+(+5)+\left(-\frac{17}{20}\right)$
$=\left\{\left(-\frac{23}{20}\right)+\left(-\frac{17}{20}\right)\right\}+(+5)$
$=(-2)+(+5)$
$=+3$

06 부호가 생략된 수의 계산

| 56~57쪽 |

01 -4	**02** 2	**03** -18	**04** -14	**05** 14
06 -5	**07** -19	**08** 2	**09** -4	**10** -7
11 -12	**12** -31	**13** -28	**14** -12	**15** $-\frac{3}{7}$
16 $-\frac{6}{5}$	**17** $\frac{1}{3}$	**18** -1	**19** $\frac{1}{40}$	**20** $\frac{41}{28}$
21 $-\frac{23}{6}$	**22** -0.6	**23** -2.8	**24** -8	**25** -1.6
26 2	**27** $\frac{25}{12}$	**28** $-\frac{11}{9}$		

01 $2-6=(+2)-(+6)=(+2)+(-6)=-(6-2)=-4$

02 $-5+7=(-5)+(+7)=+(7-5)=2$

03 $-8-10=(-8)-(+10)=(-8)+(-10)$
$=-(8+10)=-18$

04 $-7+5-12=(-7)+(+5)-(+12)$
$=(-7)+(+5)+(-12)$
$=(+5)+\{(-7)+(-12)\}$
$=(+5)+(-19)$
$=-14$

05 $2-9+21=(+2)-(+9)+(+21)$
$=(+2)+(-9)+(+21)$
$=(-9)+\{(+2)+(+21)\}$
$=(-9)+(+23)$
$=14$

06 $31-25-11=(+31)-(+25)-(+11)$
$=(+31)+(-25)+(-11)$
$=(+31)+\{(-25)+(-11)\}$
$=(+31)+(-36)$
$=-5$

07 $5-9-15=(+5)-(+9)-(+15)$
$=(+5)+(-9)+(-15)$
$=(+5)+\{(-9)+(-15)\}$
$=(+5)+(-24)$
$=-19$

08 $-8-3+13=(-8)-(+3)+(+13)$
$=(-8)+(-3)+(+13)$
$=\{(-8)+(-3)\}+(+13)$
$=(-11)+(+13)$
$=2$

09 $-10+9-3=(-10)+(+9)-(+3)$
$=(-10)+(+9)+(-3)$
$=(+9)+\{(-10)+(-3)\}$
$=(+9)+(-13)$
$=-4$

10 $-24+16+6-5=(-24)+(+16)+(+6)-(+5)$
$=(-24)+(+16)+(+6)+(-5)$
$=\{(-24)+(-5)\}+\{(+16)+(+6)\}$
$=(-29)+(+22)$
$=-7$

11 $-15+7-12+8=(-15)+(+7)-(+12)+(+8)$
$=(-15)+(+7)+(-12)+(+8)$
$=\{(-15)+(-12)\}+\{(+7)+(+8)\}$
$=(-27)+(+15)$
$=-12$

12 $4+2-17-20=(+4)+(+2)-(+17)-(+20)$
$=(+4)+(+2)+(-17)+(-20)$
$=\{(+4)+(+2)\}+\{(-17)+(-20)\}$
$=(+6)+(-37)$
$=-31$

13 $-12-5+7-18=(-12)-(+5)+(+7)-(+18)$
$=(-12)+(-5)+(+7)+(-18)$
$=\{(-12)+(-18)\}+\{(-5)+(+7)\}$
$=(-30)+(+2)$
$=-28$

14 $-3-6-10+7=(-3)-(+6)-(+10)+(+7)$
$=(-3)+(-6)+(-10)+(+7)$
$=\{(-3)+(-6)\}+\{(-10)+(+7)\}$
$=(-9)+(-3)$
$=-12$

15 $\frac{2}{7}-\frac{5}{7}=\left(+\frac{2}{7}\right)-\left(+\frac{5}{7}\right)=\left(+\frac{2}{7}\right)+\left(-\frac{5}{7}\right)$
$=-\left(\frac{5}{7}-\frac{2}{7}\right)=-\frac{3}{7}$

16 $-\frac{2}{5}-\frac{4}{5}=\left(-\frac{2}{5}\right)-\left(+\frac{4}{5}\right)=\left(-\frac{2}{5}\right)+\left(-\frac{4}{5}\right)$
$=-\left(\frac{2}{5}+\frac{4}{5}\right)=-\frac{6}{5}$

17 $-\frac{1}{2}+\frac{5}{6}=\left(-\frac{1}{2}\right)+\left(+\frac{5}{6}\right)=\left(-\frac{3}{6}\right)+\left(+\frac{5}{6}\right)$
$=+\left(\frac{5}{6}-\frac{3}{6}\right)=+\frac{2}{6}=\frac{1}{3}$

18 $-\frac{1}{5}+1-\frac{9}{5}=\left(-\frac{1}{5}\right)+(+1)-\left(+\frac{9}{5}\right)$
$=\left(-\frac{1}{5}\right)+(+1)+\left(-\frac{9}{5}\right)$
$=\left\{\left(-\frac{1}{5}\right)+\left(-\frac{9}{5}\right)\right\}+(+1)$
$=(-2)+(+1)$
$=-1$

19 $\frac{3}{4}-\frac{3}{5}-\frac{1}{8}=\left(+\frac{3}{4}\right)-\left(+\frac{3}{5}\right)-\left(+\frac{1}{8}\right)$
$=\left(+\frac{3}{4}\right)+\left(-\frac{3}{5}\right)+\left(-\frac{1}{8}\right)$
$=\left\{\left(+\frac{3}{4}\right)+\left(-\frac{1}{8}\right)\right\}+\left(-\frac{3}{5}\right)$
$=\left\{\left(+\frac{6}{8}\right)+\left(-\frac{1}{8}\right)\right\}+\left(-\frac{3}{5}\right)$
$=\left(+\frac{5}{8}\right)+\left(-\frac{3}{5}\right)$
$=\left(+\frac{25}{40}\right)+\left(-\frac{24}{40}\right)$
$=\frac{1}{40}$

20 $\frac{4}{7}-\frac{5}{4}+\frac{9}{14}+\frac{3}{2}$
$=\left(+\frac{4}{7}\right)-\left(+\frac{5}{4}\right)+\left(+\frac{9}{14}\right)+\left(+\frac{3}{2}\right)$
$=\left(+\frac{4}{7}\right)+\left(-\frac{5}{4}\right)+\left(+\frac{9}{14}\right)+\left(+\frac{3}{2}\right)$
$=\left\{\left(+\frac{4}{7}\right)+\left(+\frac{9}{14}\right)\right\}+\left\{\left(-\frac{5}{4}\right)+\left(+\frac{3}{2}\right)\right\}$
$=\left\{\left(+\frac{8}{14}\right)+\left(+\frac{9}{14}\right)\right\}+\left\{\left(-\frac{5}{4}\right)+\left(+\frac{6}{4}\right)\right\}$
$=\left(+\frac{17}{14}\right)+\left(+\frac{1}{4}\right)$
$=\left(+\frac{34}{28}\right)+\left(+\frac{7}{28}\right)$
$=\frac{41}{28}$

21 $-\frac{3}{2}-\frac{5}{3}-\frac{1}{6}-\frac{1}{2}$
$=\left(-\frac{3}{2}\right)-\left(+\frac{5}{3}\right)-\left(+\frac{1}{6}\right)-\left(+\frac{1}{2}\right)$
$=\left(-\frac{3}{2}\right)+\left(-\frac{5}{3}\right)+\left(-\frac{1}{6}\right)+\left(-\frac{1}{2}\right)$

$=\left\{\left(-\frac{3}{2}\right)+\left(-\frac{1}{2}\right)\right\}+\left\{\left(-\frac{5}{3}\right)+\left(-\frac{1}{6}\right)\right\}$

$=(-2)+\left\{\left(-\frac{10}{6}\right)+\left(-\frac{1}{6}\right)\right\}$

$=(-2)+\left(-\frac{11}{6}\right)$

$=-\frac{23}{6}$

22 $0.3-0.9=(+0.3)-(+0.9)=(+0.3)+(-0.9)$

$=-(0.9-0.3)=-0.6$

23 $-0.7-2.1=(-0.7)-(+2.1)=(-0.7)+(-2.1)$

$=-(0.7+2.1)=-2.8$

24 $-3.5+1.5-6=(-3.5)+(+1.5)-(+6)$

$=(-3.5)+(+1.5)+(-6)$

$=\{(-3.5)+(+1.5)\}+(-6)$

$=(-2)+(-6)$

$=-8$

25 $4.5-4-2.1=(+4.5)-(+4)-(+2.1)$

$=(+4.5)+(-4)+(-2.1)$

$=(+4.5)+\{(-4)+(-2.1)\}$

$=(+4.5)+(-6.1)$

$=-1.6$

26 $-1.5+\frac{7}{6}-\frac{2}{3}+3$

$=(-1.5)+\left(+\frac{7}{6}\right)-\left(+\frac{2}{3}\right)+(+3)$

$=(-1.5)+\left(+\frac{7}{6}\right)+\left(-\frac{2}{3}\right)+(+3)$

$=\{(-1.5)+(+3)\}+\left\{\left(+\frac{7}{6}\right)+\left(-\frac{2}{3}\right)\right\}$

$=(+1.5)+\left\{\left(+\frac{7}{6}\right)+\left(-\frac{4}{6}\right)\right\}$

$=\left(+\frac{3}{2}\right)+\left(+\frac{1}{2}\right)$

$=2$

27 $2-\frac{5}{4}+\frac{11}{6}-\frac{1}{2}$

$=(+2)-\left(+\frac{5}{4}\right)+\left(+\frac{11}{6}\right)-\left(+\frac{1}{2}\right)$

$=(+2)+\left(-\frac{5}{4}\right)+\left(+\frac{11}{6}\right)+\left(-\frac{1}{2}\right)$

$=\left\{(+2)+\left(+\frac{11}{6}\right)\right\}+\left\{\left(-\frac{5}{4}\right)+\left(-\frac{1}{2}\right)\right\}$

$=\left(+\frac{23}{6}\right)+\left(-\frac{7}{4}\right)$

$=\left(+\frac{46}{12}\right)+\left(-\frac{21}{12}\right)$

$=\frac{25}{12}$

28 $A=\frac{2}{9}-\frac{5}{6}+\frac{1}{3}=\left(+\frac{2}{9}\right)-\left(+\frac{5}{6}\right)+\left(+\frac{1}{3}\right)$

$=\left(+\frac{2}{9}\right)+\left(-\frac{5}{6}\right)+\left(+\frac{1}{3}\right)$

$=\left\{\left(+\frac{2}{9}\right)+\left(+\frac{1}{3}\right)\right\}+\left(-\frac{5}{6}\right)$

$=\left\{\left(+\frac{2}{9}\right)+\left(+\frac{3}{9}\right)\right\}+\left(-\frac{5}{6}\right)$

$=\left(+\frac{5}{9}\right)+\left(-\frac{5}{6}\right)$

$=\left(+\frac{10}{18}\right)+\left(-\frac{15}{18}\right)$

$=-\frac{5}{18}$

$B=-\frac{5}{6}+2-\frac{2}{9}=\left(-\frac{5}{6}\right)+(+2)-\left(+\frac{2}{9}\right)$

$=\left(-\frac{5}{6}\right)+(+2)+\left(-\frac{2}{9}\right)$

$=\left\{\left(-\frac{5}{6}\right)+\left(-\frac{2}{9}\right)\right\}+(+2)$

$=\left\{\left(-\frac{15}{18}\right)+\left(-\frac{4}{18}\right)\right\}+(+2)$

$=\left(-\frac{19}{18}\right)+(+2)$

$=\frac{17}{18}$

따라서 $A-B=-\frac{5}{18}-\frac{17}{18}=\left(-\frac{5}{18}\right)-\left(+\frac{17}{18}\right)$

$=\left(-\frac{5}{18}\right)+\left(-\frac{17}{18}\right)=-\left(\frac{5}{18}+\frac{17}{18}\right)$

$=-\frac{22}{18}=-\frac{11}{9}$

확인문제

| 58쪽 |

01 ① **02** ③ **03** (가) 교환법칙, (나) 결합법칙 **04** ⑤
05 ⑤ **06** ③

01 ① $(+4)+(+5)=+(4+5)=+9$

② $(-3)+(-2)=-(3+2)=-5$

③ $(+6)+(-10)=-(10-6)=-4$

④ $(-11)+(+8)=-(11-8)=-3$

⑤ $(+7)+(-3)=+(7-3)=+4$

따라서 계산 결과가 가장 큰 것은 ①이다.

02 $\left(-\frac{2}{7}\right)+\left(+\frac{1}{3}\right)=\left(-\frac{6}{21}\right)+\left(+\frac{7}{21}\right)$

$=+\left(\frac{7}{21}-\frac{6}{21}\right)=+\frac{1}{21}$

04 $A=\left(+\frac{4}{5}\right)-\left(+\frac{1}{2}\right)=\left(+\frac{4}{5}\right)+\left(-\frac{1}{2}\right)$
$=\left(+\frac{8}{10}\right)+\left(-\frac{5}{10}\right)=+\left(\frac{8}{10}-\frac{5}{10}\right)=+\frac{3}{10}$
$B=\left(-\frac{3}{10}\right)-\left(-\frac{1}{3}\right)=\left(-\frac{3}{10}\right)+\left(+\frac{1}{3}\right)$
$=\left(-\frac{9}{30}\right)+\left(+\frac{10}{30}\right)=+\left(\frac{10}{30}-\frac{9}{30}\right)=+\frac{1}{30}$

05 ① $(-5)+(+6)=+(6-5)=+1$
② $(+2)-(+1)=(+2)+(-1)=+(2-1)=+1$
③ $(-5)+(-1)=-(5+1)=-6$
④ $(+7)-(+3)=(+7)+(-3)=+(7-3)=+4$
⑤ $(-3)+(+8)=+(8-3)=+5$
따라서 가장 큰 수는 ⑤이다.

06 $\frac{3}{4}+1+\frac{1}{6}-2=\left(+\frac{3}{4}\right)+(+1)+\left(+\frac{1}{6}\right)-(+2)$
$=\left(+\frac{3}{4}\right)+(+1)+\left(+\frac{1}{6}\right)+(-2)$
$=\{(+1)+(-2)\}+\left\{\left(+\frac{3}{4}\right)+\left(+\frac{1}{6}\right)\right\}$
$=(-1)+\left\{\left(+\frac{9}{12}\right)+\left(+\frac{2}{12}\right)\right\}$
$=(-1)+\left(+\frac{11}{12}\right)$
$=-\frac{1}{12}$

3. 유리수의 곱셈과 나눗셈

01 두 수의 곱셈 | 59~61쪽 |

01 $+15$	02 $+36$	03 $+60$	04 $+30$	05 $+99$
06 $+84$	07 $+128$	08 $+\frac{1}{3}$	09 $+\frac{3}{5}$	10 $+\frac{20}{3}$
11 $+\frac{1}{12}$	12 $+\frac{4}{3}$	13 0	14 $+7.8$	15 $+20$
16 $+4.8$	17 $+12$	18 $+14.1$	19 $+7.7$	20 $+\frac{3}{2}$
21 $+\frac{2}{13}$	22 $+\frac{3}{4}$	23 $+\frac{9}{11}$	24 -10	25 -36
26 -48	27 -77	28 -21	29 -30	30 -72
31 -50	32 -180	33 $-\frac{1}{4}$	34 $-\frac{3}{14}$	35 -12
36 $-\frac{5}{16}$	37 $-\frac{14}{25}$	38 -10	39 -2.8	40 -16.5
41 -21	42 -36.4	43 -1.62	44 $-\frac{7}{10}$	45 $-\frac{8}{9}$
46 $-\frac{33}{35}$	47 $-\frac{2}{3}$	48 ②, ③		

01 $(+3)\times(+5)=+(3\times5)=+15$

02 $(+4)\times(+9)=+(4\times9)=+36$

03 $(+6)\times(+10)=+(6\times10)=+60$

04 $(-5)\times(-6)=+(5\times6)=+30$

05 $(-9)\times(-11)=+(9\times11)=+99$

06 $(-12)\times(-7)=+(12\times7)=+84$

07 $(-16)\times(-8)=+(16\times8)=+128$

08 $\left(+\frac{2}{3}\right)\times\left(+\frac{1}{2}\right)=+\left(\frac{2}{3}\times\frac{1}{2}\right)=+\frac{1}{3}$

09 $\left(+\frac{4}{5}\right)\times\left(+\frac{3}{4}\right)=+\left(\frac{4}{5}\times\frac{3}{4}\right)=+\frac{3}{5}$

10 $(+8)\times\left(+\frac{5}{6}\right)=+\left(8\times\frac{5}{6}\right)=+\frac{20}{3}$

11 $\left(-\frac{3}{8}\right)\times\left(-\frac{2}{9}\right)=+\left(\frac{3}{8}\times\frac{2}{9}\right)=+\frac{1}{12}$

12 $\left(-\frac{7}{2}\right)\times\left(-\frac{8}{21}\right)=+\left(\frac{7}{2}\times\frac{8}{21}\right)=+\frac{4}{3}$

13 어떤 수와 0의 곱은 0이다.

14 $(+6)\times(+1.3)=+(6\times1.3)=+7.8$

15 $(+2.5)\times(+8)=+(2.5\times8)=+20$

16 $(+3.2)\times(+1.5)=+(3.2\times1.5)=+4.8$

17 $(-5)\times(-2.4)=+(5\times2.4)=+12$

18 $(-4.7)\times(-3)=+(4.7\times3)=+14.1$

19 $(-2.2)\times(-3.5)=+(2.2\times3.5)=+7.7$

20 $\left(+\frac{5}{2}\right)\times(+0.6)=\left(+\frac{5}{2}\right)\times\left(+\frac{3}{5}\right)=+\left(\frac{5}{2}\times\frac{3}{5}\right)=+\frac{3}{2}$

21 $(+0.2)\times\left(+\frac{10}{13}\right)=\left(+\frac{1}{5}\right)\times\left(+\frac{10}{13}\right)$
$=+\left(\frac{1}{5}\times\frac{10}{13}\right)=+\frac{2}{13}$

22 $\left(-\frac{5}{8}\right)\times(-1.2)=\left(-\frac{5}{8}\right)\times\left(-\frac{6}{5}\right)=+\left(\frac{5}{8}\times\frac{6}{5}\right)=+\frac{3}{4}$

23 $(-1.5)\times\left(-\frac{6}{11}\right)=\left(-\frac{3}{2}\right)\times\left(-\frac{6}{11}\right)$
$=+\left(\frac{3}{2}\times\frac{6}{11}\right)=+\frac{9}{11}$

24 $(+5)\times(-2)=-(5\times2)=-10$

25 $(+4)\times(-9)=-(4\times9)=-36$

26 $(+6)\times(-8)=-(6\times8)=-48$

27 $(+11)\times(-7)=-(11\times7)=-77$

28 $(-3)\times(+7)=-(3\times7)=-21$

29 $(-6)\times(+5)=-(6\times5)=-30$

30 $(-8)\times(+9)=-(8\times9)=-72$

31 $(-10)\times(+5)=-(10\times5)=-50$

32 $(-15)\times(+12)=-(15\times12)=-180$

33 $\left(+\frac{3}{2}\right)\times\left(-\frac{1}{6}\right)=-\left(\frac{3}{2}\times\frac{1}{6}\right)=-\frac{1}{4}$

34 $\left(+\frac{1}{4}\right)\times\left(-\frac{6}{7}\right)=-\left(\frac{1}{4}\times\frac{6}{7}\right)=-\frac{3}{14}$

35 $(+9)\times\left(-\frac{4}{3}\right)=-\left(9\times\frac{4}{3}\right)=-12$

36 $\left(-\frac{3}{8}\right)\times\left(+\frac{5}{6}\right)=-\left(\frac{3}{8}\times\frac{5}{6}\right)=-\frac{5}{16}$

37 $\left(-\frac{4}{5}\right)\times\left(+\frac{7}{10}\right)=-\left(\frac{4}{5}\times\frac{7}{10}\right)=-\frac{14}{25}$

38 $(-16)\times\left(+\frac{5}{8}\right)=-\left(16\times\frac{5}{8}\right)=-10$

39 $(+2)\times(-1.4)=-(2\times1.4)=-2.8$

40 $(+3.3)\times(-5)=-(3.3\times5)=-16.5$

41 $(-6)\times(+3.5)=-(6\times3.5)=-21$

42 $(-5.2)\times(+7)=-(5.2\times7)=-36.4$

43 $(-1.8)\times(+0.9)=-(1.8\times0.9)=-1.62$

44 $\left(+\frac{7}{5}\right)\times(-0.5)=\left(+\frac{7}{5}\right)\times\left(-\frac{1}{2}\right)$
$=-\left(\frac{7}{5}\times\frac{1}{2}\right)=-\frac{7}{10}$

45 $(+0.4)\times\left(-\frac{20}{9}\right)=\left(+\frac{2}{5}\right)\times\left(-\frac{20}{9}\right)$
$=-\left(\frac{2}{5}\times\frac{20}{9}\right)=-\frac{8}{9}$

46 $\left(-\frac{3}{7}\right)\times(+2.2)=\left(-\frac{3}{7}\right)\times\left(+\frac{11}{5}\right)$
$=-\left(\frac{3}{7}\times\frac{11}{5}\right)=-\frac{33}{35}$

47 $(-1.6)\times\left(+\frac{5}{12}\right)=\left(-\frac{8}{5}\right)\times\left(+\frac{5}{12}\right)$
$=-\left(\frac{8}{5}\times\frac{5}{12}\right)=-\frac{2}{3}$

48 ① $(+4)\times(+5)=+(4\times5)=+20$
② $(-2)\times(-9)=+(2\times9)=+18$
③ $(+8)\times(-0.5)=-(8\times0.5)=-4$
④ $\left(-\frac{1}{4}\right)\times\left(-\frac{8}{7}\right)=+\left(\frac{1}{4}\times\frac{8}{7}\right)=+\frac{2}{7}$
⑤ $(+4.5)\times(-1.2)=-(4.5\times1.2)=-5.4$
따라서 계산 결과가 옳지 않은 것은 ②, ③이다.

02 곱셈의 계산 법칙

| 62쪽 |

01 $+5$, $+10$, -30, (가) 교환법칙, (나) 결합법칙
02 -4, -4, $+1$, $+\frac{2}{3}$, (가) 교환법칙, (나) 결합법칙
03 $+2$, $+2$, -6, $+12.6$, (가) 교환법칙, (나) 결합법칙
04 -210 05 $+90$ 06 $+\frac{4}{3}$ 07 $+\frac{2}{7}$ 08 $-\frac{7}{18}$
09 -7.8 10 $+126$ 11 -12

04 $(+5)\times(+7)\times(-6)=(+7)\times(+5)\times(-6)$
$=(+7)\times\{(+5)\times(-6)\}$
$=(+7)\times(-30)$
$=-210$

05 $(-2)\times(+9)\times(-5)=(+9)\times(-2)\times(-5)$
$=(+9)\times\{(-2)\times(-5)\}$
$=(+9)\times(+10)$
$=+90$

06 $\left(+\frac{1}{2}\right)\times\left(-\frac{1}{3}\right)\times(-8)=\left(-\frac{1}{3}\right)\times\left(+\frac{1}{2}\right)\times(-8)$
$=\left(-\frac{1}{3}\right)\times\left\{\left(+\frac{1}{2}\right)\times(-8)\right\}$
$=\left(-\frac{1}{3}\right)\times(-4)=+\frac{4}{3}$

07 $\left(-\frac{12}{5}\right)\times\left(+\frac{1}{7}\right)\times\left(-\frac{5}{6}\right)=\left(+\frac{1}{7}\right)\times\left(-\frac{12}{5}\right)\times\left(-\frac{5}{6}\right)$
$=\left(+\frac{1}{7}\right)\times\left\{\left(-\frac{12}{5}\right)\times\left(-\frac{5}{6}\right)\right\}$
$=\left(+\frac{1}{7}\right)\times(+2)=+\frac{2}{7}$

08 $\left(-\frac{5}{4}\right)\times\left(-\frac{7}{9}\right)\times\left(-\frac{2}{5}\right)=\left(-\frac{7}{9}\right)\times\left(-\frac{5}{4}\right)\times\left(-\frac{2}{5}\right)$

$=\left(-\frac{7}{9}\right)\times\left\{\left(-\frac{5}{4}\right)\times\left(-\frac{2}{5}\right)\right\}$

$=\left(-\frac{7}{9}\right)\times\left(+\frac{1}{2}\right)$

$=-\frac{7}{18}$

09 $(+4)\times(-1.3)\times(+1.5)=(-1.3)\times(+4)\times(+1.5)$

$=(-1.3)\times\{(+4)\times(+1.5)\}$

$=(-1.3)\times(+6)$

$=-7.8$

10 $(-10)\times(-7)\times(+1.8)=(-7)\times(-10)\times(+1.8)$

$=(-7)\times\{(-10)\times(+1.8)\}$

$=(-7)\times(-18)$

$=+126$

11 $(-2.5)\times\left(-\frac{4}{5}\right)\times(-6)=\left(-\frac{4}{5}\right)\times(-2.5)\times(-6)$

$=\left(-\frac{4}{5}\right)\times\{(-2.5)\times(-6)\}$

$=\left(-\frac{4}{5}\right)\times(+15)$

$=-12$

03 세 수 이상의 곱셈 | 63쪽 |

01 $+60$	02 $+42$	03 -270	04 -72	05 -22
06 $+120$	07 -300	08 -6	09 $+1$	10 $-\frac{2}{3}$
11 $+\frac{8}{55}$	12 $-\frac{2}{5}$	13 ⑤		

01 $(+3)\times(+4)\times(+5)=+(3\times4\times5)=+60$

02 $(-2)\times(+7)\times(-3)=+(2\times7\times3)=+42$

03 $(-6)\times(+9)\times(+5)=-(6\times9\times5)=-270$

04 $(-3)\times(-8)\times(-3)=-(3\times8\times3)=-72$

05 $(-2)\times(+1)\times(+11)=-(2\times1\times11)=-22$

06 $(-4)\times(+2)\times(-5)\times(+3)=+(4\times2\times5\times3)=+120$

07 $(-2)\times(+10)\times(-3)\times(-5)=-(2\times10\times3\times5)$

$=-300$

08 $(+3)\times\left(+\frac{1}{2}\right)\times(-4)=-\left(3\times\frac{1}{2}\times4\right)=-6$

09 $\left(-\frac{1}{6}\right)\times\left(+\frac{2}{3}\right)\times(-9)=+\left(\frac{1}{6}\times\frac{2}{3}\times9\right)=+1$

10 $\left(+\frac{3}{14}\right)\times\left(+\frac{7}{3}\right)\times\left(-\frac{4}{3}\right)=-\left(\frac{3}{14}\times\frac{7}{3}\times\frac{4}{3}\right)=-\frac{2}{3}$

11 $\left(-\frac{3}{11}\right)\times\left(+\frac{2}{3}\right)\times\left(-\frac{4}{5}\right)=+\left(\frac{3}{11}\times\frac{2}{3}\times\frac{4}{5}\right)=+\frac{8}{55}$

12 $\left(-\frac{7}{3}\right)\times\left(+\frac{8}{5}\right)\times\left(-\frac{3}{4}\right)\times\left(-\frac{1}{7}\right)$

$=-\left(\frac{7}{3}\times\frac{8}{5}\times\frac{3}{4}\times\frac{1}{7}\right)=-\frac{2}{5}$

13 $\left(-\frac{1}{4}\right)\times\left(-\frac{4}{7}\right)\times\left(+\frac{3}{2}\right)=+\left(\frac{1}{4}\times\frac{4}{7}\times\frac{3}{2}\right)=+\frac{3}{14}$

$+\frac{3}{14}$보다 그 값이 큰 수는 ⑤이다.

04 거듭제곱의 계산 | 64~65쪽 |

01 $+36$	02 $+64$	03 $+\frac{9}{16}$	04 $+\frac{8}{27}$	05 $-\frac{1}{16}$
06 $+1$	07 $+49$	08 -125	09 $-\frac{1}{27}$	10 $+\frac{16}{625}$
11 $-\frac{9}{16}$	12 -1	13 $+12$	14 -192	15 $+7$
16 -144	17 $+128$	18 $+225$	19 $+32$	20 -1
21 $+4$	22 $-\frac{4}{3}$	23 $+4$	24 $-\frac{2}{49}$	25 -36
26 $+10$	27 $-\frac{3}{28}$	28 ⑤		

01 $(+6)^2=(+6)\times(+6)=+(6\times6)=+36$

02 $(+4)^3=(+4)\times(+4)\times(+4)=+(4\times4\times4)=+64$

03 $\left(+\frac{3}{4}\right)^2=\left(+\frac{3}{4}\right)\times\left(+\frac{3}{4}\right)=+\left(\frac{3}{4}\times\frac{3}{4}\right)=+\frac{9}{16}$

04 $\left(+\frac{2}{3}\right)^3=\left(+\frac{2}{3}\right)\times\left(+\frac{2}{3}\right)\times\left(+\frac{2}{3}\right)$

$=+\left(\frac{2}{3}\times\frac{2}{3}\times\frac{2}{3}\right)=+\frac{8}{27}$

05 $-\left(+\frac{1}{2}\right)^4=-\left\{\left(+\frac{1}{2}\right)\times\left(+\frac{1}{2}\right)\times\left(+\frac{1}{2}\right)\times\left(+\frac{1}{2}\right)\right\}$

$=-\left\{+\left(\frac{1}{2}\times\frac{1}{2}\times\frac{1}{2}\times\frac{1}{2}\right)\right\}$

$=-\left(+\frac{1}{16}\right)=-\frac{1}{16}$

06 $+1$의 거듭제곱은 지수에 관계없이 항상 $+1$이다.

07 $(-7)^2=(-7)\times(-7)=+(7\times7)=+49$

08 $(-5)^3=(-5)\times(-5)\times(-5)=-(5\times5\times5)=-125$

09 $\left(-\frac{1}{3}\right)^3=\left(-\frac{1}{3}\right)\times\left(-\frac{1}{3}\right)\times\left(-\frac{1}{3}\right)$
$=-\left(\frac{1}{3}\times\frac{1}{3}\times\frac{1}{3}\right)=-\frac{1}{27}$

10 $\left(-\frac{2}{5}\right)^4=\left(-\frac{2}{5}\right)\times\left(-\frac{2}{5}\right)\times\left(-\frac{2}{5}\right)\times\left(-\frac{2}{5}\right)$
$=+\left(\frac{2}{5}\times\frac{2}{5}\times\frac{2}{5}\times\frac{2}{5}\right)=+\frac{16}{625}$

11 $-\left(-\frac{3}{4}\right)^2=-\left\{\left(-\frac{3}{4}\right)\times\left(-\frac{3}{4}\right)\right\}=-\left\{+\left(\frac{3}{4}\times\frac{3}{4}\right)\right\}$
$=-\left(+\frac{9}{16}\right)=-\frac{9}{16}$

12 -1의 거듭제곱은 지수가 짝수이면 $+1$, 지수가 홀수이면 -1 이다.
→ $(-1)^{101}=-1$

13 $(+3)\times(+2)^2=(+3)\times(+4)$
$=+(3\times4)$
$=+12$

14 $(-4)^3\times(+3)=(-64)\times(+3)$
$=-(64\times3)$
$=-192$

15 $(-1)^5\times(-7)=(-1)\times(-7)$
$=+(1\times7)$
$=+7$

16 $(+6)^2\times(-4)=(+36)\times(-4)$
$=-(36\times4)$
$=-144$

17 $(+8)\times(-2)^4=(+8)\times(+16)$
$=+(8\times16)$
$=+128$

18 $(-5)^2\times(-3)^2=(+25)\times(+9)$
$=+(25\times9)$
$=+225$

19 $(+2)^5\times(-1)^{100}=(+32)\times(+1)$
$=+(32\times1)$
$=+32$

20 $(+1)^{201}\times(-1)^{105}=(+1)\times(-1)$
$=-(1\times1)$
$=-1$

21 $(-2)^4\times\left(-\frac{1}{2}\right)^2=(+16)\times\left(+\frac{1}{4}\right)$
$=+\left(16\times\frac{1}{4}\right)$
$=+4$

22 $(+6)^2\times\left(-\frac{1}{3}\right)^3=(+36)\times\left(-\frac{1}{27}\right)$
$=-\left(36\times\frac{1}{27}\right)$
$=-\frac{4}{3}$

23 $\left(+\frac{3}{2}\right)^2\times\left(-\frac{4}{3}\right)^2=\left(+\frac{9}{4}\right)\times\left(+\frac{16}{9}\right)$
$=+\left(\frac{9}{4}\times\frac{16}{9}\right)$
$=+4$

24 $\left(-\frac{1}{2}\right)^3\times\left(-\frac{4}{7}\right)^2=\left(-\frac{1}{8}\right)\times\left(+\frac{16}{49}\right)$
$=-\left(\frac{1}{8}\times\frac{16}{49}\right)$
$=-\frac{2}{49}$

25 $(-1)^9\times(+9)\times(-2)^2=(-1)\times(+9)\times(+4)$
$=-(1\times9\times4)$
$=-36$

26 $(-64)\times\left(-\frac{5}{4}\right)^2\times\left(-\frac{1}{10}\right)=(-64)\times\left(+\frac{25}{16}\right)\times\left(-\frac{1}{10}\right)$
$=+\left(64\times\frac{25}{16}\times\frac{1}{10}\right)$
$=+10$

27 $(-3)^2\times\left(+\frac{1}{6}\right)^2\times\left(-\frac{3}{7}\right)=(+9)\times\left(+\frac{1}{36}\right)\times\left(-\frac{3}{7}\right)$
$=-\left(9\times\frac{1}{36}\times\frac{3}{7}\right)$
$=-\frac{3}{28}$

28 ① $(-4)^2=(-4)\times(-4)=+(4\times4)=+16$
② $\left(-\frac{1}{3}\right)^2=\left(-\frac{1}{3}\right)\times\left(-\frac{1}{3}\right)=+\left(\frac{1}{3}\times\frac{1}{3}\right)=+\frac{1}{9}$
③ $(-1)^{111}=-1$
④ $\left(-\frac{2}{5}\right)^3=\left(-\frac{2}{5}\right)\times\left(-\frac{2}{5}\right)\times\left(-\frac{2}{5}\right)$
$=-\left(\frac{2}{5}\times\frac{2}{5}\times\frac{2}{5}\right)=-\frac{8}{125}$
⑤ $-\left(-\frac{1}{2}\right)^5$
$=-\left\{\left(-\frac{1}{2}\right)\times\left(-\frac{1}{2}\right)\times\left(-\frac{1}{2}\right)\times\left(-\frac{1}{2}\right)\times\left(-\frac{1}{2}\right)\right\}$
$=-\left\{-\left(\frac{1}{2}\times\frac{1}{2}\times\frac{1}{2}\times\frac{1}{2}\times\frac{1}{2}\right)\right\}$
$=-\left(-\frac{1}{32}\right)=+\frac{1}{32}$
따라서 옳은 것은 ⑤이다.

05 분배법칙

| 66쪽 |

01 116	02 3120	03 1224	04 322	05 32
06 −7	07 320	08 80	09 6600	10 20
11 −6	12 ①			

01 $2\times(50+8)=2\times50+2\times8=100+16=116$

02 $16\times(200-5)=16\times200-16\times5=3200-80=3120$

03 $(300+6)\times4=300\times4+6\times4=1200+24=1224$

04 $(100-8)\times3.5=100\times3.5-8\times3.5=350-28=322$

05 $24\times\left(\frac{1}{2}+\frac{5}{6}\right)=24\times\frac{1}{2}+24\times\frac{5}{6}=12+20=32$

06 $\left(\frac{3}{4}-\frac{2}{5}\right)\times(-20)=\frac{3}{4}\times(-20)-\frac{2}{5}\times(-20)$
$=-15-(-8)=-7$

07 $16\times12+16\times8=16\times(12+8)=16\times20=320$

08 $0.8\times115-0.8\times15=0.8\times(115-15)=0.8\times100=80$

09 $250\times33-50\times33=(250-50)\times33=200\times33=6600$

10 $\frac{4}{7}\times22+\frac{4}{7}\times13=\frac{4}{7}\times(22+13)=\frac{4}{7}\times35=20$

11 $14\times\left(-\frac{2}{3}\right)-5\times\left(-\frac{2}{3}\right)=(14-5)\times\left(-\frac{2}{3}\right)$
$=9\times\left(-\frac{2}{3}\right)=-6$

12 $a\times(b+c)=a\times b+a\times c=4+10=14$

06 두 수의 나눗셈

| 67~69쪽 |

01 +4	02 +2	03 +3	04 +5	05 +3
06 +6	07 +3	08 +7	09 +4	10 +4
11 +3	12 +4	13 +12	14 +6	15 +5
16 +4	17 +0.3	18 +0.2	19 +0.5	20 +6
21 +41	22 +0.5	23 +3.1	24 +3	25 +4
26 −3	27 −2	28 −3	29 −7	30 −9
31 −8	32 −5	33 −13	34 −10	35 −3
36 −13	37 −4	38 −5	39 −5	40 −3
41 −9	42 −10	43 −12	44 −5	45 −25
46 −0.3	47 −1.4	48 −6	49 −2.2	50 −1.4
51 −14	52 −4	53 ④		

01 $(+8)\div(+2)=+(8\div2)=+4$

02 $(+10)\div(+5)=+(10\div5)=+2$

03 $(+12)\div(+4)=+(12\div4)=+3$

04 $(+15)\div(+3)=+(15\div3)=+5$

05 $(+18)\div(+6)=+(18\div6)=+3$

06 $(+48)\div(+8)=+(48\div8)=+6$

07 $(+51)\div(+17)=+(51\div17)=+3$

08 $(-14)\div(-2)=+(14\div2)=+7$

09 $(-16)\div(-4)=+(16\div4)=+4$

10 $(-20)\div(-5)=+(20\div5)=+4$

11 $(-24)\div(-8)=+(24\div8)=+3$

12 $(-36)\div(-9)=+(36\div9)=+4$

13 $(-60)\div(-5)=+(60\div5)=+12$

14 $(-72)\div(-12)=+(72\div12)=+6$

15 $(-65)\div(-13)=+(65\div13)=+5$

16 $(-100)\div(-25)=+(100\div25)=+4$

17 $(+0.6)\div(+2)=+(0.6\div2)=+0.3$

18 $(+1.2)\div(+6)=+(1.2\div6)=+0.2$

19 $(+2.5)\div(+5)=+(2.5\div5)=+0.5$

20 $(+7.2)\div(+1.2)=+(7.2\div1.2)=+6$

21 $(+28.7)\div(+0.7)=+(28.7\div0.7)=+41$

22 $(-1.5)\div(-3)=+(1.5\div3)=+0.5$

23 $(-9.3)\div(-3)=+(9.3\div3)=+3.1$

24 $(-2.7)\div(-0.9)=+(2.7\div0.9)=+3$

25 $(-5.2)\div(-1.3)=+(5.2\div1.3)=+4$

26 $(+9)\div(-3)=-(9\div3)=-3$

27 $(+10)\div(-5)=-(10\div5)=-2$

28 $(+21)\div(-7)=-(21\div7)=-3$

29 $(+56)\div(-8)=-(56\div8)=-7$

30 $(+81)\div(-9)=-(81\div9)=-9$

31 $(+40)\div(-5)=-(40\div5)=-8$

32 $(+70)\div(-14)=-(70\div14)=-5$

33 $(+78)\div(-6)=-(78\div6)=-13$

34 $(+100)\div(-10)=-(100\div10)=-10$

35 $(-15)\div(+5)=-(15\div5)=-3$

36 $(-26)\div(+2)=-(26\div2)=-13$

37 $(-32)\div(+8)=-(32\div8)=-4$

38 $(-45)\div(+9)=-(45\div9)=-5$

39 $(-60)\div(+12)=-(60\div12)=-5$

40 $(-48)\div(+16)=-(48\div16)=-3$

41 $(-54)\div(+6)=-(54\div6)=-9$

42 $(-90)\div(+9)=-(90\div9)=-10$

43 $(-96)\div(+8)=-(96\div8)=-12$

44 $(-80)\div(+16)=-(80\div16)=-5$

45 $(-125)\div(+5)=-(125\div5)=-25$

46 $(+1.8)\div(-6)=-(1.8\div6)=-0.3$

47 $(+4.2)\div(-3)=-(4.2\div3)=-1.4$

48 $(+3.6)\div(-0.6)=-(3.6\div0.6)=-6$

49 $(-4.4)\div(+2)=-(4.4\div2)=-2.2$

50 $(-8.4)\div(+6)=-(8.4\div6)=-1.4$

51 $(-9.8)\div(+0.7)=-(9.8\div0.7)=-14$

52 $(-6.4)\div(+1.6)=-(6.4\div1.6)=-4$

53 ① $(+18)\div(-2)=-(18\div2)=-9$
② $(-25)\div(-5)=+(25\div5)=+5$
③ $(+66)+(+6)=+(66\div6)=+11$
④ $(-81)\div(+3)=-(81\div3)=-27$
⑤ $(-4.9)\div(+7)=-(4.9\div7)=-0.7$
따라서 계산 결과가 가장 작은 것은 ④이다.

07 역수를 이용한 수의 나눗셈 | 70쪽 |

01 -2	02 $\frac{7}{6}$	03 $\frac{1}{5}$	04 $-\frac{1}{10}$	05 $-\frac{5}{3}$
06 $-\frac{8}{3}$	07 $\frac{2}{3}$	08 $-\frac{5}{2}$	09 $-\frac{1}{8}$	10 $+\frac{3}{2}$
11 $-\frac{2}{27}$	12 $-\frac{5}{8}$	13 $-\frac{5}{9}$		

01 $-\frac{1}{2}$의 역수는 $-\frac{2}{1}=-2$

05 $-0.6=-\frac{3}{5}$이므로 -0.6의 역수는 $-\frac{5}{3}$

07 $1.5=\frac{3}{2}$이므로 1.5의 역수는 $\frac{2}{3}$

08 $(-3)\div\left(+\frac{6}{5}\right)=(-3)\times\left(+\frac{5}{6}\right)=-\left(3\times\frac{5}{6}\right)=-\frac{5}{2}$

09 $\left(+\frac{5}{4}\right)\div(-10)=\left(+\frac{5}{4}\right)\times\left(-\frac{1}{10}\right)$
$=-\left(\frac{5}{4}\times\frac{1}{10}\right)=-\frac{1}{8}$

10 $\left(-\frac{9}{8}\right)\div\left(-\frac{3}{4}\right)=\left(-\frac{9}{8}\right)\times\left(-\frac{4}{3}\right)=+\left(\frac{9}{8}\times\frac{4}{3}\right)=+\frac{3}{2}$

11 $\left(-\frac{5}{9}\right)\div\left(+\frac{15}{2}\right)=\left(-\frac{5}{9}\right)\times\left(+\frac{2}{15}\right)$
$=-\left(\frac{5}{9}\times\frac{2}{15}\right)=-\frac{2}{27}$

12 $\left(+\frac{1}{8}\right)\div(-0.2)=\left(+\frac{1}{8}\right)\div\left(-\frac{1}{5}\right)=\left(+\frac{1}{8}\right)\times(-5)$
$=-\left(\frac{1}{8}\times5\right)=-\frac{5}{8}$

13 $A=(-2)\div\left(+\frac{3}{2}\right)=(-2)\times\left(+\frac{2}{3}\right)=-\left(2\times\frac{2}{3}\right)=-\frac{4}{3}$
$B=(-3)\div\left(-\frac{5}{4}\right)=(-3)\times\left(-\frac{4}{5}\right)=+\left(3\times\frac{4}{5}\right)=+\frac{12}{5}$
$A\div B=\left(-\frac{4}{3}\right)\div\left(+\frac{12}{5}\right)=\left(-\frac{4}{3}\right)\times\left(+\frac{5}{12}\right)$
$=-\left(\frac{4}{3}\times\frac{5}{12}\right)=-\frac{5}{9}$

08 곱셈과 나눗셈의 혼합 계산 | 71~72쪽 |

01 $+20$	02 $+8$	03 -21	04 -33	05 $+4$
06 $+8$	07 $+20$	08 -16	09 $+12$	10 -28
11 -10	12 $-\frac{6}{5}$	13 $+\frac{4}{3}$	14 $+1$	15 $+\frac{9}{2}$
16 -20	17 $-\frac{9}{7}$	18 -5	19 -54	20 $-\frac{2}{5}$
21 -1	22 $-\frac{1}{16}$	23 $-\frac{3}{2}$	24 $-\frac{3}{2}$	25 -1

01 $(+8)\div(+2)\times(+5)=(+8)\times\left(+\frac{1}{2}\right)\times(+5)$
$=+\left(8\times\frac{1}{2}\times5\right)$
$=+20$

02 $(-12)\div(+3)\times(-2)=(-12)\times\left(+\frac{1}{3}\right)\times(-2)$
$=+\left(12\times\frac{1}{3}\times2\right)$
$=+8$

03 $(+18)\div(-6)\times(+7)=(+18)\times\left(-\frac{1}{6}\right)\times(+7)$
$=-\left(18\times\frac{1}{6}\times7\right)$
$=-21$

04 $(-9)\times(-11)\div(-3)=(-9)\times(-11)\times\left(-\frac{1}{3}\right)$

$=-\left(9\times11\times\frac{1}{3}\right)$

$=-33$

05 $(-10)\div(-15)\times(+6)=(-10)\times\left(-\frac{1}{15}\right)\times(+6)$

$=+\left(10\times\frac{1}{15}\times6\right)$

$=+4$

06 $(-20)\div(-5)\times(+2)=(-20)\times\left(-\frac{1}{5}\right)\times(+2)$

$=+\left(20\times\frac{1}{5}\times2\right)$

$=+8$

07 $(-32)\times(-5)\div(+8)=(-32)\times(-5)\times\left(+\frac{1}{8}\right)$

$=+\left(32\times5\times\frac{1}{8}\right)$

$=+20$

08 $(-28)\times(-4)\div(-7)=(-28)\times(-4)\times\left(-\frac{1}{7}\right)$

$=-\left(28\times4\times\frac{1}{7}\right)$

$=-16$

09 $(-36)\div(-6)\times(+2)=(-36)\times\left(-\frac{1}{6}\right)\times(+2)$

$=+\left(36\times\frac{1}{6}\times2\right)$

$=+12$

10 $(+21)\times(-2)^2\div(-3)=(+21)\times(+4)\div(-3)$

$=(+21)\times(+4)\times\left(-\frac{1}{3}\right)$

$=-\left(21\times4\times\frac{1}{3}\right)$

$=-28$

11 $(+45)\div(+3)^3\times(-6)=(+45)\div(+27)\times(-6)$

$=(+45)\times\left(+\frac{1}{27}\right)\times(-6)$

$=-\left(45\times\frac{1}{27}\times6\right)$

$=-10$

12 $(-4)^2\div(-12)\times(-9)\div(-10)$

$=(+16)\div(-12)\times(-9)\div(-10)$

$=(+16)\times\left(-\frac{1}{12}\right)\times(-9)\times\left(-\frac{1}{10}\right)$

$=-\left(16\times\frac{1}{12}\times9\times\frac{1}{10}\right)$

$=-\frac{6}{5}$

13 $(+10)\times\left(+\frac{2}{5}\right)\div(+3)=(+10)\times\left(+\frac{2}{5}\right)\times\left(+\frac{1}{3}\right)$

$=+\left(10\times\frac{2}{5}\times\frac{1}{3}\right)$

$=+\frac{4}{3}$

14 $\left(-\frac{3}{4}\right)\div(+6)\times(-8)=\left(-\frac{3}{4}\right)\times\left(+\frac{1}{6}\right)\times(-8)$

$=+\left(\frac{3}{4}\times\frac{1}{6}\times8\right)$

$=+1$

15 $\left(+\frac{1}{2}\right)\times(-6)\div\left(-\frac{2}{3}\right)=\left(+\frac{1}{2}\right)\times(-6)\times\left(-\frac{3}{2}\right)$

$=+\left(\frac{1}{2}\times6\times\frac{3}{2}\right)$

$=+\frac{9}{2}$

16 $\left(-\frac{12}{7}\right)\div\left(+\frac{6}{5}\right)\times(+14)=\left(-\frac{12}{7}\right)\times\left(+\frac{5}{6}\right)\times(+14)$

$=-\left(\frac{12}{7}\times\frac{5}{6}\times14\right)$

$=-20$

17 $\left(-\frac{5}{7}\right)\times(+6)\div\left(+\frac{10}{3}\right)=\left(-\frac{5}{7}\right)\times(+6)\times\left(+\frac{3}{10}\right)$

$=-\left(\frac{5}{7}\times6\times\frac{3}{10}\right)$

$=-\frac{9}{7}$

18 $\left(+\frac{3}{7}\right)\div\left(+\frac{6}{35}\right)\times(-2)=\left(+\frac{3}{7}\right)\times\left(+\frac{35}{6}\right)\times(-2)$

$=-\left(\frac{3}{7}\times\frac{35}{6}\times2\right)$

$=-5$

19 $\left(+\frac{8}{7}\right)\times(-21)\div\left(+\frac{4}{9}\right)=\left(+\frac{8}{7}\right)\times(-21)\times\left(+\frac{9}{4}\right)$

$=-\left(\frac{8}{7}\times21\times\frac{9}{4}\right)$

$=-54$

20 $\left(-\frac{5}{3}\right)\times\left(-\frac{1}{10}\right)\div\left(-\frac{5}{12}\right)=\left(-\frac{5}{3}\right)\times\left(-\frac{1}{10}\right)\times\left(-\frac{12}{5}\right)$

$=-\left(\frac{5}{3}\times\frac{1}{10}\times\frac{12}{5}\right)$

$=-\frac{2}{5}$

21 $\left(+\frac{3}{2}\right)\div\left(+\frac{5}{6}\right)\times\left(-\frac{5}{9}\right)$

$=\left(+\frac{3}{2}\right)\times\left(+\frac{6}{5}\right)\times\left(-\frac{5}{9}\right)$

$=-\left(\frac{3}{2}\times\frac{6}{5}\times\frac{5}{9}\right)$

$=-1$

22 $\left(-\frac{7}{8}\right)\div\left(+\frac{7}{18}\right)\times\left(-\frac{1}{6}\right)^2$

$=\left(-\frac{7}{8}\right)\div\left(+\frac{7}{18}\right)\times\left(+\frac{1}{36}\right)$

$=\left(-\frac{7}{8}\right)\times\left(+\frac{18}{7}\right)\times\left(+\frac{1}{36}\right)$

$=-\left(\frac{7}{8}\times\frac{18}{7}\times\frac{1}{36}\right)$

$=-\frac{1}{16}$

23 $\left(-\frac{1}{2}\right)^3\times(-16)\div\left(-\frac{4}{3}\right)$

$=\left(-\frac{1}{8}\right)\times(-16)\div\left(-\frac{4}{3}\right)$

$=\left(-\frac{1}{8}\right)\times(-16)\times\left(-\frac{3}{4}\right)$

$=-\left(\frac{1}{8}\times16\times\frac{3}{4}\right)$

$=-\frac{3}{2}$

24 $\left(+\frac{3}{5}\right)\times(+10)\div\left(-\frac{1}{3}\right)\div(+12)$

$=\left(+\frac{3}{5}\right)\times(+10)\times(-3)\times\left(+\frac{1}{12}\right)$

$=-\left(\frac{3}{5}\times10\times3\times\frac{1}{12}\right)$

$=-\frac{3}{2}$

25 $\left(+\frac{1}{2}\right)\times\left(+\frac{4}{3}\right)\div(-6)\times(-3)^2$

$=\left(+\frac{1}{2}\right)\times\left(+\frac{4}{3}\right)\div(-6)\times(+9)$

$=\left(+\frac{1}{2}\right)\times\left(+\frac{4}{3}\right)\times\left(-\frac{1}{6}\right)\times(+9)$

$=-\left(\frac{1}{2}\times\frac{4}{3}\times\frac{1}{6}\times9\right)$

$=-1$

09 덧셈, 뺄셈, 곱셈, 나눗셈의 혼합 계산 | 73쪽 |

01 -10	**02** -27	**03** 6	**04** -12	**05** -24
06 -1	**07** 9	**08** 6	**09** 5	**10** -7
11 6	**12** -4			

01 $5+(-24)\times\frac{5}{8}=5+(-15)=-10$

02 $30\div\left(-\frac{6}{7}\right)-(-8)=30\times\left(-\frac{7}{6}\right)-(-8)$

$=(-35)-(-8)$

$=(-35)+8$

$=-27$

03 $2+(-6)^2\div9=2+36\div9=2+4=6$

04 $(-2)^3-\frac{2}{3}\times6=(-8)-\frac{2}{3}\times6=(-8)-4=-12$

05 $12\times\left(-\frac{5}{4}\right)-(-6)\div\left(-\frac{2}{3}\right)=(-15)-(-6)\times\left(-\frac{3}{2}\right)$

$=(-15)-9$

$=-24$

06 $\frac{7}{6}\times\left(-\frac{3}{14}\right)+\frac{3}{8}\div\left(-\frac{1}{2}\right)=\left(-\frac{1}{4}\right)+\frac{3}{8}\times(-2)$

$=\left(-\frac{1}{4}\right)+\left(-\frac{3}{4}\right)$

$=-1$

07 $\{2-(-6)\}\div4+7=(2+6)\div4+7$

$=8\div4+7$

$=2+7$

$=9$

08 $10-\{(-4)^2\times2+(-8)\}\div6=10-\{16\times2+(-8)\}\div6$

$=10-\{32+(-8)\}\div6$

$=10-24\div6$

$=10-4$

$=6$

09 $6-\left\{\frac{1}{4}-(12-7)\div(-5)^2\right\}\times20$

$=6-\left\{\frac{1}{4}-(12-7)\div25\right\}\times20$

$=6-\left(\frac{1}{4}-5\div25\right)\times20$

$=6-\left(\frac{1}{4}-5\times\frac{1}{25}\right)\times20$

$=6-\left(\frac{1}{4}-\frac{1}{5}\right)\times20$

$=6-\frac{1}{20}\times20$

$=6-1$

$=5$

10 $8-[7-\{2\times(4-9)+3\}+1]$
$=8-[7-\{2\times(-5)+3\}+1]$
$=8-[7-\{(-10)+3\}+1]$
$=8-\{7-(-7)+1\}$
$=8-(14+1)$
$=8-15$
$=-7$

11 $5-\left[\left\{(-3)^2-8\times\frac{3}{4}\right\}\div(-3)\right]$
$=5-\left\{\left(9-8\times\frac{3}{4}\right)\div(-3)\right\}$
$=5-\{(9-6)\div(-3)\}$
$=5-\{3\div(-3)\}$
$=5-(-1)$
$=6$

12 $(-25)\times\left(\frac{4}{5}\right)^2-9\div\left(-\frac{3}{4}\right)$
$=(-25)\times\frac{16}{25}-9\div\left(-\frac{3}{4}\right)$
$=(-16)-9\times\left(-\frac{4}{3}\right)$
$=(-16)-(-12)$
$=-4$

확인문제

| 74쪽 |

01 ④ **02** (가) 교환, (나) 결합, (다) $+30$, (라) $+210$
03 ③ **04** ② **05** ⑤ **06** ⑤

01 ① $(+3)\times(-6)=-(3\times6)=-18$
② $(-9)\times(+2)=-(9\times2)=-18$
③ $(+36)\times\left(-\frac{1}{2}\right)=-\left(36\times\frac{1}{2}\right)=-18$
④ $\left(+\frac{9}{5}\right)\times\left(-\frac{15}{2}\right)=-\left(\frac{9}{5}\times\frac{15}{2}\right)=-\frac{27}{2}$
⑤ $\left(-\frac{16}{5}\right)\times\left(+\frac{45}{8}\right)=-\left(\frac{16}{5}\times\frac{45}{8}\right)=-18$
따라서 계산 결과가 나머지 넷과 다른 하나는 ④이다.

02 $(-5)\times(+7)\times(-6)$
$=(+7)\times(-5)\times(-6)$ ← 곱셈의 교환법칙
$=(+7)\times\{(-5)\times(-6)\}$ ← 곱셈의 결합법칙
$=(+7)\times(+30)$
$=+(7\times30)$
$=+210$

03 $(-1)^{110}-(+1)^{200}+(-1)^{59}=(+1)-(+1)+(-1)$
$=-1$

04 $-1.2=-\frac{6}{5}$, 즉 $-\frac{6}{5}$의 역수는 $-\frac{5}{6}$이다.

05 ① $(+35)\div(-7)=-(35\div7)=-5$
② $(-2.4)\div(+4)=-(2.4\div4)=-0.6$
③ $(-8)\div\left(-\frac{2}{3}\right)$
$=(-8)\times\left(-\frac{3}{2}\right)$
$=+\left(8\times\frac{3}{2}\right)$
$=+12$
④ $\left(+\frac{4}{7}\right)\div\left(-\frac{5}{21}\right)$
$=\left(+\frac{4}{7}\right)\times\left(-\frac{21}{5}\right)$
$=-\left(\frac{4}{7}\times\frac{21}{5}\right)$
$=-\frac{12}{5}$
⑤ $\left(-\frac{5}{9}\right)\div\left(-\frac{10}{3}\right)\times(-6)$
$=\left(-\frac{5}{9}\right)\times\left(-\frac{3}{10}\right)\times(-6)$
$=-\left(\frac{5}{9}\times\frac{3}{10}\times6\right)$
$=-1$
따라서 계산 결과가 옳지 않은 것은 ⑤이다.

06 $18\div\left(-\frac{3}{4}\right)^2-(-2)\times\left\{\frac{5}{2}+(-1)^4\right\}$
$=18\div\frac{9}{16}-(-2)\times\left(\frac{5}{2}+1\right)$
$=18\div\frac{9}{16}-(-2)\times\frac{7}{2}$
$=18\times\frac{16}{9}-(-2)\times\frac{7}{2}$
$=32-(-7)$
$=32+7$
$=39$

3 문자와 식

1. 문자의 사용과 식의 값

01 문자를 사용한 식 (1)

| 76쪽 |

01 $(700\times x)$원　02 $(9\times y)$원
03 $(1500\times a+600\times b)$원　04 $(10000-1200\times x)$원
05 $(5000-8\times y)$원　06 $10\times a+5$
07 $200+10\times x+y$　08 $100\times a+10\times b+c$
09 $(a+3)$살　10 $(x-5)$살

03 1500원짜리 가위 a개의 가격: $1500\times a$(원)
600원짜리 풀 b개의 가격: $600\times b$(원)
따라서 구하는 물건의 가격은 $1500\times a+600\times b$(원)

04 (거스름돈)=(지불한 금액)−(물건의 가격)이므로 거스름돈은 $10000-1200\times x$(원)

05 (거스름돈)=(지불한 금액)−(물건의 가격)이므로 거스름돈은 $5000-8\times y$(원)

06 십의 자리 숫자 a가 나타내는 값은 $10\times a$이므로 구하는 두 자리의 자연수는 $10\times a+5$

07 백의 자리 숫자 2가 나타내는 값은 200,
십의 자리 숫자 x가 나타내는 값은 $10\times x$,
일의 자리 숫자 y가 나타내는 값은 y이므로
구하는 세 자리의 자연수는 $200+10\times x+y$

08 백의 자리 숫자 a가 나타내는 값은 $100\times a$,
십의 자리 숫자 b가 나타내는 값은 $10\times b$,
일의 자리 숫자 c가 나타내는 값은 c이므로
구하는 세 자리의 자연수는 $100\times a+10\times b+c$

02 곱셈 기호의 생략

| 77쪽 |

01 $7x$　02 $-10y$　03 $0.3a$
04 $\frac{1}{2}x$ 또는 $\frac{x}{2}$　05 $-b$　06 $5x^2$　07 $-6mn^2$
08 $5(2a-b)$　09 $\frac{3}{7}(x-y)$　10 $4a(a+b)$　11 $-3a+5b$
12 $6p-q$　13 x^2-2xy

06 $x\times x\times 5=5\times x\times x=5\times x^2=5x^2$

07 $n\times m\times n\times(-6)$
$=(-6)\times m\times n\times n$
$=(-6)\times m\times n^2=-6mn^2$

10 $(-4)\times(a+b)\times(-a)$
$=(-4)\times(-a)\times(a+b)$
$=4a(a+b)$

13 $x\times x+x\times y\times(-2)$
$=x\times x+(-2)\times x\times y$
$=x^2-2xy$

03 나눗셈 기호의 생략

| 78~79쪽 |

01 $\frac{5}{x}$　02 $-\frac{a}{9}$　03 $10x$　04 $-\frac{4a}{b}$
05 $\frac{8}{xy}$　06 $-\frac{x}{6y}$　07 $\frac{y}{3x}$　08 $-\frac{x}{4y}$
09 $\frac{a+b}{3}$　10 $\frac{6}{5m+n}$　11 $-\frac{1}{2a-3b}$
12 $\frac{x+y}{a-b}$　13 $\frac{a+b}{7x}$　14 $\frac{8a}{b}$　15 $-\frac{3m}{n}$
16 $\frac{xy}{z}$　17 $\frac{a^2}{2b}$　18 $\frac{a}{7b}$　19 $\frac{2x}{yz}$
20 $\frac{xz}{y}$　21 $\frac{4a^2}{b}$　22 $ab+\frac{5}{a}$　23 $\frac{8}{m}-n^2$
24 $-\frac{x}{y}+4x$　25 $-\frac{1}{x}+2y^2$　26 $3a-\frac{7b}{a}$　27 $x^2+\frac{x}{5y}$
28 ④

02 $a\div(-9)=a\times\left(-\frac{1}{9}\right)=-\frac{a}{9}$

03 $x\div\frac{1}{10}=x\times 10=10x$

04 $4a\div(-b)=4a\times\left(-\frac{1}{b}\right)=-\frac{4a}{b}$

05 $8\div x\div y=8\times\frac{1}{x}\times\frac{1}{y}=\frac{8}{xy}$

06 $(-x)\div y\div 6=(-x)\times\frac{1}{y}\times\frac{1}{6}=-\frac{x}{6y}$

07 $\frac{1}{3}\div x\div\frac{1}{y}=\frac{1}{3}\times\frac{1}{x}\times y=\frac{y}{3x}$

08 $x\div 4\div(-y)=x\times\frac{1}{4}\times\left(-\frac{1}{y}\right)=-\frac{x}{4y}$

09 $(a+b)\div 3=(a+b)\times\frac{1}{3}=\frac{a+b}{3}$

10 $6\div(5m+n)=6\times\frac{1}{5m+n}=\frac{6}{5m+n}$

11 $(-1)\div(2a-3b)=(-1)\times\frac{1}{2a-3b}=-\frac{1}{2a-3b}$

12 $(x+y)\div(a-b)=(x+y)\times\frac{1}{a-b}=\frac{x+y}{a-b}$

13 $(a+b)\div x\div 7=(a+b)\times\frac{1}{x}\times\frac{1}{7}=\frac{a+b}{7x}$

14 $a\div b\times 8=a\times\frac{1}{b}\times 8=\frac{8a}{b}$

15 $m\times(-3)\div n=m\times(-3)\times\frac{1}{n}=-\frac{3m}{n}$

16 $x\times y\div z=x\times y\times\frac{1}{z}=\frac{xy}{z}$

17 $a\times a\div 2\div b=a\times a\times\frac{1}{2}\times\frac{1}{b}=\frac{a^2}{2b}$

18 $a\div(b\times 7)=a\div 7b=a\times\frac{1}{7b}=\frac{a}{7b}$

19 $x\times 2\div(y\times z)=2x\div yz=2x\times\frac{1}{yz}=\frac{2x}{yz}$

20 $x\div\left(y\times\frac{1}{z}\right)=x\div\frac{y}{z}=x\times\frac{z}{y}=\frac{xz}{y}$

21 $a\times a\div(b\div 4)=a\times a\div\left(b\times\frac{1}{4}\right)=a\times a\div\frac{b}{4}$
$=a\times a\times\frac{4}{b}=\frac{4a^2}{b}$

22 $a\times b+5\div a=a\times b+5\times\frac{1}{a}=ab+\frac{5}{a}$

23 $8\div m-n\times n=8\times\frac{1}{m}-n^2=\frac{8}{m}-n^2$

24 $x\times(-1)\div y+4\times x=x\times(-1)\times\frac{1}{y}+4x=-\frac{x}{y}+4x$

25 $-1\div x+2\times y\times y=-1\times\frac{1}{x}+2y^2=-\frac{1}{x}+2y^2$

26 $a\div\frac{1}{3}-7\times b\div a=a\times 3-7\times b\times\frac{1}{a}=3a-\frac{7b}{a}$

27 $x\times x+x\div y\div 5=x^2+x\times\frac{1}{y}\times\frac{1}{5}=x^2+\frac{x}{5y}$

28 ① $x\div\frac{1}{5}\times y=x\times 5\times y=5xy$
② $x\div\left(\frac{1}{y}\div z\right)=x\div\left(\frac{1}{y}\times\frac{1}{z}\right)=x\div\frac{1}{yz}=xyz$
③ $x\div(x+y)\div 2=x\times\frac{1}{x+y}\times\frac{1}{2}=\frac{x}{2(x+y)}$
④ $(x-4)\div y\div x=(x-4)\times\frac{1}{y}\times\frac{1}{x}=\frac{x-4}{xy}$
⑤ $(-1)\div(x\div y)\times y=(-1)\div\left(x\times\frac{1}{y}\right)\times y$
$=(-1)\div\frac{x}{y}\times y$
$=(-1)\times\frac{y}{x}\times y=-\frac{y^2}{x}$
따라서 바르게 나타낸 것은 ④이다.

04 문자를 사용한 식 (2)

| 80~82쪽 |

01 $\frac{3}{2}x$ cm²	02 $5x$ cm²	03 $2(x+y)$ cm
04 a^2 cm²	05 ah cm²	06 $\frac{5(a+b)}{2}$ cm²
07 $80x$ km	08 $100a$ km	09 $4x$ km
10 $2y$ km	11 $\frac{x}{3}$ km	12 $\frac{a}{2}$ km
13 시속 $\frac{x}{5}$ km	14 시속 $\frac{y}{3}$ km	15 시속 $\frac{90}{x}$ km
16 시속 $\frac{120}{t}$ km	17 $\frac{x}{70}$시간	18 $\frac{a}{130}$시간
19 $\frac{15}{x}$시간	20 $\frac{50}{y}$시간	21 $2a$ %
22 $\frac{3000}{x}$ %	23 $\frac{500}{y}$ %	24 $5x$ g
25 $3y$ g	26 $\frac{a}{10}$ g	27 $\frac{3}{100}x$원
28 $\frac{a}{20}$ g	29 $\frac{x}{5}$ cm	30 $10y$원
31 $(3000-30x)$원	32 $(2000-20a)$원	33 $\frac{4}{5}x$원

01 (삼각형의 넓이)$=\frac{1}{2}\times$(밑변의 길이)$\times$(높이)
$=\frac{1}{2}\times x\times 3=\frac{3}{2}x$ (cm²)

02 (직사각형의 넓이)=(가로의 길이)×(세로의 길이)
$=x\times 5=5x$ (cm²)

03 (직사각형의 둘레의 길이)
=2×{(가로의 길이)+(세로의 길이)}
$=2\times(x+y)=2(x+y)$ (cm)

04 (정사각형의 넓이)=(한 변의 길이)×(한 변의 길이)
$=a\times a=a^2$ (cm²)

05 (평행사변형의 넓이)=(밑변의 길이)×(높이)
$=a\times h=ah$ (cm²)

06 (사다리꼴의 넓이)
$=\frac{1}{2}\times$ {(윗변의 길이)+(아랫변의 길이)} × (높이)
$=\frac{1}{2}\times(a+b)\times 5=\frac{5(a+b)}{2}$ (cm²)

07 (거리)=(속력)×(시간)$=80\times x=80x$ (km)

08 (거리)=(속력)×(시간)$=100\times a=100a$ (km)

09 (거리)=(속력)×(시간)$=x\times 4=4x$ (km)

10 (거리)=(속력)×(시간)$=y\times 2=2y$ (km)

11 20분$=\frac{20}{60}$시간$=\frac{1}{3}$시간이므로

(거리)=(속력)×(시간)$=x\times\frac{1}{3}=\frac{x}{3}$ (km)

12 30분$=\frac{30}{60}$시간$=\frac{1}{2}$시간이므로

(거리)=(속력)×(시간)$=a\times\frac{1}{2}=\frac{a}{2}$ (km)

13 (속력)$=\frac{(거리)}{(시간)}=\frac{x}{5}$이므로 시속 $\frac{x}{5}$ km

14 (속력)$=\frac{(거리)}{(시간)}=\frac{y}{3}$이므로 시속 $\frac{y}{3}$ km

15 (속력)$=\frac{(거리)}{(시간)}=\frac{90}{x}$이므로 시속 $\frac{90}{x}$ km

16 (속력)$=\frac{(거리)}{(시간)}=\frac{120}{t}$이므로 시속 $\frac{120}{t}$ km

17 (시간)$=\frac{(거리)}{(속력)}=\frac{x}{70}$이므로 $\frac{x}{70}$시간

18 (시간)$=\frac{(거리)}{(속력)}=\frac{a}{130}$이므로 $\frac{a}{130}$시간

19 (시간)$=\frac{(거리)}{(속력)}=\frac{15}{x}$이므로 $\frac{15}{x}$시간

20 (시간)$=\frac{(거리)}{(속력)}=\frac{50}{y}$이므로 $\frac{50}{y}$시간

21 (설탕물의 농도)$=\frac{(설탕의\ 양)}{(설탕물의\ 양)}\times100$

$=\frac{a}{50}\times100=2a$ (%)

22 (소금물의 농도)$=\frac{(소금의\ 양)}{(소금물의\ 양)}\times100$

$=\frac{30}{x}\times100=\frac{3000}{x}$ (%)

23 (설탕물의 농도)$=\frac{(설탕의\ 양)}{(설탕물의\ 양)}\times100$

$=\frac{5}{y}\times100=\frac{500}{y}$ (%)

24 (소금의 양)$=\frac{(소금물의\ 농도)}{100}\times$(소금물의 양)

$=\frac{x}{100}\times500=5x$ (g)

25 (설탕의 양)$=\frac{(설탕물의\ 농도)}{100}\times$(설탕물의 양)

$=\frac{y}{100}\times300=3y$ (g)

26 (설탕의 양)$=\frac{(설탕물의\ 농도)}{100}\times$(설탕물의 양)

$=\frac{10}{100}\times a=\frac{a}{10}$ (g)

27 $x\times\frac{3}{100}=\frac{3}{100}x$ (원)

28 $a\times\frac{5}{100}=\frac{a}{20}$ (g)

29 $20\times\frac{x}{100}=\frac{x}{5}$ (cm)

30 $1000\times\frac{y}{100}=10y$ (원)

31 할인한 금액은 $3000\times\frac{x}{100}=30x$ (원)

따라서 판매 가격은

(정가)−(할인한 금액)$=3000-30x$ (원)이다.

32 할인한 금액은 $2000\times\frac{a}{100}=20a$ (원)

따라서 지불한 금액은

(정가)−(할인한 금액)$=2000-20a$ (원)이다.

33 할인한 금액은 $x\times\frac{20}{100}=\frac{x}{5}$ (원)

따라서 지불한 금액은

(정가)−(할인한 금액)$=x-\frac{x}{5}=\frac{4}{5}x$ (원)이다.

05 식의 값

| 83~85쪽 |

01 5	02 −21	03 11	04 5	05 13
06 −4	07 7	08 −10	09 2	10 −5
11 5	12 2	13 6	14 11	15 11
16 −16	17 6	18 2	19 36	20 25
21 12	22 0	23 1	24 11	25 1
26 $\frac{1}{4}$	27 0	28 1	29 2	30 $-\frac{4}{9}$
31 3	32 19	33 0	34 $-\frac{27}{2}$	35 6
36 2	37 −6	38 4	39 −2	40 $\frac{10}{9}$
41 2	42 −6	43 9	44 2	45 $-\frac{3}{8}$
46 −83	47 ②			

01 $3x-4=3\times3-4=9-4=5$

02 $-7x=-7\times3=-21$

03 $8+x=8+3=11$

04 $11-2x=11-2\times3=11-6=5$

05 $4x+1=4\times3+1=12+1=13$

06 $-x-1=-3-1=-4$

07 $\frac{2}{3}x+5=\frac{2}{3}\times3+5=2+5=7$

08 $5a=5\times(-2)=-10$

09 $-a=-(-2)=2$

10 $3a+1=3\times(-2)+1=-6+1=-5$

11 $9+2a=9+2\times(-2)=9-4=5$

12 $-10-6a=-10-6\times(-2)=-10+12=2$

13 $\frac{1}{2}a+7=\frac{1}{2}\times(-2)+7=-1+7=6$

14 $8-\frac{3}{2}a=8-\frac{3}{2}\times(-2)=8+3=11$

15 $x^2+7=2^2+7=4+7=11$

16 $-4x^2=-4\times2^2=-4\times4=-16$

17 $(-x)^2+x=(-2)^2+2=4+2=6$

18 $(-x)^3+5x=(-2)^3+5\times2$
$=-8+10=2$

19 $4y^2=4\times(-3)^2=4\times9=36$

20 $(-y)^3-2=3^3-2=27-2=25$

21 $-y^3+5y=-(-3)^3+5\times(-3)=27-15=12$

22 $9-(-y)^2=9-3^2=9-9=0$

23 $4a-1=4\times\frac{1}{2}-1=2-1=1$

24 $15-8a=15-8\times\frac{1}{2}=15-4=11$

25 $\frac{3}{2}a+\frac{1}{4}=\frac{3}{2}\times\frac{1}{2}+\frac{1}{4}=\frac{3}{4}+\frac{1}{4}=1$

26 $(-a)^2=\left(-\frac{1}{2}\right)^2=\frac{1}{4}$

27 $-2a^2+a=-2\times\left(\frac{1}{2}\right)^2+\frac{1}{2}=-2\times\frac{1}{4}+\frac{1}{2}$
$=-\frac{1}{2}+\frac{1}{2}=0$

28 $6m+5=6\times\left(-\frac{2}{3}\right)+5=-4+5=1$

29 $-\frac{3}{4}m+\frac{3}{2}=-\frac{3}{4}\times\left(-\frac{2}{3}\right)+\frac{3}{2}=\frac{1}{2}+\frac{3}{2}=2$

30 $-m^2=-\left(-\frac{2}{3}\right)^2=-\frac{4}{9}$

31 $7-9m^2=7-9\times\left(-\frac{2}{3}\right)^2=7-9\times\frac{4}{9}=7-4=3$

32 $-2x+5y=-2\times(-2)+5\times3=4+15=19$

33 $\frac{x}{2}+\frac{y}{3}=-\frac{2}{2}+\frac{3}{3}=-1+1=0$

34 $\frac{3}{4}xy^2=\frac{3}{4}\times(-2)\times3^2=\frac{3}{4}\times(-2)\times9=-\frac{27}{2}$

35 $1-x^2+3y=1-(-2)^2+3\times3=1-4+9=6$

36 $\frac{3}{2}x-y=\frac{3}{2}\times\frac{1}{3}-\left(-\frac{3}{2}\right)=\frac{1}{2}+\frac{3}{2}=2$

37 $12xy=12\times\frac{1}{3}\times\left(-\frac{3}{2}\right)=-6$

38 $9x^2-2y=9\times\left(\frac{1}{3}\right)^2-2\times\left(-\frac{3}{2}\right)=1+3=4$

39 $4xy^2-5=4\times\frac{1}{3}\times\left(-\frac{3}{2}\right)^2-5$
$=4\times\frac{1}{3}\times\frac{9}{4}-5=3-5=-2$

40 $(-x)^2-2xy=\left(-\frac{1}{3}\right)^2-2\times\frac{1}{3}\times\left(-\frac{3}{2}\right)$
$=\frac{1}{9}+1=\frac{10}{9}$

41 $\frac{1}{x}=1\div x=1\div\frac{1}{2}=1\times2=2$

42 $-\frac{3}{x}=-3\div x=-3\div\frac{1}{2}=-3\times2=-6$

43 $5+\frac{2}{x}=5+2\div x=5+2\div\frac{1}{2}$
$=5+2\times2=5+4=9$

44 $\frac{2}{a}+\frac{4}{b}=2\div a+4\div b$
$=2\div\frac{1}{4}+4\div\left(-\frac{2}{3}\right)$
$=2\times4+4\times\left(-\frac{3}{2}\right)$
$=8-6=2$

45 $\frac{a}{b}=a\div b=\frac{1}{4}\div\left(-\frac{2}{3}\right)=\frac{1}{4}\times\left(-\frac{3}{2}\right)=-\frac{3}{8}$

46 $-\frac{5}{a^2}+\frac{2}{b}=-5\div a^2+2\div b$

$=-5\div\left(\frac{1}{4}\right)^2+2\div\left(-\frac{2}{3}\right)$

$=-5\div\frac{1}{16}+2\div\left(-\frac{2}{3}\right)$

$=-5\times16+2\times\left(-\frac{3}{2}\right)$

$=-80-3=-83$

47 ① $a+8b=-1+8\times\frac{1}{2}=-1+4=3$

② $-6a-4b=-6\times(-1)-4\times\frac{1}{2}=6-2=4$

③ $10ab=10\times(-1)\times\frac{1}{2}=-5$

④ $\frac{1}{a^2}+2b=\frac{1}{(-1)^2}+2\times\frac{1}{2}=1+1=2$

⑤ $-2a^2+\frac{1}{b}=-2a^2+1\div b$

$=-2\times(-1)^2+1\div\frac{1}{2}$

$=-2+1\times2$

$=-2+2=0$

따라서 가장 큰 값은 ②이다.

확인문제

| 86쪽 |

01 ③ **02** ②, ⑤ **03** ④ **04** ④ **05** ① **06** ⑤

01 ③ 십의 자리 숫자가 x, 일의 자리 숫자가 y인 두 자리의 자연수는 $10x+y$이다.

02 ① $a\times a\times a=a^3$

③ $x\times(-8)\times y=-8xy$

④ $a\times(-1)\times b\times2=-2ab$

따라서 곱셈 기호를 생략하여 바르게 나타낸 것은 ②, ⑤이다.

03 $a\div b\times c=a\times\frac{1}{b}\times c=\frac{ac}{b}$

① $a\times b\div c=a\times b\times\frac{1}{c}=\frac{ab}{c}$

② $a\times(b\div c)=a\times\left(b\times\frac{1}{c}\right)=a\times\frac{b}{c}=\frac{ab}{c}$

③ $a\times b\times c=abc$

④ $a\div(b\div c)=a\div\left(b\times\frac{1}{c}\right)=a\div\frac{b}{c}=a\times\frac{c}{b}=\frac{ac}{b}$

⑤ $(a\times b)\div c=(a\times b)\times\frac{1}{c}=\frac{ab}{c}$

따라서 $a\div b\times c$와 같은 것은 ④이다.

04 ㄱ. (평행사변형의 넓이)=(밑변의 길이)×(높이)

$=x\times h=xh\ (\text{cm}^2)$

ㄴ. (거리)=(속력)×(시간)$=a\times3=3a\ (\text{km})$

ㄷ. (소금의 양)$=\frac{(\text{소금물의 농도})}{100}\times$(소금물의 양)

$=\frac{x}{100}\times200=2x\ (\text{g})$

ㄹ. $a\times\frac{9}{100}=\frac{9a}{100}$ (명)

따라서 옳은 것을 모두 고르면 ㄴ, ㄷ이다.

05 ① $x^3=(-3)^3=-27$

② $3x^2=3\times(-3)^2=3\times9=27$

③ $-9x=-9\times(-3)=27$

④ $(-x)^3=\{-(-3)\}^3=3^3=27$

⑤ $-\frac{81}{x}=-\frac{81}{-3}=27$

따라서 나머지 넷과 다른 하나는 ①이다.

06 $3a-10b+2=3\times2-10\times\left(-\frac{1}{5}\right)+2$

$=6+2+2=10$

2. 일차식과 그 계산

01 다항식

| 87쪽 |

01 (1) $5x$, $-3y$, -8 (2) -8 (3) 5 (4) -3
02 (1) $-x$, $6y$, 7 (2) 7 (3) -1 (4) 6
03 (1) $\frac{1}{3}x$, $-\frac{2}{5}y$, -10 (2) -10 (3) $\frac{1}{3}$ (4) $-\frac{2}{5}$
04 × **05** ○ **06** ○ **07** × **08** ×
09 ○ **10** × **11** ○

04 $6x-1$의 항은 $6x$, -1로 2개이다.

07 $7x-3y$에서 항은 $7x$, $-3y$이다.

08 $x+3$은 항이 2개이므로 다항식이다.

10 $\frac{2}{3}x+y+\frac{1}{4}$은 항이 3개이므로 다항식이다.

02 차수와 일차식

| 88쪽 |

01 1 **02** 2 **03** 1 **04** 2 **05** 2
06 3 **07** 2 **08** ○ **09** × **10** ×
11 ○ **12** × **13** ○ **14** ①

09 -8의 차수는 0이므로 일차식이 아니다.

10 $-y^3$의 차수는 3이므로 일차식이 아니다.

12 x^2+4x의 차수는 2이므로 일차식이 아니다.

14 ① $4x^2-\frac{3}{5}x-10$의 차수는 2이므로 일차식이 아니다.

03 단항식과 수의 곱셈과 나눗셈 | 89쪽 |

01 $24y$	02 $-12x$	03 $6a$	04 $-30x$	05 $22x$
06 $-8y$	07 $\frac{2}{3}a$	08 $6x$	09 $-2a$	10 $5y$
11 $9x$	12 $-6y$	13 $-3x$		

01 $8\times 3y=8\times 3\times y=24y$

02 $2x\times(-6)=2\times x\times(-6)=2\times(-6)\times x=-12x$

03 $\frac{2}{3}a\times 9=\frac{2}{3}\times a\times 9=\frac{2}{3}\times 9\times a=6a$

04 $\left(-\frac{6}{7}\right)\times 35x=\left(-\frac{6}{7}\right)\times 35\times x=-30x$

05 $(-2x)\times(-11)=(-2)\times x\times(-11)$
$=(-2)\times(-11)\times x=22x$

06 $\frac{1}{2}\times(-16y)=\frac{1}{2}\times(-16)\times y=-8y$

07 $(-3a)\times\left(-\frac{2}{9}\right)=(-3)\times a\times\left(-\frac{2}{9}\right)$
$=(-3)\times\left(-\frac{2}{9}\right)\times a=\frac{2}{3}a$

08 $12x\div 2=12\times x\times\frac{1}{2}=12\times\frac{1}{2}\times x=6x$

09 $10a\div(-5)=10\times a\times\left(-\frac{1}{5}\right)$
$=10\times\left(-\frac{1}{5}\right)\times a=-2a$

10 $(-15y)\div(-3)=(-15)\times y\times\left(-\frac{1}{3}\right)$
$=(-15)\times\left(-\frac{1}{3}\right)\times y=5y$

11 $3x\div\frac{1}{3}=3\times x\times 3=3\times 3\times x=9x$

12 $8y\div\left(-\frac{4}{3}\right)=8\times y\times\left(-\frac{3}{4}\right)=8\times\left(-\frac{3}{4}\right)\times y=-6y$

13 $\frac{5}{4}x\div\left(-\frac{5}{12}\right)=\frac{5}{4}\times x\times\left(-\frac{12}{5}\right)$
$=\frac{5}{4}\times\left(-\frac{12}{5}\right)\times x=-3x$

04 일차식과 수의 곱셈과 나눗셈 | 90~91쪽 |

01 $4x-12$	02 $-14y+2$	03 $-6b+9$
04 $5a-7$	05 $10x+15$	06 $-9y+6$
07 $2x+10$	08 $21a-9$	09 $20y-5$
10 $-9x+72$	11 $2a-1$	12 $-9b+3$
13 $2a+1$	14 $9x-4$	15 $-2y+1$
16 $-5b-4$	17 $x-2$	18 $2a+4$
19 $12x+4$	20 $-10y+14$	21 $-18b+9$
22 $-12y+36$	23 $5a-1$	24 $10x+\frac{2}{3}$
25 $-\frac{2}{3}x+4$	26 $10y-12$	27 ②

01 $4(x-3)=4\times x-4\times 3=4x-12$

02 $2(-7y+1)=2\times(-7y)+2\times 1=-14y+2$

03 $-(6b-9)=(-1)\times 6b-(-1)\times 9=-6b+9$

04 $\frac{1}{2}(10a-14)=\frac{1}{2}\times 10a-\frac{1}{2}\times 14=5a-7$

05 $15\left(\frac{2}{3}x+1\right)=15\times\frac{2}{3}x+15\times 1=10x+15$

06 $-\frac{3}{4}(12y-8)=\left(-\frac{3}{4}\right)\times 12y-\left(-\frac{3}{4}\right)\times 8=-9y+6$

07 $(x+5)\times 2=x\times 2+5\times 2=2x+10$

08 $(7a-3)\times 3=7a\times 3-3\times 3=21a-9$

09 $(-4y+1)\times(-5)=(-4y)\times(-5)+1\times(-5)$
$=20y-5$

10 $(x-8)\times(-9)=x\times(-9)-8\times(-9)=-9x+72$

11 $(10a-5)\times\frac{1}{5}=10a\times\frac{1}{5}-5\times\frac{1}{5}=2a-1$

12 $(6b-2)\times\left(-\frac{3}{2}\right)=6b\times\left(-\frac{3}{2}\right)-2\times\left(-\frac{3}{2}\right)$
$=-9b+3$

13 $(6a+3)\div 3=(6a+3)\times\frac{1}{3}$
$=6a\times\frac{1}{3}+3\times\frac{1}{3}=2a+1$

14 $(18x-8)\div 2=(18x-8)\times\frac{1}{2}$
$=18x\times\frac{1}{2}-8\times\frac{1}{2}=9x-4$

15 $(-14y+7)\div 7=(-14y+7)\times\frac{1}{7}$
$=-14y\times\frac{1}{7}+7\times\frac{1}{7}=-2y+1$

16 $(20b+16)\div(-4)=(20b+16)\times\left(-\frac{1}{4}\right)$
$=20b\times\left(-\frac{1}{4}\right)+16\times\left(-\frac{1}{4}\right)$
$=-5b-4$

17 $(-5x+10)\div(-5)=(-5x+10)\times\left(-\frac{1}{5}\right)$
$=-5x\times\left(-\frac{1}{5}\right)+10\times\left(-\frac{1}{5}\right)$
$=x-2$

18 $(-12a-24)\div(-6)=(-12a-24)\times\left(-\frac{1}{6}\right)$
$=-12a\times\left(-\frac{1}{6}\right)-24\times\left(-\frac{1}{6}\right)$
$=2a+4$

19 $(9x+3)\div\frac{3}{4}=(9x+3)\times\frac{4}{3}$
$=9x\times\frac{4}{3}+3\times\frac{4}{3}=12x+4$

20 $(-5y+7)\div\frac{1}{2}=(-5y+7)\times2$
$=-5y\times2+7\times2=-10y+14$

21 $(12b-6)\div\left(-\frac{2}{3}\right)=(12b-6)\times\left(-\frac{3}{2}\right)$
$=12b\times\left(-\frac{3}{2}\right)-6\times\left(-\frac{3}{2}\right)$
$=-18b+9$

22 $(-10y+30)\div\frac{5}{6}=(-10y+30)\times\frac{6}{5}$
$=-10y\times\frac{6}{5}+30\times\frac{6}{5}$
$=-12y+36$

23 $\left(a-\frac{1}{5}\right)\div\frac{1}{5}=\left(a-\frac{1}{5}\right)\times5$
$=a\times5-\frac{1}{5}\times5=5a-1$

24 $\left(3x+\frac{1}{5}\right)\div\frac{3}{10}=\left(3x+\frac{1}{5}\right)\times\frac{10}{3}$
$=3x\times\frac{10}{3}+\frac{1}{5}\times\frac{10}{3}$
$=10x+\frac{2}{3}$

25 $\left(\frac{3}{8}x-\frac{9}{4}\right)\div\left(-\frac{9}{16}\right)=\left(\frac{3}{8}x-\frac{9}{4}\right)\times\left(-\frac{16}{9}\right)$
$=\frac{3}{8}x\times\left(-\frac{16}{9}\right)-\frac{9}{4}\times\left(-\frac{16}{9}\right)$
$=-\frac{2}{3}x+4$

26 $\left(-\frac{5}{9}y+\frac{2}{3}\right)\div\left(-\frac{1}{18}\right)=\left(-\frac{5}{9}y+\frac{2}{3}\right)\times(-18)$
$=-\frac{5}{9}y\times(-18)+\frac{2}{3}\times(-18)$
$=10y-12$

27 ② $(-x-1)\times(-3)=-x\times(-3)-1\times(-3)$
$=3x+3$

05 동류항

| 92~93쪽 |

01 ○	**02** ×	**03** ○	**04** ×
05 ×	**06** ○	**07** $2y$와 $5y$	**08** $3x$와 $4x$
09 a와 $-4a$와 $-7a$		**10** $4x$와 $-9x$, y와 $\frac{2}{3}y$	
11 $-y$와 $4y$	**12** -3과 $\frac{1}{5}$	**13** $-a^2$과 $\frac{1}{2}a^2$, $5a$와 $-9a$	
14 $5x^2$과 $2x^2$, $-10y^2$과 $\frac{4}{7}y^2$		**15** $4a$	**16** $3y$
17 $-7x$	**18** $14a$	**19** $-8b$	**20** $11x$
21 $-6b$	**22** $\frac{2}{3}a$	**23** $-\frac{8}{9}y$	**24** $5x+6$
25 $9y+4$	**26** $-5a+6$	**27** $\frac{9}{5}x-1$	**28** $3x-y$
29 $-5b+3$	**30** $\frac{6}{5}x+\frac{8}{5}$	**31** ⑤	

02 문자가 다르므로 동류항이 아니다.

03 상수항은 모두 동류항이다.

04 차수가 다르므로 동류항이 아니다.

05 문자가 다르므로 동류항이 아니다.

15 $a+3a=(1+3)a=4a$

16 $5y-2y=(5-2)y=3y$

17 $-x-6x=(-1-6)x=-7x$

18 $7a+7a=(7+7)a=14a$

19 $-10b+2b=(-10+2)b=-8b$

20 $2x+6x+3x=(2+6+3)x=11x$

21 $-3b-4b+b=(-3-4+1)b=-6b$

22 $a-\frac{a}{2}+\frac{a}{6}=\left(1-\frac{1}{2}+\frac{1}{6}\right)a=\frac{2}{3}a$

23 $-\frac{5}{9}y+\frac{2}{3}y-y=\left(-\frac{5}{9}+\frac{2}{3}-1\right)y=-\frac{8}{9}y$

24 $2x+5+3x+1=(2+3)x+5+1=5x+6$

25 $y-5+8y+9=(1+8)y-5+9=9y+4$

26 $-3a+10-2a-4=(-3-2)a+10-4=-5a+6$

27 $6+x-7+\frac{4}{5}x=\left(1+\frac{4}{5}\right)x+6-7=\frac{9}{5}x-1$

28 $\frac{4}{3}x-\frac{3}{2}y+\frac{5}{3}x+\frac{1}{2}y=\left(\frac{4}{3}+\frac{5}{3}\right)x+\left(-\frac{3}{2}+\frac{1}{2}\right)y$
$=3x-y$

29 $3b+4-9b+b-1=(3-9+1)b+4-1=-5b+3$

30 $3-\frac{4}{5}x+2x-\frac{7}{5}=\left(-\frac{4}{5}+2\right)x+3-\frac{7}{5}=\frac{6}{5}x+\frac{8}{5}$

31 동류항이 아니면 더 이상 간단히 할 수 없다.
④ $2a+2a=(2+2)a=4a$
⑤ $-x^2+2x^2=(-1+2)x^2=x^2$

06 일차식의 덧셈과 뺄셈 | 94~97쪽 |

01 $5x+9$	02 $6x-5$	03 $9x-8$
04 $8x-7$	05 $-3x-17$	06 $\frac{3}{10}x-3$
07 $3x+\frac{1}{12}$	08 $-2x+1$	09 $7x-14$
10 $6x-8$	11 $12x-14$	12 $-2x+11$
13 $-\frac{3}{7}x+\frac{13}{4}$	14 $11x-\frac{1}{4}$	15 $7x+4$
16 $7x+10$	17 $9a+29$	18 $10x-8$
19 $6y-3$	20 $8b-11$	21 $x-7$
22 $2a+14$	23 $2a-10$	24 $-2x-14$
25 $14y-1$	26 $-7x-23$	27 $25x+21$
28 -21	29 $-y+22$	30 $-6x+8$
31 $\frac{7}{2}a-9$	32 $-7y-14$	33 $x+6$
34 $-6x+4$	35 $6a-5$	36 $4x+5$
37 $-19a+13$	38 $-8x+6$	39 $-x+9$
40 $-2x+6$	41 $3y$	42 $-11a-4$
43 $\frac{3}{4}x+\frac{1}{4}$	44 $\frac{23}{15}x-\frac{1}{15}$	45 $\frac{7}{6}a+\frac{13}{6}$
46 $\frac{1}{2}y+\frac{3}{10}$	47 $-\frac{7}{6}x-\frac{13}{6}$	48 $\frac{1}{10}b+\frac{7}{10}$
49 $\frac{5}{12}x-\frac{5}{12}$	50 $-\frac{1}{6}x+\frac{7}{6}$	51 $-\frac{5}{14}a+\frac{4}{7}$
52 $-\frac{7}{20}y-\frac{23}{20}$	53 $\frac{1}{6}x-\frac{5}{6}$	54 $b+\frac{1}{4}$
55 $-\frac{1}{3}x-\frac{10}{3}$	56 $-\frac{17}{15}y-\frac{1}{15}$	57 $-\frac{1}{3}a-\frac{11}{3}$
58 $-\frac{3}{2}x-\frac{15}{2}$	59 $3x$	60 3
61 $5x-4$	62 $-x+5$	63 $-6x-3$
64 ①		

01 $(4x+2)+(x+7)=4x+2+x+7$
$=4x+x+2+7$
$=5x+9$

02 $(3x-7)+(3x+2)=3x-7+3x+2$
$=3x+3x-7+2$
$=6x-5$

03 $(8x-2)+(x-6)=8x-2+x-6$
$=8x+x-2-6$
$=9x-8$

04 $(13x-12)+(-5x+5)=13x-12-5x+5$
$=13x-5x-12+5$
$=8x-7$

05 $(-x-9)+(-2x-8)=-x-9-2x-8$
$=-x-2x-9-8$
$=-3x-17$

06 $\left(\frac{3}{5}x-2\right)+\left(-\frac{3}{10}x-1\right)=\frac{3}{5}x-2-\frac{3}{10}x-1$
$=\frac{6}{10}x-\frac{3}{10}x-2-1$
$=\frac{3}{10}x-3$

07 $\left(\frac{1}{2}x+\frac{1}{3}\right)+\left(\frac{5}{2}x-\frac{1}{4}\right)=\frac{1}{2}x+\frac{1}{3}+\frac{5}{2}x-\frac{1}{4}$
$=\frac{1}{2}x+\frac{5}{2}x+\frac{4}{12}-\frac{3}{12}$
$=3x+\frac{1}{12}$

08 $(x+5)-(3x+4)=x+5-3x-4$
$=x-3x+5-4$
$=-2x+1$

09 $(6x-10)-(-x+4)=6x-10+x-4$
$=6x+x-10-4$
$=7x-14$

10 $(7x-9)-(x-1)=7x-9-x+1$
$=7x-x-9+1$
$=6x-8$

11 $(10x-11)-(-2x+3)=10x-11+2x-3$
$=10x+2x-11-3$
$=12x-14$

12 $(-3x-1)-(-x-12)=-3x-1+x+12$
$=-3x+x-1+12$
$=-2x+11$

13 $\left(\frac{2}{7}x+\frac{1}{4}\right)-\left(\frac{5}{7}x-3\right)=\frac{2}{7}x+\frac{1}{4}-\frac{5}{7}x+3$
$=\frac{2}{7}x-\frac{5}{7}x+\frac{1}{4}+3$
$=-\frac{3}{7}x+\frac{13}{4}$

14 $\left(6x-\frac{3}{4}\right)-\left(-5x-\frac{1}{2}\right)=6x-\frac{3}{4}+5x+\frac{1}{2}$
$=6x+5x-\frac{3}{4}+\frac{2}{4}$
$=11x-\frac{1}{4}$

15 $4(x+1)+3x=4x+4+3x$
$=4x+3x+4$
$=7x+4$

16 $x+2(3x+5)=x+6x+10$
$=7x+10$

17 $4(a+1)+5(a+5)=4a+4+5a+25$
$=4a+5a+4+25$
$=9a+29$

18 $2(2x-7)+6(x+1)=4x-14+6x+6$
$=4x+6x-14+6$
$=10x-8$

19 $3(-y+5)+9(y-2)=-3y+15+9y-18$
$=-3y+9y+15-18$
$=6y-3$

20 $5(2b-3)+\frac{1}{4}(16-8b)=10b-15+4-2b$
$=10b-2b-15+4$
$=8b-11$

21 $-\frac{1}{3}(9x+15)+\frac{2}{5}(10x-5)=-3x-5+4x-2$
$=-3x+4x-5-2$
$=x-7$

22 $8\left(\frac{3}{4}a-2\right)+6\left(-\frac{2}{3}a+5\right)=6a-16-4a+30$
$=6a-4a-16+30$
$=2a+14$

23 $2(3a+1)-4(a+3)=6a+2-4a-12$
$=6a-4a+2-12$
$=2a-10$

24 $5(2x-4)-2(6x-3)=10x-20-12x+6$
$=10x-12x-20+6$
$=-2x-14$

25 $3(5y-1)-(y-2)=15y-3-y+2$
$=15y-y-3+2$
$=14y-1$

26 $-2(x+9)-5(x+1)=-2x-18-5x-5$
$=-2x-5x-18-5$
$=-7x-23$

27 $4(x+6)-3(1-7x)=4x+24-3+21x$
$=4x+21x+24-3$
$=25x+21$

28 $-(2b+11)-2(5-b)=-2b-11-10+2b$
$=-2b+2b-11-10$
$=-21$

29 $5(y+4)-\frac{1}{2}(12y-4)=5y+20-6y+2$
$=5y-6y+20+2$
$=-y+22$

30 $-\frac{1}{3}(9x-6)-\frac{3}{4}(4x-8)=-3x+2-3x+6$
$=-3x-3x+2+6$
$=-6x+8$

31 $-3\left(\frac{5}{6}a-1\right)-4\left(-\frac{3}{2}a+3\right)=-\frac{5}{2}a+3+6a-12$
$=-\frac{5}{2}a+6a+3-12$
$=\frac{7}{2}a-9$

32 $12\left(\frac{3}{4}y-\frac{2}{3}\right)-20\left(\frac{4}{5}y+\frac{3}{10}\right)=9y-8-16y-6$
$=9y-16y-8-6$
$=-7y-14$

33 $4x-[x-\{9-(2x+3)\}]$
$=4x-\{x-(9-2x-3)\}$
$=4x-\{x-(-2x+6)\}$
$=4x-(x+2x-6)$
$=4x-(3x-6)$
$=4x-3x+6$
$=x+6$

34 $x-\{3+7(x-1)\}=x-(3+7x-7)$
$=x-(7x-4)$
$=x-7x+4$
$=-6x+4$

35 $7a-\{3a-(2a-5)\}=7a-(3a-2a+5)$
$=7a-(a+5)$
$=7a-a-5$
$=6a-5$

36 $x-8-\{2-3(x+5)\}=x-8-(2-3x-15)$
$=x-8-(-3x-13)$
$=x-8+3x+13$
$=4x+5$

37 $2(a-1)-\{a-5(3-4a)\}$
$=2a-2-(a-15+20a)$
$=2a-2-(21a-15)$
$=2a-2-21a+15$
$=-19a+13$

38 $-(5x-4)-\left\{\frac{1}{6}(18x+30)-7\right\}$
$=-5x+4-(3x+5-7)$
$=-5x+4-(3x-2)$
$=-5x+4-3x+2$
$=-8x+6$

39 $3(x+1)-\frac{2}{5}\{4x-(15-6x)\}$
$=3x+3-\frac{2}{5}(4x-15+6x)$
$=3x+3-\frac{2}{5}(10x-15)$
$=3x+3-4x+6$
$=-x+9$

40 $5-[3x-\{2x+5-(x+4)\}]$
$=5-\{3x-(2x+5-x-4)\}$
$=5-\{3x-(x+1)\}$
$=5-(3x-x-1)$
$=5-(2x-1)$
$=5-2x+1$
$=-2x+6$

41 $-x-[4x-y-\{3x+2(x+y)\}]$
$=-x-\{4x-y-(3x+2x+2y)\}$
$=-x-\{4x-y-(5x+2y)\}$
$=-x-(4x-y-5x-2y)$
$=-x-(-x-3y)$
$=-x+x+3y$
$=3y$

42 $-(a+7)-\left[8a-\frac{1}{3}\{10-(6a+1)\}\right]$
$=-a-7-\left\{8a-\frac{1}{3}(10-6a-1)\right\}$
$=-a-7-\left\{8a-\frac{1}{3}(-6a+9)\right\}$
$=-a-7-(8a+2a-3)$
$=-a-7-(10a-3)$
$=-a-7-10a+3$
$=-11a-4$

43 $\frac{x-1}{2}+\frac{x+3}{4}=\frac{2(x-1)+x+3}{4}$
$=\frac{2x-2+x+3}{4}$
$=\frac{3x+1}{4}$

44 $\frac{4x+1}{3}+\frac{x-2}{5}=\frac{5(4x+1)+3(x-2)}{15}$
$=\frac{20x+5+3x-6}{15}$
$=\frac{23x-1}{15}$

45 $\frac{a-5}{6}+a+3=\frac{a-5+6(a+3)}{6}$
$=\frac{a-5+6a+18}{6}$
$=\frac{7a+13}{6}$

46 $\frac{2y-3}{5}+\frac{y+9}{10}=\frac{2(2y-3)+y+9}{10}$
$=\frac{4y-6+y+9}{10}$
$=\frac{5y+3}{10}$
$=\frac{1}{2}y+\frac{3}{10}$

47 $\frac{-5x+1}{3}+\frac{x-5}{2}=\frac{2(-5x+1)+3(x-5)}{6}$
$=\frac{-10x+2+3x-15}{6}$
$=\frac{-7x-13}{6}$

48 $\frac{3b-4}{5}+\frac{-b+3}{2}=\frac{2(3b-4)+5(-b+3)}{10}$
$=\frac{6b-8-5b+15}{10}$
$=\frac{b+7}{10}$

49 $\frac{3x+1}{4}+\frac{-x-2}{3}=\frac{3(3x+1)+4(-x-2)}{12}$

$=\frac{9x+3-4x-8}{12}$

$=\frac{5x-5}{12}$

50 $\frac{x+5}{3}-\frac{x+1}{2}=\frac{2(x+5)-3(x+1)}{6}$

$=\frac{2x+10-3x-3}{6}$

$=\frac{-x+7}{6}$

51 $\frac{a-3}{7}-\frac{a-2}{2}=\frac{2(a-3)-7(a-2)}{14}$

$=\frac{2a-6-7a+14}{14}$

$=\frac{-5a+8}{14}$

$=-\frac{5}{14}a+\frac{4}{7}$

52 $\frac{y-3}{4}-\frac{3y+2}{5}=\frac{5(y-3)-4(3y+2)}{20}$

$=\frac{5y-15-12y-8}{20}$

$=\frac{-7y-23}{20}$

53 $\frac{5x-3}{6}-\frac{2x+1}{3}=\frac{5x-3-2(2x+1)}{6}$

$=\frac{5x-3-4x-2}{6}$

$=\frac{x-5}{6}$

54 $\frac{3b-1}{2}-\frac{2b-3}{4}=\frac{2(3b-1)-(2b-3)}{4}$

$=\frac{6b-2-2b+3}{4}$

$=\frac{4b+1}{4}$

$=b+\frac{1}{4}$

55 $\frac{x-7}{2}-\frac{5x-1}{6}=\frac{3(x-7)-(5x-1)}{6}$

$=\frac{3x-21-5x+1}{6}$

$=\frac{-2x-20}{6}$

$=-\frac{1}{3}x-\frac{10}{3}$

56 $\frac{-4y+3}{5}-\frac{y+2}{3}=\frac{3(-4y+3)-5(y+2)}{15}$

$=\frac{-12y+9-5y-10}{15}$

$=\frac{-17y-1}{15}$

57 $\frac{5a+1}{3}-(2a+4)=\frac{5a+1-3(2a+4)}{3}$

$=\frac{5a+1-6a-12}{3}$

$=\frac{-a-11}{3}$

58 $-\frac{x+9}{2}-3-x=\frac{-(x+9)-6-2x}{2}$

$=\frac{-x-9-6-2x}{2}$

$=\frac{-3x-15}{2}$

59 $A+B=(2x-1)+(x+1)$

$=2x-1+x+1=3x$

60 $-A+2B=-(2x-1)+2(x+1)$

$=-2x+1+2x+2=3$

61 $3A-B=3(2x-1)-(x+1)$

$=6x-3-x-1=5x-4$

62 $-2A+3B=-2(2x-1)+3(x+1)$

$=-4x+2+3x+3=-x+5$

63 $-A-4B=-(2x-1)-4(x+1)$

$=-2x+1-4x-4=-6x-3$

64 $\frac{5x-4}{3}-\frac{13x+7}{6}=\frac{2(5x-4)-(13x+7)}{6}$

$=\frac{10x-8-13x-7}{6}$

$=\frac{-3x-15}{6}$

$=-\frac{1}{2}x-\frac{5}{2}$

따라서 x의 계수는 $-\frac{1}{2}$, 상수항은 $-\frac{5}{2}$이므로 그 합은

$\left(-\frac{1}{2}\right)+\left(-\frac{5}{2}\right)=-3$

확인문제

| 98쪽 |

01 ⑤ 02 ④ 03 ⑤ 04 ②, ⑤ 05 ① 06 ②

01 ⑤ 항은 $5x^2$, $-8x$, 11로 3개이다.

02 ㄴ. 10 → 상수항은 일차식이 아니다.
ㄷ. x^2+5 → 차수가 2이므로 일차식이 아니다.
ㅁ. $\frac{1}{x}+2$ → 분모에 문자가 있으므로 다항식이 아니다.
따라서 x에 대한 일차식은 ㄱ, ㄹ, ㅂ이다.

03 ① $(-4x)\times\frac{3}{8}=-\frac{3}{2}x$
② $\frac{1}{4}x\times(-6)=-\frac{3}{2}x$
③ $9x\times\left(-\frac{1}{6}\right)=-\frac{3}{2}x$
④ $\left(-\frac{1}{2}x\right)\div\frac{1}{3}=\left(-\frac{1}{2}x\right)\times3=-\frac{3}{2}x$
⑤ $\frac{4}{3}x\div\left(-\frac{1}{2}\right)=\frac{4}{3}x\times(-2)=-\frac{8}{3}x$
따라서 계산 결과가 나머지 넷과 다른 하나는 ⑤이다.

04 ① $2a$, $2a^2$ → 차수가 다르다.
③ $\frac{1}{5}x$, $\frac{1}{5}y$ → 문자가 다르다.
④ $3x$, $\frac{3}{x}$ → $\frac{3}{x}$은 다항식이 아니다.
따라서 동류항끼리 짝 지은 것을 모두 고르면 ②, ⑤이다.

05 $5x-[x+4y-\{3-2(4x-y)\}]+3$
$=5x-\{x+4y-(3-8x+2y)\}+3$
$=5x-(x+4y-3+8x-2y)+3$
$=5x-(9x+2y-3)+3$
$=5x-9x-2y+3+3$
$=-4x-2y+6$
따라서 x의 계수는 -4이다.

06 $10A-9B=10\left(\frac{4}{5}x-3\right)-9\left(2x-\frac{2}{3}\right)$
$=8x-30-18x+6$
$=-10x-24$

4 일차방정식

1. 일차방정식의 풀이

01 등식

| 100쪽 |

01 × 02 ○ 03 × 04 ○ 05 ○
06 ○ 07 $x+5=16$ 08 $2x-3=9$
09 $500x=3500$ 10 $x-3=10$ 11 $8x=32$
12 $70x=140$

02 방정식

| 101쪽 |

01 × 02 ○ 03 ○ 04 × 05 ×
06 ○ 07 ○ 08 해설 참조, 1
09 해설 참조, 1 10 해설 참조, -1 11 ④

01 $3x=0$의 x에 3을 대입하면
(좌변)$=3\times3=9$, (우변)$=0$
즉, (좌변)$\neq$(우변)이므로 $x=3$일 때 거짓이 된다.

02 $2x-6=0$의 x에 3을 대입하면
(좌변)$=2\times3-6=0$, (우변)$=0$
즉, (좌변)$=$(우변)이므로 $x=3$일 때 참이 된다.

03 $7-x=4$의 x에 3을 대입하면
(좌변)$=7-3=4$, (우변)$=4$
즉, (좌변)$=$(우변)이므로 $x=3$일 때 참이 된다.

04 $4x-4=1$의 x에 3을 대입하면
(좌변)$=4\times3-4=8$, (우변)$=1$
즉, (좌변)$\neq$(우변)이므로 $x=3$일 때 거짓이 된다.

05 $9-2x=7$의 x에 3을 대입하면
(좌변)$=9-2\times3=3$, (우변)$=7$
즉, (좌변)$\neq$(우변)이므로 $x=3$일 때 거짓이 된다.

06 $5x-10=5$의 x에 3을 대입하면
(좌변)$=5\times3-10=5$, (우변)$=5$
즉, (좌변)$=$(우변)이므로 $x=3$일 때 참이 된다.

07 $-x+5=2$의 x에 3을 대입하면
(좌변)$=-3+5=2$, (우변)$=2$
즉, (좌변)$=$(우변)이므로 $x=3$일 때 참이 된다.

08

x의 값	좌변	우변	참, 거짓
-1	$3\times(-1)+2=-1$	5	거짓
0	$3\times0+2=2$	5	거짓
1	$3\times1+2=5$	5	참

따라서 방정식의 해는 1이다.

09

x의 값	좌변	우변	참, 거짓
-1	$6-5\times(-1)=11$	1	거짓
0	$6-5\times0=6$	1	거짓
1	$6-5\times1=1$	1	참

따라서 방정식의 해는 1이다.

10

x의 값	좌변	우변	참, 거짓
-1	$4\times(-1)=-4$	$-1-3=-4$	참
0	$4\times0=0$	$0-3=-3$	거짓
1	$4\times1=4$	$1-3=-2$	거짓

따라서 방정식의 해는 -1이다.

11 각 방정식의 x에 [ ] 안의 수를 대입하면
① $6\times2-5=7$
② $-2\times(-1)+3=5$
③ $7\times(-2)+4=-10$
④ $2-1\neq1-2$
⑤ $5\times3-1=8+2\times3$
따라서 [ ] 안의 수가 주어진 방정식의 해가 아닌 것은 ④이다.

03 항등식 | 102쪽 |

01 × 02 ○ 03 ×
04 × 05 ○ 06 ×
07 $a=-8$, $b=2$ 08 $a=2$, $b=-3$ 09 $a=5$, $b=7$
10 $a=8$, $b=-1$ 11 $a=4$, $b=9$ 12 ②

01 (좌변)$=5x-4x=x$
즉, (좌변)$\neq$(우변)이므로 항등식이 아니다.

02 (좌변)$=x+x=2x$
즉, (좌변)$=$(우변)이므로 항등식이다.

05 (좌변)$=3(x+1)-2x=3x+3-2x=x+3$
즉, (좌변)$=$(우변)이므로 항등식이다.

06 (우변)$=5(x-4)+2x=5x-20+2x=7x-20$
즉, (좌변)$\neq$(우변)이므로 항등식이 아니다.

12 $6x+a=2(bx-1)$에서 $6x+a=2bx-2$
$6=2b$, $a=-2$이므로 $a=-2$, $b=3$
따라서 $ab=(-2)\times3=-6$

04 등식의 성질 | 103쪽 |

01 ○ 02 × 03 ○ 04 ○ 05 ×
06 ○ 07 × 08 $x=5$ 09 $x=-5$ 10 $x=2$
11 $x=-21$ 12 $x=4$ 13 $x=3$

02 $x=y$의 양변에서 2를 빼면 $x-2=y-2$

05 $x=2y$의 양변에서 1을 빼면 $x-1=2y-1$

06 $\frac{x}{4}=\frac{y}{5}$의 양변에 20을 곱하면 $5x=4y$

07 $6x=3$의 양변을 6으로 나누면 $x=\frac{1}{2}$

08 $x-4=1$의 양변에 4를 더하면
$x-4+4=1+4$에서 $x=5$

09 $x+2=-3$의 양변에서 2를 빼면
$x+2-2=-3-2$에서 $x=-5$

10 $5x=10$의 양변을 5로 나누면
$\frac{5x}{5}=\frac{10}{5}$에서 $x=2$

11 $-\frac{x}{7}=3$의 양변에 -7을 곱하면
$-\frac{x}{7}\times(-7)=3\times(-7)$에서 $x=-21$

12 $2x+1=9$의 양변에서 1을 빼면
$2x+1-1=9-1$에서 $2x=8$
$2x=8$의 양변을 2로 나누면
$\frac{2x}{2}=\frac{8}{2}$에서 $x=4$

13 $-x+7=4$의 양변에서 7을 빼면
$-x+7-7=4-7$에서 $-x=-3$
$-x=-3$의 양변에 -1을 곱하면
$-x\times(-1)=-3\times(-1)$에서 $x=3$

05 이항 | 104쪽 |

01 $x=1+6$ 02 $3x=4-2$ 03 $-x=3-7$
04 $5x-4x=9$ 05 $x+8x=6$ 06 $2x-x=17+3$
07 $5x+2x=9-2$ 08 $2x=4$ 09 $9x=9$
10 $9x=3$ 11 $2x=9$ 12 $x=-4$
13 $4x=-7$ 14 $6x=10$

08 $2x+3=7$에서 $2x=7-3$
따라서 $2x=4$

09 $4x-9=-5x$에서 $4x+5x=9$
따라서 $9x=9$

10 $8x=3-x$에서 $8x+x=3$
따라서 $9x=3$

11 $3x-1=x+8$에서 $3x-x=8+1$
따라서 $2x=9$

12 $-x+5=-2x+1$에서 $-x+2x=1-5$
따라서 $x=-4$

13 $11+x=-3x+4$에서 $x+3x=4-11$
따라서 $4x=-7$

14 $7x-2=8+x$에서 $7x-x=8+2$
따라서 $6x=10$

06 일차방정식 | 105쪽 |

01 ○	02 ×	03 ○	04 ○	05 ×
06 ×	07 ○	08 $a\neq4$	09 $a\neq3$	10 $a\neq-1$
11 $a\neq4$	12 $a\neq-1$	13 ③		

01 $x+5=4$에서 $x+5-4=0$
$x+1=0$이므로 일차방정식이다.

02 등식이 아니므로 일차방정식이 아니다.

03 $5x-1=2x$에서 $5x-1-2x=0$
$3x-1=0$이므로 일차방정식이다.

04 $-6x=x-3$에서 $-6x-x+3=0$
$-7x+3=0$이므로 일차방정식이다.

05 $3+x=x^2$에서 $3+x-x^2=0$
(일차식)$=0$의 꼴이 아니므로 일차방정식이 아니다.

06 $2x-8=5+2x$에서 $2x-8-5-2x=0$
$-13=0$이므로 일차방정식이 아니다.

07 $x^2+4x=x^2-x$에서 $x^2+4x-x^2+x=0$
$5x=0$이므로 일차방정식이다.

08 $ax+3=4x-6$에서
$ax+3-4x+6=0$, $(a-4)x+9=0$
이 등식이 x에 대한 일차방정식이 되려면
$a-4\neq0$이므로 $a\neq4$

09 $3x-9=ax+5$에서
$3x-9-ax-5=0$, $(3-a)x-14=0$
이 등식이 x에 대한 일차방정식이 되려면
$3-a\neq0$이므로 $a\neq3$

10 $-x-7=ax+8$에서
$-x-7-ax-8=0$, $(-1-a)x-15=0$
이 등식이 x에 대한 일차방정식이 되려면
$-1-a\neq0$이므로 $a\neq-1$

11 $10-ax=-4x-2$에서
$10-ax+4x+2=0$, $(-a+4)x+12=0$
이 등식이 x에 대한 일차방정식이 되려면
$-a+4\neq0$이므로 $a\neq4$

12 $x+3=6-ax$에서
$x+3-6+ax=0$, $(1+a)x-3=0$
이 등식이 x에 대한 일차방정식이 되려면
$1+a\neq0$이므로 $a\neq-1$

13 ① 등식이 아니므로 일차방정식이 아니다.
② $x^2+1=x$에서 $x^2+1-x=0$
(일차식)$=0$의 꼴이 아니므로 일차방정식이 아니다.
③ $x-5=5-x$에서 $x+x-5-5=0$
$2x-10=0$이므로 일차방정식이다.
④ 등식이 아니므로 일차방정식이 아니다.
⑤ $2x-1=2x-10$에서 $2x-1-2x+10=0$
$9=0$이므로 일차방정식이 아니다.

07 일차방정식의 풀이 | 106~108쪽 |

01 $x=1$	02 $x=10$	03 $x=4$	04 $x=9$
05 $x=4$	06 $x=-5$	07 $x=5$	08 $x=1$
09 $x=3$	10 $x=2$	11 $x=4$	12 $x=-1$
13 $x=-3$	14 $x=-2$	15 $x=3$	16 $x=-\frac{1}{3}$
17 $x=2$	18 $x=4$	19 $x=6$	20 $x=\frac{1}{3}$
21 $x=2$	22 $x=2$	23 $x=7$	24 $x=7$
25 $x=3$	26 $x=-2$	27 $x=5$	28 $x=0$
29 $x=1$	30 $x=\frac{4}{3}$	31 $x=\frac{1}{5}$	32 $x=1$
33 $x=-2$	34 $x=-\frac{1}{2}$	35 $x=1$	36 $x=18$
37 $x=-3$	38 $x=3$	39 $x=-2$	40 $x=3$
41 $x=-2$	42 $x=-3$	43 $x=-22$	44 $x=-\frac{5}{2}$
45 $x=5$	46 $x=1$	47 $x=-1$	48 $x=-18$
49 $x=10$	50 $x=-3$	51 $x=6$	52 ⑤

01 $x+3=4$에서 $x=4-3$
따라서 $x=1$

02 $x-2=8$에서 $x=8+2$
따라서 $x=10$

03 $x-5=-1$에서 $x=-1+5$
따라서 $x=4$

04 $x-9=0$에서 $x=0+9$
따라서 $x=9$

05 $3x=12$에서 $\frac{3x}{3}=\frac{12}{3}$
따라서 $x=4$

06 $-4x=20$에서 $\frac{-4x}{-4}=\frac{20}{-4}$
따라서 $x=-5$

07 $-7x=-35$에서 $\frac{-7x}{-7}=\frac{-35}{-7}$
따라서 $x=5$

08 $2x+5=7$에서 $2x=7-5$, $2x=2$
따라서 $x=1$

09 $3x-8=1$에서 $3x=1+8$, $3x=9$
따라서 $x=3$

10 $5x=18-4x$에서 $5x+4x=18$, $9x=18$
따라서 $x=2$

11 $-x+8=x$에서 $-x-x=-8$, $-2x=-8$
따라서 $x=4$

12 $11=-9x+2$에서 $9x=2-11$, $9x=-9$
따라서 $x=-1$

13 $8x=x-21$에서 $8x-x=-21$, $7x=-21$
따라서 $x=-3$

14 $-4x=x+10$에서 $-4x-x=10$, $-5x=10$
따라서 $x=-2$

15 $2x=9-x$에서 $2x+x=9$, $3x=9$
따라서 $x=3$

16 $2x-4=-x-5$에서 $2x+x=-5+4$, $3x=-1$
따라서 $x=-\frac{1}{3}$

17 $9x+1=3x+13$에서 $9x-3x=13-1$, $6x=12$
따라서 $x=2$

18 $4x+1=-x+21$에서 $4x+x=21-1$, $5x=20$
따라서 $x=4$

19 $x-3=9-x$에서 $x+x=9+3$, $2x=12$
따라서 $x=6$

20 $8-2x=7+x$에서 $-2x-x=7-8$, $-3x=-1$
따라서 $x=\frac{1}{3}$

21 $-7x+10=x-6$에서 $-7x-x=-6-10$, $-8x=-16$
따라서 $x=2$

22 $4x+3=15-2x$에서 $4x+2x=15-3$, $6x=12$
따라서 $x=2$

23 $5x+1=15+3x$에서 $5x-3x=15-1$, $2x=14$
따라서 $x=7$

24 $-8+3x=-x+20$에서 $3x+x=20+8$, $4x=28$
따라서 $x=7$

25 $x+1=16-4x$에서 $x+4x=16-1$, $5x=15$
따라서 $x=3$

26 $-7x-7=-3x+1$에서 $-7x+3x=1+7$, $-4x=8$
따라서 $x=-2$

27 $3(x-2)=9$에서 $3x-6=9$
$3x=9+6$, $3x=15$
따라서 $x=5$

28 $-2(4x-7)=14$에서 $-8x+14=14$
$-8x=14-14$, $-8x=0$
따라서 $x=0$

29 $5(5x-3)=10$에서 $25x-15=10$
$25x=10+15$, $25x=25$
따라서 $x=1$

30 $4(x-1)=x$에서 $4x-4=x$
$4x-x=4$, $3x=4$
따라서 $x=\frac{4}{3}$

31 $-(3x-1)=2x$에서 $-3x+1=2x$
$-3x-2x=-1$, $-5x=-1$
따라서 $x=\frac{1}{5}$

32 $7-2(x+3)=-1$에서 $7-2x-6=-1$
$1-2x=-1$, $-2x=-1-1$, $-2x=-2$
따라서 $x=1$

33 $-3(2x+5)+8=5$에서 $-6x-15+8=5$
$-6x-7=5$, $-6x=5+7$, $-6x=12$
따라서 $x=-2$

34 $2(x+9)-6=11$에서 $2x+18-6=11$
$2x+12=11$, $2x=11-12$, $2x=-1$
따라서 $x=-\frac{1}{2}$

35 $2(4x-7)=3x-9$에서 $8x-14=3x-9$
$8x-3x=-9+14$, $5x=5$
따라서 $x=1$

36 $8+2(x-4)=x+18$에서 $8+2x-8=x+18$
$2x=x+18$, $2x-x=18$
따라서 $x=18$

37 $x+12=9-2(x+3)$에서 $x+12=9-2x-6$
$x+12=-2x+3$, $x+2x=3-12$, $3x=-9$
따라서 $x=-3$

38 $3(4-x)=-x+6$에서 $12-3x=-x+6$
$-3x+x=6-12$, $-2x=-6$
따라서 $x=3$

39 $-7x=3(x-2)+26$에서 $-7x=3x-6+26$
$-7x=3x+20$, $-7x-3x=20$, $-10x=20$
따라서 $x=-2$

40 $8-3(x+2)=-4x+5$에서 $8-3x-6=-4x+5$
$-3x+2=-4x+5$, $-3x+4x=5-2$
따라서 $x=3$

41 $2(x+7)=5(x+4)$에서 $2x+14=5x+20$
$2x-5x=20-14$, $-3x=6$
따라서 $x=-2$

42 $-(x+5)=2(3x+8)$에서 $-x-5=6x+16$
$-x-6x=16+5$, $-7x=21$
따라서 $x=-3$

43 $9(2-x)=-4(3x+12)$에서 $18-9x=-12x-48$
$-9x+12x=-48-18$, $3x=-66$
따라서 $x=-22$

44 $3(x+6)=-(x-8)$에서 $3x+18=-x+8$
$3x+x=8-18$, $4x=-10$
따라서 $x=-\frac{5}{2}$

45 $7(x-2)=5+2(13-x)$에서 $7x-14=5+26-2x$
$7x-14=31-2x$, $7x+2x=31+14$, $9x=45$
따라서 $x=5$

46 $2(x+7)=8(3x-2)+8$에서
$2x+14=24x-16+8$, $2x+14=24x-8$
$2x-24x=-8-14$, $-22x=-22$
따라서 $x=1$

47 $5(2x+5)-7(x-4)=50$에서
$10x+25-7x+28=50$, $3x+53=50$
$3x=50-53$, $3x=-3$
따라서 $x=-1$

48 $4(x-7)+10=3(2x+6)$에서
$4x-28+10=6x+18$, $4x-18=6x+18$
$4x-6x=18+18$, $-2x=36$
따라서 $x=-18$

49 $15-3(x+7)=4(1-x)$에서
$15-3x-21=4-4x$, $-3x-6=4-4x$
$-3x+4x=4+6$
따라서 $x=10$

50 $6(2x-1)=x+3(3x-4)$에서
$12x-6=x+9x-12$, $12x-6=10x-12$
$12x-10x=-12+6$, $2x=-6$
따라서 $x=-3$

51 $2(6x+2)-5(3x-4)=x$에서
$12x+4-15x+20=x$, $-3x+24=x$
$-3x-x=-24$, $-4x=-24$
따라서 $x=6$

52 $5(2x-1)=-3(6-4x)$에서 $10x-5=-18+12x$
$10x-12x=-18+5$, $-2x=-13$
따라서 $x=\frac{13}{2}$

08 계수가 소수, 분수인 일차방정식의 풀이 | 109~111쪽 |

01 $x=-1$	02 $x=2$	03 $x=-2$	04 $x=4$
05 $x=11$	06 $x=-3$	07 $x=5$	08 $x=2$
09 $x=-4$	10 $x=8$	11 $x=6$	12 $x=-\frac{7}{9}$
13 $x=3$	14 $x=-7$	15 $x=-4$	16 $x=-\frac{1}{9}$
17 $x=\frac{5}{2}$	18 $x=5$	19 $x=\frac{1}{2}$	20 $x=4$
21 $x=\frac{4}{5}$	22 $x=9$	23 $x=11$	24 $x=7$
25 $x=11$	26 $x=-20$	27 $x=6$	28 $x=-6$
29 $x=-22$	30 $x=-\frac{1}{7}$	31 $x=-5$	32 $x=-24$
33 $x=\frac{4}{13}$	34 $x=\frac{7}{4}$	35 $x=-30$	36 $x=-1$
37 $x=1$	38 $x=\frac{1}{6}$	39 $x=-\frac{18}{7}$	40 $x=-\frac{1}{2}$
41 $x=-40$	42 $x=-1$	43 $x=2$	44 $x=-5$
45 $x=\frac{8}{7}$	46 $x=-11$	47 ⑤	

01 $0.2x+0.5=0.3$의 양변에 10을 곱하면
$2x+5=3$, $2x=-2$
따라서 $x=-1$

02 $0.7x-1.2=0.2$의 양변에 10을 곱하면
$7x-12=2$, $7x=14$
따라서 $x=2$

03 $1.2x-0.4=-2.8$의 양변에 10을 곱하면
$12x-4=-28$, $12x=-24$
따라서 $x=-2$

04 $0.3x=1.6-0.1x$의 양변에 10을 곱하면
$3x=16-x$, $4x=16$
따라서 $x=4$

05 $0.4x-3=1.4$의 양변에 10을 곱하면
$4x-30=14$, $4x=44$
따라서 $x=11$

06 $0.5x-0.4=0.2x-1.3$의 양변에 10을 곱하면
$5x-4=2x-13$, $3x=-9$
따라서 $x=-3$

07 $0.7x+0.9=1.2x-1.6$의 양변에 10을 곱하면
$7x+9=12x-16$, $-5x=-25$
따라서 $x=5$

08 $4-0.9x=1.8+0.2x$의 양변에 10을 곱하면
$40-9x=18+2x$, $-11x=-22$
따라서 $x=2$

09 $0.04x+0.13=-0.03$의 양변에 100을 곱하면
$4x+13=-3$, $4x=-16$
따라서 $x=-4$

10 $0.31-0.03x=0.07$의 양변에 100을 곱하면
$31-3x=7$, $-3x=-24$
따라서 $x=8$

11 $0.05x+0.08=0.09x-0.16$의 양변에 100을 곱하면
$5x+8=9x-16$, $-4x=-24$
따라서 $x=6$

12 $0.19-0.02x=0.07x+0.26$의 양변에 100을 곱하면
$19-2x=7x+26$, $-9x=7$
따라서 $x=-\frac{7}{9}$

13 $-0.06x+0.3=0.12$의 양변에 100을 곱하면
$-6x+30=12$, $-6x=-18$
따라서 $x=3$

14 $0.04x-0.19=0.01x-0.4$의 양변에 100을 곱하면
$4x-19=x-40$, $3x=-21$
따라서 $x=-7$

15 $0.6x+0.35=0.8x+1.15$의 양변에 100을 곱하면
$60x+35=80x+115$, $-20x=80$
따라서 $x=-4$

16 $\frac{3}{5}x+\frac{4}{15}=\frac{1}{5}$의 양변에 15를 곱하면
$9x+4=3$, $9x=-1$
따라서 $x=-\frac{1}{9}$

17 $\frac{1}{2}x-\frac{3}{8}=\frac{7}{8}$의 양변에 8을 곱하면
$4x-3=7$, $4x=10$
따라서 $x=\frac{5}{2}$

18 $\frac{7}{6}x-\frac{1}{3}=\frac{11}{2}$의 양변에 6을 곱하면
$7x-2=33$, $7x=35$
따라서 $x=5$

19 $\frac{5}{8}-\frac{3}{4}x=\frac{1}{2}x$의 양변에 8을 곱하면
$5-6x=4x$, $-6x-4x=-5$, $-10x=-5$
따라서 $x=\frac{1}{2}$

20 $\frac{2}{3}x=\frac{1}{4}x+\frac{5}{3}$의 양변에 12를 곱하면
$8x=3x+20$, $8x-3x=20$, $5x=20$
따라서 $x=4$

21 $\frac{1}{5}x=\frac{2}{5}-\frac{3}{10}x$의 양변에 10을 곱하면
$2x=4-3x$, $5x=4$
따라서 $x=\frac{4}{5}$

22 $\frac{5}{6}x-\frac{2}{3}x=\frac{3}{2}$의 양변에 6을 곱하면
$5x-4x=9$
따라서 $x=9$

23 $\frac{3}{4}x-\frac{3}{2}=\frac{1}{2}x+\frac{5}{4}$의 양변에 4를 곱하면
$3x-6=2x+5$
따라서 $x=11$

24 $\frac{2}{9}x+\frac{4}{3}=\frac{5}{9}+\frac{1}{3}x$의 양변에 9를 곱하면
$2x+12=5+3x$, $-x=-7$
따라서 $x=7$

25 $\frac{2}{3}x+\frac{4}{3}=\frac{5}{6}x-\frac{1}{2}$의 양변에 6을 곱하면
$4x+8=5x-3$, $-x=-11$
따라서 $x=11$

26 $\frac{3}{5}x-\frac{1}{3}=\frac{2}{3}x+1$의 양변에 15를 곱하면
$9x-5=10x+15$, $-x=20$
따라서 $x=-20$

27 $\frac{3}{8}x+\frac{1}{4}=\frac{3}{4}x-2$의 양변에 8을 곱하면
$3x+2=6x-16$, $-3x=-18$
따라서 $x=6$

28 $\frac{3x+1}{4}=\frac{1}{2}x-\frac{5}{4}$의 양변에 4를 곱하면
$3x+1=2x-5$
따라서 $x=-6$

29 $\frac{x-4}{2}=\frac{2x+5}{3}$의 양변에 6을 곱하면
$3(x-4)=2(2x+5)$, $3x-12=4x+10$, $-x=22$
따라서 $x=-22$

30 $\frac{5x+2}{6}=\frac{x-3}{4}+1$의 양변에 12를 곱하면
$2(5x+2)=3(x-3)+12$
$10x+4=3x-9+12$, $7x=-1$
따라서 $x=-\frac{1}{7}$

31 $\frac{2x-4}{5}-\frac{3x+1}{4}=\frac{7}{10}$의 양변에 20을 곱하면
$4(2x-4)-5(3x+1)=14$, $8x-16-15x-5=14$
$-7x-21=14$, $-7x=35$
따라서 $x=-5$

32 $\frac{1}{4}x-1.2=0.3x$에서 $\frac{1}{4}x-\frac{6}{5}=\frac{3}{10}x$
양변에 20을 곱하면
$5x-24=6x$, $-x=24$
따라서 $x=-24$

33 $\frac{3}{2}x-\frac{2}{5}=0.2x$에서 $\frac{3}{2}x-\frac{2}{5}=\frac{1}{5}x$
양변에 10을 곱하면
$15x-4=2x$, $13x=4$
따라서 $x=\frac{4}{13}$

34 $0.6x-\frac{3}{4}=0.3$에서 $\frac{3}{5}x-\frac{3}{4}=\frac{3}{10}$
양변에 20을 곱하면
$12x-15=6$, $12x=21$
따라서 $x=\frac{7}{4}$

35 $0.5x-\frac{1}{2}=\frac{3}{5}x+2.5$에서 $\frac{1}{2}x-\frac{1}{2}=\frac{3}{5}x+\frac{5}{2}$
양변에 10을 곱하면
$5x-5=6x+25$, $-x=30$
따라서 $x=-30$

36 $\frac{2}{3}x-1=1.5x-\frac{1}{6}$에서 $\frac{2}{3}x-1=\frac{3}{2}x-\frac{1}{6}$
양변에 6을 곱하면
$4x-6=9x-1$, $-5x=5$
따라서 $x=-1$

37 $\frac{x+1}{4}-\frac{x-1}{2}=0.5$에서 $\frac{x+1}{4}-\frac{x-1}{2}=\frac{1}{2}$
양변에 4를 곱하면
$x+1-2(x-1)=2$, $x+1-2x+2=2$
$-x+3=2$, $-x=-1$
따라서 $x=1$

38 $0.7-\frac{3}{5}(x+1)=0$에서 $\frac{7}{10}-\frac{3}{5}(x+1)=0$
양변에 10을 곱하면
$7-6(x+1)=0$, $7-6x-6=0$ $-6x=-1$
따라서 $x=\frac{1}{6}$

39 $0.6(x-1)=\frac{1}{4}x-\frac{3}{2}$에서 $\frac{3}{5}(x-1)=\frac{1}{4}x-\frac{3}{2}$
양변에 20을 곱하면
$12(x-1)=5x-30$, $12x-12=5x-30$
$7x=-18$
따라서 $x=-\frac{18}{7}$

40 $0.8x-0.1=\frac{1}{3}(x-1)$에서 $\frac{4}{5}x-\frac{1}{10}=\frac{1}{3}(x-1)$
양변에 30을 곱하면
$24x-3=10(x-1)$, $24x-3=10x-10$
$14x=-7$
따라서 $x=-\frac{1}{2}$

41 $1.3x-2=\frac{3}{2}(x+4)$에서 $\frac{13}{10}x-2=\frac{3}{2}(x+4)$
양변에 10을 곱하면
$13x-20=15(x+4)$, $13x-20=15x+60$
$-2x=80$
따라서 $x=-40$

42 $0.7(x-2)=\frac{5}{2}x+\frac{2}{5}$에서 $\frac{7}{10}(x-2)=\frac{5}{2}x+\frac{2}{5}$
양변에 10을 곱하면
$7(x-2)=25x+4$, $7x-14=25x+4$
$-18x=18$
따라서 $x=-1$

43 $\frac{3}{10}x+1=0.2(x+6)$에서 $\frac{3}{10}x+1=\frac{1}{5}(x+6)$
양변에 10을 곱하면
$3x+10=2(x+6)$, $3x+10=2x+12$
따라서 $x=2$

44 $0.5x-\frac{3x-1}{4}=\frac{3}{2}$에서 $\frac{1}{2}x-\frac{3x-1}{4}=\frac{3}{2}$
양변에 4를 곱하면
$2x-(3x-1)=6$, $2x-3x+1=6$
$-x=5$
따라서 $x=-5$

45 $0.9x-3.1=-\frac{1}{2}(x+3)$에서
$\frac{9}{10}x-\frac{31}{10}=-\frac{1}{2}(x+3)$
양변에 10을 곱하면
$9x-31=-5(x+3)$, $9x-31=-5x-15$
$14x=16$
따라서 $x=\frac{8}{7}$

46 $0.2x-\frac{2}{5}(x+3)=1$에서 $\frac{1}{5}x-\frac{2}{5}(x+3)=1$
양변에 5를 곱하면
$x-2(x+3)=5$, $x-2x-6=5$, $-x=11$
따라서 $x=-11$

47 ① $3x-5=-4x+23$에서 $7x=28$
따라서 $x=4$
② $2(x-5)=3x-8$에서 $2x-10=3x-8$
$-x=2$
따라서 $x=-2$
③ $0.4x-1.5=0.2x-0.3$의 양변에 10을 곱하면
$4x-15=2x-3$, $2x=12$
따라서 $x=6$
④ $\frac{2}{3}x+\frac{1}{4}=\frac{3}{4}x$의 양변에 12를 곱하면
$8x+3=9x$, $-x=-3$
따라서 $x=3$
⑤ $\frac{2}{5}x+0.3=\frac{1}{2}x-\frac{3}{5}$에서 $\frac{2}{5}x+\frac{3}{10}=\frac{1}{2}x-\frac{3}{5}$
양변에 10을 곱하면
$4x+3=5x-6$, $-x=-9$
따라서 $x=9$
그러므로 해가 가장 큰 것은 ⑤이다.

09 복잡한 일차방정식의 풀이 | 112~113쪽 |

01 3	02 9	03 9	04 12	05 $\frac{4}{3}$
06 -6	07 -12	08 14	09 5	10 -48
11 -19	12 -5	13 2	14 4	15 -5
16 -9	17 $\frac{15}{2}$	18 5	19 6	20 4
21 $\frac{3}{2}$	22 1	23 3	24 3	25 -5
26 -15	27 -10	28 -2	29 ①	

01 외항은 외항끼리, 내항은 내항끼리 곱하면 $2x=6$
따라서 $x=3$

02 외항은 외항끼리, 내항은 내항끼리 곱하면 $45=5x$
따라서 $x=9$

03 외항은 외항끼리, 내항은 내항끼리 곱하면 $18=2x$
따라서 $x=9$

04 외항은 외항끼리, 내항은 내항끼리 곱하면 $36=3x$
따라서 $x=12$

05 외항은 외항끼리, 내항은 내항끼리 곱하면
$2(x+2)=5x$, $2x+4=5x$, $-3x=-4$
따라서 $x=\frac{4}{3}$

06 외항은 외항끼리, 내항은 내항끼리 곱하면
$5x=3(x-4)$, $5x=3x-12$, $2x=-12$
따라서 $x=-6$

07 외항은 외항끼리, 내항은 내항끼리 곱하면
$3(x+2)=2(x-3)$, $3x+6=2x-6$
따라서 $x=-12$

08 외항은 외항끼리, 내항은 내항끼리 곱하면
$5x=7(x-4)$, $5x=7x-28$, $-2x=-28$
따라서 $x=14$

09 외항은 외항끼리, 내항은 내항끼리 곱하면
$2(5-x)=x-5$, $10-2x=x-5$, $-3x=-15$
따라서 $x=5$

10 외항은 외항끼리, 내항은 내항끼리 곱하면
$5(2x+9)=3(3x-1)$, $10x+45=9x-3$
따라서 $x=-48$

11 외항은 외항끼리, 내항은 내항끼리 곱하면
$6(3+2x)=10(x-2)$, $18+12x=10x-20$
$2x=-38$
따라서 $x=-19$

12 외항은 외항끼리, 내항은 내항끼리 곱하면
$11(x-3)=4(5x+3)$, $11x-33=20x+12$
$-9x=45$
따라서 $x=-5$

13 $ax+3=7$에 $x=2$를 대입하면
$2a+3=7$, $2a=4$
따라서 $a=2$

14 $-2x+8=a$에 $x=2$를 대입하면
$-4+8=a$
따라서 $a=4$

15 $7x+a=9$에 $x=2$를 대입하면
$14+a=9$
따라서 $a=-5$

16 $5x-a=4x+11$에 $x=2$를 대입하면
$10-a=8+11$, $10-a=19$, $-a=9$
따라서 $a=-9$

17 $-3x+1=10-ax$에 $x=2$를 대입하면
$-6+1=10-2a$, $-5=10-2a$, $2a=15$
따라서 $a=\frac{15}{2}$

18 $-x+9=-4x+3a$에 $x=2$를 대입하면
$-2+9=-8+3a$, $7=-8+3a$, $-3a=-15$
따라서 $a=5$

19 $7x+2a=5a-4$에 $x=2$를 대입하면
$14+2a=5a-4$, $-3a=-18$
따라서 $a=6$

20 $a(x+3)-2x=16$에 $x=2$를 대입하면
$5a-4=16$, $5a=20$
따라서 $a=4$

21 $4(x-a)+1=ax$에 $x=2$를 대입하면
$4(2-a)+1=2a$, $8-4a+1=2a$
$-4a+9=2a$, $-6a=-9$
따라서 $a=\frac{3}{2}$

22 $3x-8=a$에 $x=3$을 대입하면
$9-8=a$
따라서 $a=1$

23 $ax+7=4$에 $x=-1$을 대입하면
$-a+7=4$, $-a=-3$
따라서 $a=3$

24 $-2x+5=-x+a$에 $x=2$를 대입하면
$-4+5=-2+a$, $1=-2+a$, $-a=-3$
따라서 $a=3$

25 $6x+a=x-5a$에 $x=6$을 대입하면
$36+a=6-5a$, $6a=-30$
따라서 $a=-5$

26 $-(x-a)+9=2x$에 $x=-2$를 대입하면
$-(-2-a)+9=-4$, $2+a+9=-4$, $a+11=-4$
따라서 $a=-15$

27 $4(x+1)=-3(a+2)$에 $x=5$를 대입하면
$24=-3a-6$, $3a=-30$
따라서 $a=-10$

28 $5(x-a)=2x+7$에 $x=-1$을 대입하면
$5(-1-a)=-2+7$, $-5-5a=5$, $-5a=10$
따라서 $a=-2$

29 $x:3=(x-4):5$에서 외항은 외항끼리, 내항은 내항끼리 곱하면
$5x=3(x-4)$, $5x=3x-12$, $2x=-12$
따라서 $x=-6$
두 식을 만족하는 x의 값이 서로 같으므로
$2x-a=7$에 $x=-6$을 대입하면
$-12-a=7$, $-a=19$
따라서 $a=-19$

확인문제

| 114쪽 |

01 ②, ⑤ 02 ⑤ 03 ③ 04 ③ 05 ① 06 ⑤

01 ① 일차식
③, ④ 부등호가 있으므로 등식이 아니다.
따라서 등식인 것은 ②, ⑤이다.

02 ① (좌변)$=4x-x=3x$
(좌변)$\neq$(우변)이므로 항등식이 아니다.
②, ③ (좌변)$\neq$(우변)이므로 항등식이 아니다.
④ (좌변)$=3(x+1)=3x+3$
(좌변)$\neq$(우변)이므로 항등식이 아니다.
⑤ (좌변)$=-(x-4)=-x+4$
(좌변)$=$(우변)이므로 항등식이다.
따라서 항등식인 것은 ⑤이다.

03 ① $a=-b$의 양변에 -1을 곱하면 $-a=b$이다.
② $2a=b$의 양변에 2를 곱하면 $4a=2b$이다.
③ $\frac{a}{4}=\frac{b}{5}$의 양변에 16을 곱하면 $4a=\frac{16}{5}b$이다.
④ $a=b$의 양변에 3을 곱하면 $3a=3b$이고,
$3a=3b$의 양변에서 1을 빼면 $3a-1=3b-1$이다.
⑤ $a-1=b+1$의 양변에 2를 더하면 $a+1=b+3$이다.
따라서 옳지 않은 것은 ③이다.

04 ㄱ. $x\underline{+5}=1 \rightarrow x=1-5$
ㄹ. $8x\underline{+3}=\underline{-x}+1 \rightarrow 8x+x=1-3$
따라서 밑줄 친 항을 바르게 이항한 것은 ㄴ, ㄷ이다.

05 $4(x-1)=2(3x+5)$에서
$4x-4=6x+10$, $-2x=14$이므로 $x=-7$
$0.6x-1=0.4(x-7)$의 양변에 10을 곱하면
$6x-10=4(x-7)$, $6x-10=4x-28$
$2x=-18$이므로 $x=-9$
따라서 두 일차방정식의 해의 합은 $(-7)+(-9)=-16$

06 $a(3x+1)=2x-6$에 $x=-2$를 대입하면
$-5a=-10$
따라서 $a=2$
$0.8x-0.5a=\frac{1}{2}(x+7)$에 $a=2$를 대입하면
$0.8x-1=\frac{1}{2}(x+7)$이므로 양변에 10을 곱하면
$8x-10=5(x+7)$, $8x-10=5x+35$
$3x=45$
따라서 $x=15$

2. 일차방정식의 활용

01 일차방정식의 활용 (1) | 115~117쪽 |

01 (1) $x+6$, $x+6$ (2) $x=3$ (3) 3 **02** -1 **03** 6
04 (1) $x-5$, $x-5$ (2) $x=17$ (3) 17살 **05** 13살 **06** 12살
07 (1) $14+x$, $42+x$ (2) $42+x=2(14+x)$ (3) $x=14$ (4) 14년 후
08 2년 후 **09** 24살
10 (1) $10-x$, $900(10-x)$ (2) $500x+900(10-x)=7400$ (3) $x=4$ (4) 캐러멜: 4개, 초콜릿: 6개
11 사과: 3개, 귤: 6개 **12** 볼펜: 5자루, 색연필: 2자루
13 (1) $12-x$, $2(12-x)$ (2) $4x+2(12-x)=38$ (3) $x=7$ (4) 7마리
14 9마리 **15** 10개 **16** (1) $x+5$, $x+5$ (2) $x=7$ (3) 84 cm^2
17 54 cm^2 **18** 170 cm^2

01 (2) $3x=x+6$에서 $2x=6$
따라서 $x=3$

02 어떤 수를 x라 하면 $x+4=2x+5$
$-x=1$
따라서 $x=-1$

03 어떤 수를 x라 하면 $3(x-2)=2x$
$3x-6=2x$
따라서 $x=6$

04 (2) $x+x-5=29$에서 $2x=34$
따라서 $x=17$

05 동생의 나이를 x살이라 하면 언니의 나이는 $(x+6)$살이므로
$(x+6)+x=32$, $2x=26$, $x=13$
따라서 동생의 나이는 13살이다.

06 재호의 나이를 x살이라 하면 재호의 형의 나이는 $(x+3)$살이므로
$x+(x+3)=27$, $2x=24$, $x=12$
따라서 재호의 나이는 12살이다.

07 (3) $42+x=2(14+x)$에서 $42+x=28+2x$
따라서 $x=14$

08 x년 후에 아버지의 나이가 민아의 나이의 3배가 된다고 하면 x년 후 아버지의 나이는 $(52+x)$살, 민아의 나이는 $(16+x)$살이므로
$52+x=3(16+x)$, $52+x=48+3x$
$-2x=-4$, $x=2$
따라서 아버지의 나이가 민아의 나이의 3배가 되는 것은 2년 후이다.

09 올해 이모의 나이를 x살이라고 하면 윤호의 나이는 $(x-16)$살이고, 8년 후 이모의 나이는 $(x+8)$살, 윤호의 나이는 $(x-16+8)$살, 즉 $(x-8)$살이므로
$x+8=2(x-8)$, $x+8=2x-16$, $-x=-24$
따라서 $x=24$이므로 올해 이모의 나이는 24살이다.

10 (3) $500x+900(10-x)=7400$에서
$500x+9000-900x=7400$, $-400x=-1600$
따라서 $x=4$

11 사과를 x개 샀다고 하면 귤은 $(9-x)$개 샀으므로
$900x+600(9-x)=6300$
$900x+5400-600x=6300$
$300x=900$, $x=3$
따라서 사과는 3개, 귤은 6개 샀다.

12 볼펜을 x자루 샀다고 하면 색연필은 $(7-x)$자루 샀으므로
$800x+700(7-x)=5400$
$800x+4900-700x=5400$
$100x=500$, $x=5$
따라서 볼펜은 5자루, 색연필은 2자루 샀다.

13 (3) $4x+2(12-x)=38$에서
$4x+24-2x=38$, $2x=14$
따라서 $x=7$

14 소가 x마리 있다고 하면 닭은 $(15-x)$마리이고, 소의 다리의 수는 4개, 닭의 다리의 수는 2개이므로
$4x+2(15-x)=48$, $4x+30-2x=48$
$2x=18$, $x=9$
따라서 소는 9마리이다.

15 농구 선수가 2점짜리 슛을 x개 넣었다고 하면 3점짜리 슛은 $(14-x)$개 넣었으므로
$2x+3(14-x)=32$, $2x+42-3x=32$
$-x=-10$, $x=10$
따라서 이 농구 선수는 2점짜리 슛을 10개 넣었다.

16 (2) $2\{(x+5)+x\}=38$에서
$2(2x+5)=38$, $4x+10=38$, $4x=28$
따라서 $x=7$
(3) 직사각형의 세로의 길이는 7 cm, 가로의 길이는 $7+5=12$ (cm)이므로 직사각형의 넓이는
$12\times7=84$ (cm^2)

17 직사각형의 세로의 길이를 x cm라 하면 가로의 길이는 $(x+3)$ cm이므로
$2\{(x+3)+x\}=30$, $2(2x+3)=30$
$4x+6=30$, $4x=24$, $x=6$
따라서 직사각형의 세로의 길이는 6 cm, 가로의 길이는 $6+3=9$ (cm)이므로 직사각형의 넓이는
$9\times6=54$ (cm^2)

18 직사각형의 가로의 길이를 x cm라 하면 세로의 길이는 $(x-7)$ cm이므로
$2\{x+(x-7)\}=54$, $2(2x-7)=54$
$4x-14=54$, $4x=68$, $x=17$
따라서 직사각형의 가로의 길이는 17 cm,
세로의 길이는 $17-7=10$ (cm)이므로 직사각형의 넓이는
$17\times10=170$ (cm^2)

02 일차방정식의 활용 (2)

| 118~119쪽 |

01 (1) 1, 1, 1, 1 (2) $x=17$ (3) 16, 17, 18
02 10, 11, 12 **03** 16
04 (1) 2, 2, 2, 2 (2) $x=12$ (3) 10, 12, 14
05 26, 28, 30 **06** 23, 25, 27
07 (1) 6, 60, 6, 6, 60, 6 (2) $x=3$ (3) 63 **08** 45
09 81 **10** (1) $10x+5$, $10x+5$ (2) $x=3$ (3) 53
11 73 **12** 12

01 (2) $(x-1)+x+(x+1)=51$에서 $3x=51$
따라서 $x=17$

02 연속하는 세 정수 중 가운데 수를 x라 하면 세 정수는 $x-1$, x, $x+1$이므로
$(x-1)+x+(x+1)=33$에서 $3x=33$, $x=11$
따라서 세 정수는 10, 11, 12이다.

03 연속하는 세 정수 중 가장 큰 수를 x라 하면 세 정수는 $x-2$, $x-1$, x이므로
$(x-2)+(x-1)+x=45$에서 $3x-3=45$, $3x=48$
따라서 $x=16$이므로 세 정수 중 가장 큰 수는 16이다.

04 (2) $(x-2)+x+(x+2)=36$에서 $3x=36$
따라서 $x=12$

05 연속하는 세 짝수 중 가운데 수를 x라 하면 세 짝수는 $x-2$, x, $x+2$이므로
$(x-2)+x+(x+2)=84$에서 $3x=84$, $x=28$
따라서 세 짝수는 26, 28, 30이다.

06 연속하는 세 홀수 중 가운데 수를 x라 하면 세 홀수는 $x-2$, x, $x+2$이므로
$(x-2)+x+(x+2)=75$에서 $3x=75$, $x=25$
따라서 세 홀수는 23, 25, 27이다.

07 (2) $60+x=7(6+x)$에서 $60+x=42+7x$
$-6x=-18$
따라서 $x=3$
(3) 십의 자리 숫자가 6, 일의 자리 숫자가 3이므로 이 자연수는 63이다.

08 일의 자리 숫자를 x라 하면 주어진 자연수는 $40+x$이고, 각 자리의 숫자의 합은 $4+x$이므로
$40+x=5(4+x)$, $40+x=20+5x$
$-4x=-20$, $x=5$
따라서 구하는 자연수는 45이다.

09 십의 자리 숫자를 x라 하면 주어진 자연수는 $10x+1$이고, 각 자리의 숫자의 합은 $x+1$이므로
$10x+1=9(x+1)$, $10x+1=9x+9$
$x=8$
따라서 구하는 자연수는 81이다.

10 (2) $10x+5=(50+x)-18$에서
$10x+5=x+32$, $9x=27$
따라서 $x=3$

11 처음 수의 일의 자리 숫자를 x라 하면 처음 수는 $70+x$이고, 자리를 바꾼 수는 $10x+7$이므로
$10x+7=(70+x)-36$, $10x+7=x+34$, $9x=27$, $x=3$
따라서 처음 수는 73이다.

12 처음 수의 십의 자리 숫자를 x라 하면 처음 수는 $10x+2$이고, 자리를 바꾼 수는 $20+x$이므로
$20+x=(10x+2)+9$, $20+x=10x+11$, $9x=9$, $x=1$
따라서 처음 수는 12이다.

03 일차방정식의 활용(3)–거리, 속력, 시간 | 120~121쪽 |

01 (1) x km, 시속 3 km, $\frac{x}{3}$시간 (2) $\frac{x}{2}+\frac{x}{3}=5$ (3) $x=6$
(4) 6 km
02 4 km **03** 3 km **04** 48 km **05** 1 km
06 (1) $\frac{x}{4}$시간, $\frac{x+1}{5}$시간 (2) $\frac{x}{4}+\frac{x+1}{5}=2$ (3) $x=4$
(4) 4 km
07 8 km
08 (1) $\frac{x}{12}$시간, $\frac{x}{4}$시간 (2) $\frac{x}{4}-\frac{x}{12}=\frac{1}{2}$ (3) $x=3$ (4) 3 km
09 40 km

01 (3) $\frac{x}{2}+\frac{x}{3}=5$의 양변에 6을 곱하면
$3x+2x=30$, $5x=30$
따라서 $x=6$

02 지안이네 집에서 공원까지의 거리를 x km라 하면
갈 때 걸린 시간은 $\frac{x}{3}$시간, 올 때 걸린 시간은 $\frac{x}{6}$시간이므로
$\frac{x}{3}+\frac{x}{6}=2$
양변에 6을 곱하면 $2x+x=12$, $3x=12$, $x=4$
따라서 지안이네 집에서 공원까지의 거리는 4 km이다.

03 윤지네 집에서 도서관까지의 거리를 x km라 하면
갈 때 걸린 시간은 $\frac{x}{12}$시간, 올 때 걸린 시간은 $\frac{x}{4}$시간이므로
$\frac{x}{12}+\frac{x}{4}=1$
양변에 12를 곱하면 $x+3x=12$, $4x=12$, $x=3$
따라서 윤지네 집에서 도서관까지의 거리는 3 km이다.

04 현서네 집에서 미술관까지의 거리를 x km라 하면
갈 때 걸린 시간은 $\frac{x}{40}$시간, 올 때 걸린 시간은 $\frac{x}{60}$시간이므로
$\frac{x}{40}+\frac{x}{60}=2$
양변에 120을 곱하면 $3x+2x=240$, $5x=240$, $x=48$
따라서 현서네 집에서 미술관까지의 거리는 48 km이다.

05 아린이네 집에서 우체국까지의 거리를 x km라 하면
갈 때 걸린 시간은 $\frac{x}{3}$시간, 올 때 걸린 시간은 $\frac{x}{2}$시간이고,
50분은 $\frac{50}{60}=\frac{5}{6}$(시간)이므로 $\frac{x}{3}+\frac{x}{2}=\frac{5}{6}$
양변에 6을 곱하면 $2x+3x=5$, $5x=5$, $x=1$
따라서 아린이네 집에서 우체국까지의 거리는 1 km이다.

06 (3) $\frac{x}{4}+\frac{x+1}{5}=2$의 양변에 20을 곱하면
$5x+4(x+1)=40$, $5x+4x+4=40$, $9x=36$
따라서 $x=4$

07 서점까지 갈 때 이동한 거리를 x km라 하면 집에 올 때 이동한 거리는 $(x-2)$ km이므로 $\frac{x}{16}+\frac{x-2}{12}=1$
양변에 48을 곱하면
$3x+4(x-2)=48$, $3x+4x-8=48$, $7x=56$, $x=8$
따라서 윤성이가 집에서 서점까지 갈 때 이동한 거리는 8 km이다.

08 (3) $\frac{x}{4}-\frac{x}{12}=\frac{1}{2}$의 양변에 12를 곱하면
$3x-x=6$, $2x=6$
따라서 $x=3$

09 이준이네 집에서 박물관까지의 거리를 x km라 하면 20분은 $\frac{20}{60}=\frac{1}{3}$(시간)이므로 $\frac{x}{40}-\frac{x}{60}=\frac{1}{3}$
양변에 120을 곱하면 $3x-2x=40$, $x=40$
따라서 이준이네 집에서 박물관까지의 거리는 40 km이다.

04 일차방정식의 활용 (4)–농도 | 122~123쪽 |

01 (1) 8, $500+x$, $\frac{8}{100}\times(500+x)$
(2) $\frac{10}{100}\times500=\frac{8}{100}\times(500+x)$ (3) $x=125$ (4) 125 g
02 150 g
03 (1) 6, $300-x$, $\frac{6}{100}\times(300-x)$
(2) $\frac{4}{100}\times300=\frac{6}{100}\times(300-x)$ (3) $x=100$ (4) 100 g
04 200 g
05 (1) 20, $400+x$, $\frac{20}{100}\times(400+x)$
(2) $\frac{9}{100}\times400+x=\frac{20}{100}\times(400+x)$ (3) $x=55$ (4) 55 g
06 40 g
07 (1) x, $100+x$, $\frac{10}{100}\times x$, $\frac{8}{100}\times(100+x)$
(2) $\frac{4}{100}\times100+\frac{10}{100}\times x=\frac{8}{100}\times(100+x)$
(3) $x=200$ (4) 200 g
08 100 g

01 (3) $\frac{10}{100}\times500=\frac{8}{100}\times(500+x)$의 양변에 100을 곱하면

$5000=8(500+x)$, $5000=4000+8x$

$-8x=-1000$

따라서 $x=125$

02 더 넣어야 하는 물의 양을 x g이라 하면

$\frac{15}{100}\times300=\frac{10}{100}\times(300+x)$

양변에 100을 곱하면

$4500=10(300+x)$, $4500=3000+10x$

$-10x=-1500$, $x=150$

따라서 더 넣어야 하는 물의 양은 150 g이다.

03 (3) $\frac{4}{100}\times300=\frac{6}{100}\times(300-x)$의 양변에 100을 곱하면

$1200=6(300-x)$, $1200=1800-6x$

$6x=600$

따라서 $x=100$

04 증발시켜야 하는 물의 양을 x g이라 하면

$\frac{8}{100}\times600=\frac{12}{100}\times(600-x)$

양변에 100을 곱하면

$4800=12(600-x)$, $4800=7200-12x$

$12x=2400$, $x=200$

따라서 증발시켜야 하는 물의 양은 200 g이다.

05 (3) $\frac{9}{100}\times400+x=\frac{20}{100}\times(400+x)$의 양변에 100을 곱하면

$3600+100x=20(400+x)$

$3600+100x=8000+20x$, $80x=4400$

따라서 $x=55$

06 더 넣어야 하는 설탕의 양을 x g이라 하면

$\frac{4}{100}\times600+x=\frac{10}{100}\times(600+x)$

양변에 100을 곱하면

$2400+100x=10(600+x)$

$2400+100x=6000+10x$, $90x=3600$

$x=40$

따라서 더 넣어야 하는 설탕의 양은 40 g이다.

07 (3) $\frac{4}{100}\times100+\frac{10}{100}\times x=\frac{8}{100}\times(100+x)$의 양변에 100을 곱하면

$400+10x=8(100+x)$

$400+10x=800+8x$, $2x=400$

따라서 $x=200$

08 섞어야 하는 6 %의 설탕물의 양을 x g이라 하면

$\frac{9}{100}\times200+\frac{6}{100}\times x=\frac{8}{100}\times(200+x)$

양변에 100을 곱하면

$1800+6x=8(200+x)$, $1800+6x=1600+8x$

$-2x=-200$, $x=100$

따라서 섞어야 하는 6 %의 설탕물의 양은 100 g이다.

확인문제

| 124쪽 |

01 ④ 02 ① 03 ⑤ 04 27 05 ② 06 ③

01 어떤 수를 x라 하면

$3x+7=4x-1$, $-x=-8$, $x=8$

따라서 어떤 수는 8이다.

02 올해 민혁이의 나이를 x살이라 하면 삼촌의 나이는 $(45-x)$살이고, 3년 후의 민혁이의 나이는 $(x+3)$살, 삼촌의 나이는 $(45-x+3)$살, 즉 $(48-x)$살이므로

$2(x+3)=48-x$, $2x+6=48-x$, $3x=42$, $x=14$

따라서 올해 민혁이의 나이는 14살이다.

03 연속하는 세 홀수 중 가장 큰 수를 x라 하면 세 홀수는 $x-4$, $x-2$, x이므로

$(x-4)+(x-2)+x=57$, $3x-6=57$

$3x=63$, $x=21$

따라서 가장 큰 홀수는 21이다.

04 십의 자리의 숫자를 x라 하면 주어진 자연수는 $10x+7$이고, 각 자리의 숫자의 합은 $x+7$이므로

$10x+7=3(x+7)$, $10x+7=3x+21$

$7x=14$, $x=2$

따라서 구하는 자연수는 27이다.

05 두 지점 A, B 사이의 거리를 x km라 하면

30분은 $\frac{30}{60}=\frac{1}{2}$(시간)이므로 $\frac{x}{3}-\frac{x}{12}=\frac{1}{2}$

양변에 12를 곱하면

$4x-x=6$, $3x=6$, $x=2$

따라서 두 지점 A, B 사이의 거리는 2 km이다.

06 더 넣어야 하는 소금의 양을 x g이라 하면

$\frac{15}{100}\times800+x=\frac{20}{100}\times(800+x)$

양변에 100을 곱하면

$12000+100x=20(800+x)$

$12000+100x=16000+20x$, $80x=4000$

$x=50$

따라서 더 넣어야 하는 소금의 양은 50 g이다.

5 좌표평면과 그래프

1. 좌표평면과 그래프

01 수직선 위의 점의 좌표 | 126쪽 |

01 A (-1), B (1) **02** A (-3), B (0)

03 A $\left(-\frac{3}{2}\right)$, B $\left(\frac{1}{2}\right)$ **04** A $\left(-\frac{1}{2}\right)$, B $\left(\frac{8}{3}\right)$

05

06

07

08

09

02 좌표평면 위의 점의 좌표 | 127~128쪽 |

01 B$(-1, 4)$ **02** C$(-4, -3)$ **03** D$(3, -2)$
04 E$(0, -5)$ **05** 해설 참조 **06** 해설 참조
07 $(0, 0)$ **08** $(2, 5)$ **09** $(3, -3)$
10 $(-5, 0)$ **11** $(-4, -7)$ **12** $\left(0, \frac{1}{2}\right)$
13 $(1, 0)$ **14** $(-5, 0)$ **15** $(0, 3)$
16 $(0, -8)$ **17** -2 **18** $-\frac{1}{4}$
19 0 **20** -6 **21** $\frac{2}{3}$
22 2 **23** ①

05

06

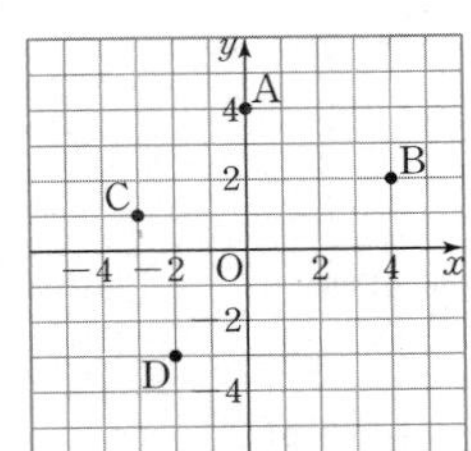

13 x축 위에 있는 점의 y좌표는 0이다.

14 x축 위에 있는 점의 y좌표는 0이다.

15 y축 위에 있는 점의 x좌표는 0이다.

16 y축 위에 있는 점의 x좌표는 0이다.

17 x축 위에 있는 점의 y좌표는 0이므로
$a+2=0$에서 $a=-2$

18 x축 위에 있는 점의 y좌표는 0이므로
$4a+1=0$에서 $a=-\frac{1}{4}$

19 x축 위에 있는 점의 y좌표는 0이므로
$a=0$

20 y축 위에 있는 점의 x좌표는 0이므로
$a+6=0$에서 $a=-6$

21 y축 위에 있는 점의 x좌표는 0이므로
$2-3a=0$에서 $a=\frac{2}{3}$

22 y축 위에 있는 점의 x좌표는 0이므로
$4a-8=0$에서 $a=2$

23 x축 위에 있는 점의 y좌표는 0이므로
$2a+4=0$에서 $a=-2$
y축 위에 있는 점의 x좌표는 0이므로
$b+1=0$에서 $b=-1$
따라서 $a+b=-2+(-1)=-3$

03 사분면 | 129~130쪽 |

01 해설 참조 / (1) ㄱ (2) ㄷ (3) ㄹ (4) ㄴ (5) ㄹ (6) ㄱ
02 제4사분면 **03** 제3사분면
04 어느 사분면에도 속하지 않는다.
05 제1사분면 **06** 어느 사분면에도 속하지 않는다.
07 제2사분면 **08** 어느 사분면에도 속하지 않는다.
09 $+$, $+$, 제1사분면 **10** $+$, $-$, 제4사분면
11 $-$, $-$, 제3사분면 **12** $-$, $+$, 제2사분면
13 $+$, $+$, 제1사분면 **14** $-$, $-$, 제3사분면
15 $+$, $-$, 제4사분면 **16** $+$, $-$, 제4사분면
17 제1사분면 **18** 제2사분면 **19** 제2사분면
20 제3사분면 **21** 제4사분면 **22** 제3사분면
23 ①

01 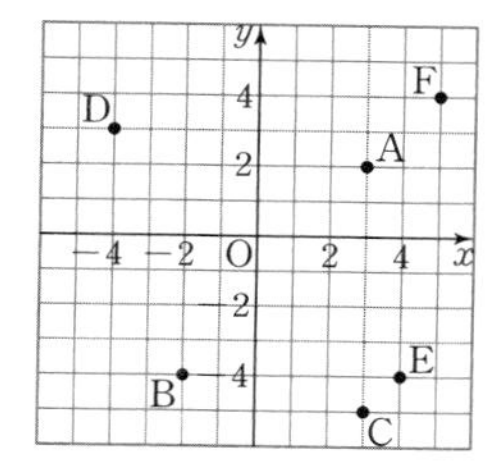

09 $a>0$, $b>0$이므로 점 $B(a,\ b)$는 제1사분면 위의 점이다.

10 $a>0$, $-b<0$이므로 점 $C(a,\ -b)$는 제4사분면 위의 점이다.

11 $-a<0$, $-b<0$이므로 점 $D(-a,\ -b)$는 제3사분면 위의 점이다.

12 $a<0$, $b>0$이므로 점 $A(a,\ b)$는 제2사분면 위의 점이다.

13 $-a>0$, $b>0$이므로 점 $B(-a,\ b)$는 제1사분면 위의 점이다.

14 $a<0$, $-b<0$이므로 점 $C(a,\ -b)$는 제3사분면 위의 점이다.

15 $b>0$, $a<0$이므로 점 $D(b,\ a)$는 제4사분면 위의 점이다.

16 $-a>0$, $-b<0$이므로 점 $E(-a,\ -b)$는 제4사분면 위의 점이다.

17 점 $P(a,\ b)$가 제4사분면 위의 점이므로 $a>0$, $b<0$
$a>0$, $-b>0$이므로 점 $B(a,\ -b)$는 제1사분면 위의 점이다.

18 점 $P(a,\ b)$가 제4사분면 위의 점이므로 $a>0$, $b<0$
$b<0$, $a>0$이므로 점 $C(b,\ a)$는 제2사분면 위의 점이다.

19 점 $P(a,\ b)$가 제4사분면 위의 점이므로 $a>0$, $b<0$
$-a<0$, $-b>0$이므로 점 $D(-a,\ -b)$는 제2사분면 위의 점이다.

20 점 $P(a,\ b)$가 제4사분면 위의 점이므로 $a>0$, $b<0$
$ab<0$, $b<0$이므로 점 $E(ab,\ b)$는 제3사분면 위의 점이다.

21 점 $P(a,\ b)$가 제4사분면 위의 점이므로 $a>0$, $b<0$
$a-b>0$, $-a<0$이므로 점 $F(a-b,\ -a)$는 제4사분면 위의 점이다.

22 점 $P(a,\ b)$가 제4사분면 위의 점이므로 $a>0$, $b<0$
$b-a<0$, $ab<0$이므로 점 $G(b-a,\ ab)$는 제3사분면 위의 점이다.

23 $a>0$, $b<0$이므로 $a>0$, $a-b>0$
따라서 점 $(a,\ a-b)$는 제1사분면 위의 점이다.

04 대칭인 점의 좌표

| 131~132쪽 |

01 해설 참조 / (1) 3 (2) -3, 2 (3) -3, -2

02 $(6,\ -1)$	03 $(-6,\ 1)$	04 $(-6,\ -1)$
05 $(-1,\ -7)$	06 $(1,\ 7)$	07 $(1,\ -7)$
08 $(-3,\ 5)$	09 $(3,\ -5)$	10 $(3,\ 5)$
11 ③	12 $B(2,\ -4)$	13 $C(-2,\ -4)$
14 해설 참조	15 16	16 $B(-3,\ -2)$
17 $C(3,\ 2)$	18 해설 참조	19 12

01 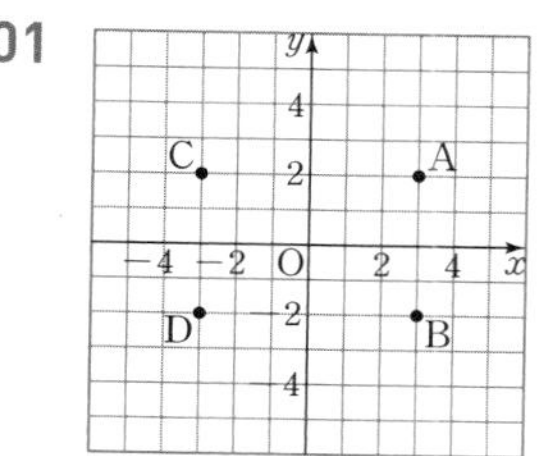

02 x축에 대하여 대칭이면 y좌표의 부호만 바뀐다.

03 y축에 대하여 대칭이면 x좌표의 부호만 바뀐다.

04 원점에 대하여 대칭이면 x좌표, y좌표의 부호가 모두 바뀐다.

05 x축에 대하여 대칭이면 y좌표의 부호만 바뀐다.

06 y축에 대하여 대칭이면 x좌표의 부호만 바뀐다.

07 원점에 대하여 대칭이면 x좌표, y좌표의 부호가 모두 바뀐다.

08 x축에 대하여 대칭이면 y좌표의 부호만 바뀐다.

09 y축에 대하여 대칭이면 x좌표의 부호만 바뀐다.

10 원점에 대하여 대칭이면 x좌표, y좌표의 부호가 모두 바뀐다.

11 x축에 대하여 대칭이면 x좌표는 같고 y좌표의 부호만 바뀌므로 $a=-1$
$-4=-(b+1)$에서 $-4=-b-1$, $b=3$
따라서 $a+b=-1+3=2$

12 x축에 대하여 대칭이면 y좌표의 부호만 바뀌므로 점 B의 좌표 $B(2,\ -4)$

13 원점에 대하여 대칭이면 x좌표, y좌표의 부호가 모두 바뀌므로 점 C의 좌표 $C(-2,\ -4)$

14 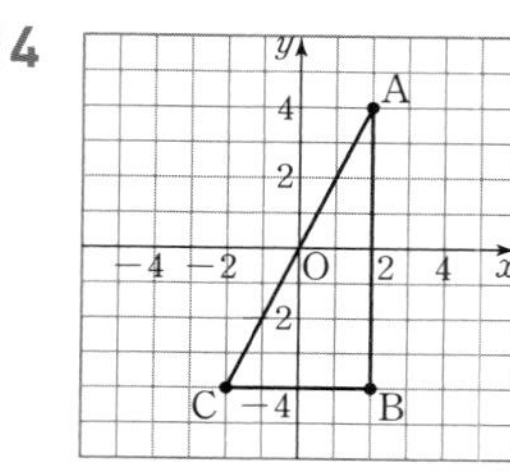

15 (삼각형 ABC의 넓이)$=\frac{1}{2}\times4\times8=16$

16 x축에 대하여 대칭이면 y좌표의 부호만 바뀌므로 점 B의 좌표 B$(-3, -2)$

17 y축에 대하여 대칭이면 x좌표의 부호만 바뀌므로 점 C의 좌표 C$(3, 2)$

18

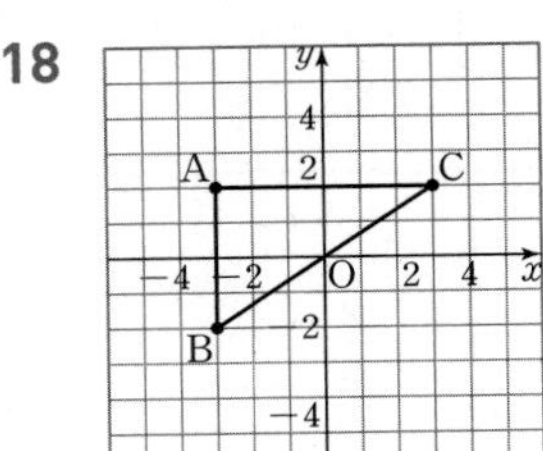

19 (삼각형 ABC의 넓이)$=\frac{1}{2}\times6\times4=12$

05 그래프

| 133쪽 |

01 2, 2, 3, 2　**02** (1, 1), (2, 2), (3, 2), (4, 3), (5, 2)
03 해설 참조　**04** 8, 12, 16, 20
05 (1, 4), (2, 8), (3, 12), (4, 16), (5, 20)
06 해설 참조

01 2의 약수는 1, 2의 2개
3의 약수는 1, 3의 2개
4의 약수는 1, 2, 4의 3개
5의 약수는 1, 5의 2개

03

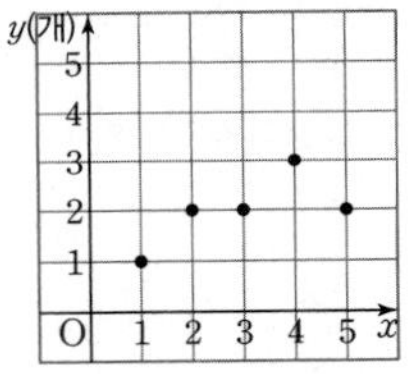

04 (정사각형의 둘레의 길이)=(한 변의 길이)×4이므로
$x=2$일 때 $y=2\times4=8$
$x=3$일 때 $y=3\times4=12$
$x=4$일 때 $y=4\times4=16$
$x=5$일 때 $y=5\times4=20$

06

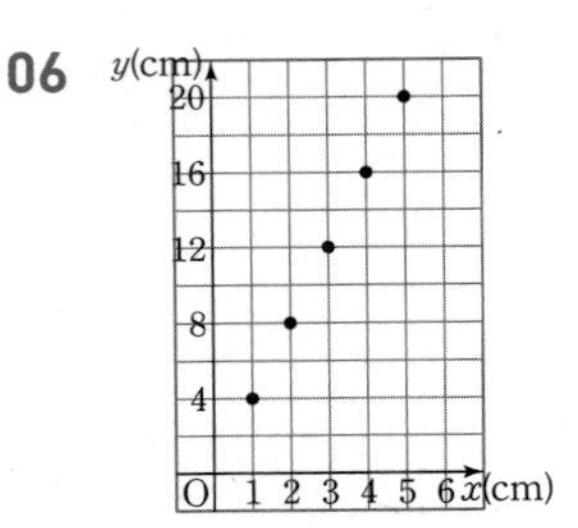

06 그래프의 해석

| 134~135쪽 |

01 200 m　**02** 10분　**03** 15분　**04** 5분　**05** 300 m
06 5분　**07** 20분　**08** 25분　**09** ㄱ　**10** ㄷ
11 ㄴ　**12** ㄹ　**13** ㄱ　**14** ㄷ　**15** ㄴ
16 ②

01 x의 값이 5일 때의 y의 값이 200이므로 준호가 집에서 출발한 후 5분 동안 이동한 거리는 200 m이다.

02 집에서 도서관까지의 거리는 400 m이고, y의 값이 400일 때의 x의 값은 10이므로 준호가 집에서 출발하여 도서관에 도착할 때까지 걸린 시간은 10분이다.

03 10분부터 25분까지 집과 준호가 위치한 지점까지의 거리가 400 m로 일정하므로 준호가 도서관에 머문 시간은
$25-10=15$(분)이다.

04 준호가 도서관을 출발한 시각은 집에서 출발한 지 25분 후이고, 집에서 출발한 지 30분 후에 집과 준호가 위치한 지점까지의 거리가 0 m이므로 준호가 도서관에서 집으로 돌아오는데 걸린 시간은 $30-25=5$(분)이다.

05 x의 값이 10일 때의 y의 값이 300이므로 예원이가 집에서 출발한 후 10분 동안 이동한 거리는 300 m이다.

06 10분부터 15분까지 집과 예원이가 위치한 지점까지의 거리가 300 m로 일정하므로 예원이가 잠시 멈춰 있었던 시간은
$15-10=5$(분)이다.

07 y의 값이 400일 때의 x의 값은 20이므로 예원이가 집에서 출발하여 400 m를 이동하는데 걸린 시간은 20분이다.

08 집에서 학교까지의 거리는 500 m이고, y의 값이 500일 때의 x의 값은 25이므로 예원이가 학교에 도착하는데 걸린 시간은 25분이다.

09 그릇의 폭이 일정하므로 물의 높이가 일정하게 증가한다. 이때 밑면인 원의 반지름의 길이가 **11**보다 작으므로 물의 높이가 빠르게 증가하여 그래프가 가파르다.
따라서 알맞은 그래프는 ㄱ이다.

10 그릇의 폭이 위로 갈수록 좁아지므로 물의 높이가 점점 빠르게 증가한다.
따라서 알맞은 그래프는 ㄷ이다.

11 그릇의 폭이 일정하므로 물의 높이가 일정하게 증가한다. 이때 밑면인 원의 반지름의 길이가 **09**보다 크므로 물의 높이가 천천히 증가하여 그래프가 완만하다.
따라서 알맞은 그래프는 ㄴ이다.

12 그릇의 폭이 위로 갈수록 넓어지므로 물의 높이가 점점 느리게 증가한다.
따라서 알맞은 그래프는 ㄹ이다.

13 경과 시간이 길어질수록 물의 온도는 점점 높아지므로 알맞은 그래프는 ㄱ이다.

14 음료수를 일정한 속력으로 절반을 마셨으므로 음료수의 양은 반으로 줄어들고, 그 상태로 냉장고에 넣었으므로 남은 음료수의 양은 일정하다.
따라서 알맞은 그래프는 ㄷ이다.

15 지면으로부터의 높이는 최고 높이에 다다를 때까지 점점 높아지다가 이후에는 점점 낮아지므로 알맞은 그래프는 ㄴ이다.

16 물병의 아랫부분은 폭이 넓고 일정하고, 윗부분은 폭이 좁고 일정하다. 따라서 물의 높이가 천천히 일정하게 증가하다가 빠르고 일정하게 증가하므로 그래프로 가장 알맞은 것은 ②이다.

확인문제

| 136쪽 |

01 ② **02** ④ **03** ①, ⑤ **04** ⑤ **05** ③ **06** ④

01 ② 점 B가 나타내는 점은 -2에서 왼쪽으로 $\frac{1}{2}$만큼 더 갔으므로
$-2\frac{1}{2}=-\frac{5}{2}$이다. 따라서 $\mathrm{B}\left(-\frac{5}{2}\right)$ 또는 $\mathrm{B}(-2.5)$이다.

02 ④ $(2, 1)$은 제1사분면 위의 점이다.

03 ② 두 점 $(1, 3)$, $(3, 1)$은 x좌표와 y좌표가 서로 다르므로 같은 점이 아니다.
③ 점 $(2, -1)$은 제4사분면 위의 점이다.
④ 제4사분면 위의 점의 x좌표는 양수이다.
⑤ 점 $(4, 0)$은 x축 위의 점이므로 어느 사분면에도 속하지 않는다.
따라서 좌표평면에 대한 설명으로 옳은 것은 ①, ⑤이다.

04 점 (a, b)가 제3사분면 위의 점이므로 $a<0$, $b<0$
이때 $a+b<0$, $ab>0$이므로 점 $(a+b, ab)$는 제2사분면 위의 점이다.
따라서 제2사분면 위의 점은 ⑤ $(-1, 6)$이다.

05 원점에 대하여 대칭이면 x좌표, y좌표의 부호가 모두 바뀌므로 점 $(3, -5)$와 원점에 대하여 대칭인 점의 좌표는 $(-3, 5)$이다.

06 출발하여 가는 길에 집에 다시 되돌아갔으므로 집으로부터 떨어진 거리가 다시 0 m가 되었다가 다시 증가해야 한다.
따라서 x와 y 사이의 관계를 알맞게 나타낸 그래프는 ④이다.

6 정비례와 반비례

1. 정비례와 반비례

01 정비례 관계

| 138~139쪽 |

01 (1) 600, 900, 1200 (2) 2, 3, 한다 (3) 300, $300x$
02 (1) 60, 120, 180, 240 (2) 정비례한다. (3) $y=60x$

03 ○	**04** ○	**05** ×	**06** ○
07 ○	**08** ×	**09** ×	**10** ○
11 ×	**12** ×	**13** ○	**14** ○
15 ×	**16** ○	**17** $y=-3x$	**18** $y=3x$
19 $y=\frac{1}{2}x$	**20** $y=-\frac{5}{2}x$	**21** $y=7x$	
22 $y=-\frac{3}{2}x$	**23** ②		

06 $\frac{y}{x}=4$에서 $y=4x$이므로 y가 x에 정비례한다.

09 $xy=6$에서 $y=\frac{6}{x}$이므로 y가 x에 정비례하지 않는다.

10 (토끼 다리의 수)=(토끼의 수)×4이므로 $y=4x$

11 (동생의 나이)=(형의 나이)-3이므로 $y=x-3$

12 (안경을 쓴 학생 수)+(안경을 쓰지 않은 학생 수)=25이므로
$x+y=25$, $y=25-x$

13 (연필의 가격)=(연필 한 자루의 가격)×700이므로
$y=700x$

14 (직사각형의 넓이)=(가로의 길이)×(세로의 길이)이므로
$y=5x$

15 (케이크 한 조각의 무게)×(조각의 수)=500이므로
$xy=500$, $y=\frac{500}{x}$

16 (물의 양)=(매분 받은 물의 양)×(받은 시간)이므로
$y=5x$

17 $y=ax$라 하고 $x=1$, $y=-3$을 대입하면 $-3=a$
따라서 $y=-3x$

18 $y=ax$라 하고 $x=3$, $y=9$를 대입하면
$9=3a$, $a=3$
따라서 $y=3x$

19 $y=ax$라 하고 $x=8$, $y=4$를 대입하면
$4=8a$, $a=\frac{1}{2}$
따라서 $y=\frac{1}{2}x$

20 $y=ax$라 하고 $x=-2$, $y=5$를 대입하면

$5=-2a$, $a=-\frac{5}{2}$

따라서 $y=-\frac{5}{2}x$

21 $y=ax$라 하고 $x=-1$, $y=-7$을 대입하면

$-7=-a$, $a=7$

따라서 $y=7x$

22 $y=ax$라 하고 $x=4$, $y=-6$을 대입하면

$-6=4a$, $a=-\frac{3}{2}$

따라서 $y=-\frac{3}{2}x$

23 y가 x에 정비례하므로 $y=ax$에 $x=3$, $y=12$를 대입하면

$12=3a$에서 $a=4$

따라서 $y=4x$이므로 이 식에 $x=-2$를 대입하면

$y=4\times(-2)=-8$

02 정비례 관계의 그래프 그리기 | 140쪽 |

01 (1) 2, 0, -2, -4 / 해설 참조 (2) 해설 참조
02 0, 1 / 해설 참조 **03** 0, -2 / 해설 참조

01 (1)

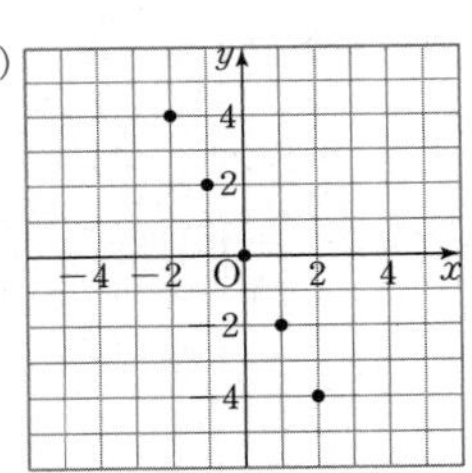

(2)

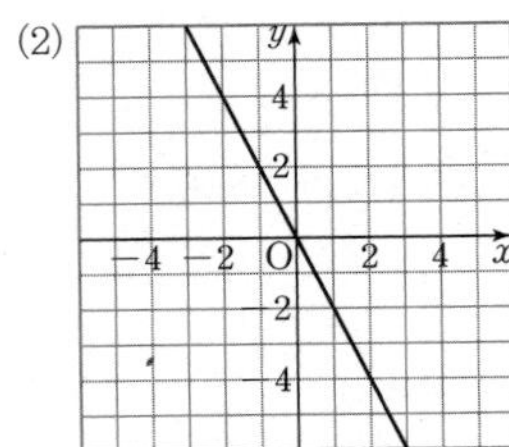

02

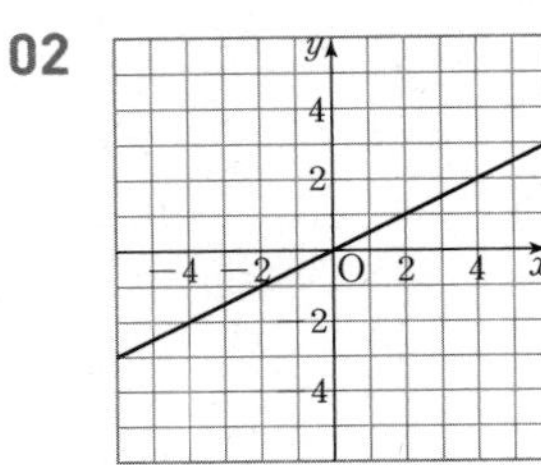

03

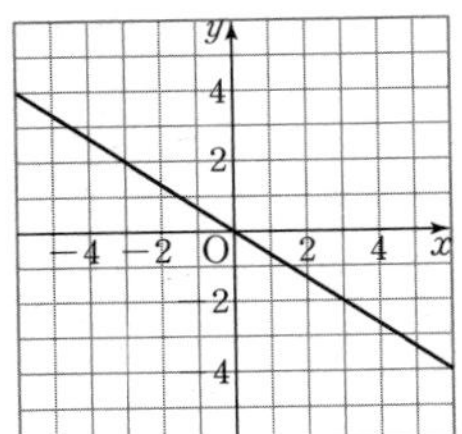

03 정비례 관계 그래프의 성질 | 141~142쪽 |

01 (1) 위 (2) 1, 3 (3) 증가 (4) 2
02 (1) 아래 (2) 2, 4 (3) 감소 (4) -2
03 2, 4 **04** 1, 3 **05** 1, 3 **06** 2, 4 **07** ㄴ, ㄹ
08 ㄱ, ㄷ **09** ㄴ, ㄹ **10** ㄴ **11** 4, ㉢ **12** ㉡
13 ㉣ **14** ㉠ **15** ⑤

07 $y=ax$의 그래프는 $a<0$일 때, 오른쪽 아래로 향한다.

08 $y=ax$의 그래프는 $a>0$일 때, 제1사분면과 제3사분면을 지난다.

09 $y=ax$의 그래프는 $a<0$일 때, x의 값이 증가하면 y의 값은 감소한다.

10 $y=ax$의 그래프 $|a|$가 클수록 y축에 가깝다.

ㄱ. $|3|=3$ ㄴ. $|-6|=6$

ㄷ. $\left|\frac{3}{2}\right|=\frac{3}{2}$ ㄹ. $\left|-\frac{4}{5}\right|=\frac{4}{5}$

따라서 y축에 가장 가까운 그래프는 ㄴ이다.

12 $y=-3x$에 $x=1$을 대입하면 $y=-3$

따라서 $y=-3x$의 그래프는 원점과 점 $(1,\ -3)$을 지나는 직선이므로 그래프는 ㉡이다.

13 $y=\frac{1}{4}x$에 $x=4$를 대입하면 $y=1$

따라서 $y=\frac{1}{4}x$의 그래프는 원점과 점 $(4,\ 1)$을 지나는 직선이므로 그래프는 ㉣이다.

14 $y=-\frac{4}{3}x$에 $x=3$을 대입하면 $y=-4$

따라서 $y=-\frac{4}{3}x$의 그래프는 원점과 점 $(3,\ -4)$를 지나는 직선이므로 그래프는 ㉠이다.

15 ⑤ $y=-8x$의 그래프는 x의 값이 증가하면 y의 값은 감소한다.

04 정비례 관계 그래프 위의 점 | 143~144쪽 |

01 3	02 6	03 6	04 -9	05 -2
06 2	07 11	08 ○	09 ○	10 ×
11 ×	12 ○	13 ×	14 -1	15 3
16 6	17 $-\frac{1}{10}$	18 2	19 $-\frac{3}{2}$	20 $\frac{3}{4}$
21 $-\frac{1}{2}$	22 1	23 ①		

01 $y=3x$에 $x=a$, $y=9$를 대입하면
$9=3a$에서 $a=3$

02 $y=3x$에 $x=a$, $y=18$을 대입하면
$18=3a$에서 $a=6$

03 $y=3x$에 $x=2$, $y=a$를 대입하면
$a=3\times2=6$

04 $y=3x$에 $x=-3$, $y=a$를 대입하면
$a=3\times(-3)=-9$

05 $y=3x$에 $x=-a$, $y=6$을 대입하면
$6=-3a$에서 $a=-2$

06 $y=3x$에 $x=\frac{2}{3}$, $y=a$를 대입하면
$a=3\times\frac{2}{3}=2$

07 $y=3x$에 $x=4$, $y=a+1$을 대입하면
$a+1=3\times4$에서 $a=11$

08 $y=-2x$에 $x=1$, $y=-2$를 대입하면
$-2=-2\times1$

09 $y=-2x$에 $x=3$, $y=-6$을 대입하면
$-6=-2\times3$

10 $y=-2x$에 $x=0$, $y=2$를 대입하면
$2\neq-2\times0$

11 $y=-2x$에 $x=-6$, $y=3$을 대입하면
$3\neq-2\times(-6)$

12 $y=-2x$에 $x=\frac{1}{2}$, $y=-1$을 대입하면
$-1=-2\times\frac{1}{2}$

13 $y=-2x$에 $x=-\frac{3}{4}$, $y=3$을 대입하면
$3\neq-2\times\left(-\frac{3}{4}\right)$

14 $y=ax$에 $x=5$, $y=-5$를 대입하면
$-5=5a$에서 $a=-1$

15 $y=ax$에 $x=-3$, $y=-9$를 대입하면
$-9=-3a$에서 $a=3$

16 $y=ax$에 $x=\frac{1}{2}$, $y=3$을 대입하면
$3=\frac{1}{2}a$에서 $a=6$

17 $y=ax$에 $x=-4$, $y=\frac{2}{5}$를 대입하면
$\frac{2}{5}=-4a$에서 $a=-\frac{1}{10}$

18 그래프가 점 $(1, 2)$를 지나므로 $y=ax$에
$x=1$, $y=2$를 대입하면 $a=2$

19 그래프가 점 $(2, -3)$을 지나므로 $y=ax$에
$x=2$, $y=-3$을 대입하면 $-3=2a$
따라서 $a=-\frac{3}{2}$

20 그래프가 점 $(-4, -3)$을 지나므로 $y=ax$에
$x=-4$, $y=-3$을 대입하면 $-3=-4a$
따라서 $a=\frac{3}{4}$

21 그래프가 점 $(-6, 3)$을 지나므로 $y=ax$에
$x=-6$, $y=3$을 대입하면 $3=-6a$
따라서 $a=-\frac{1}{2}$

22 그래프가 점 $(5, 5)$를 지나므로 $y=ax$에
$x=5$, $y=5$를 대입하면 $5=5a$
따라서 $a=1$

23 $y=-\frac{4}{5}x$에 $x=-a$, $y=a+1$을 대입하면
$a+1=-\frac{4}{5}\times(-a)$, $\frac{1}{5}a=-1$
따라서 $a=-5$

05 반비례 관계

| 145~146쪽 |

01 (1) 30, 20, 15 (2) $\frac{1}{2}$, $\frac{1}{3}$, 한다 (3) 60, $\frac{60}{x}$

02 ○	03 ×	04 ×	05 ○
06 ×	07 ○	08 ○	09 ×
10 ○	11 ○	12 ×	13 $y=\frac{4}{x}$
14 $y=-\frac{4}{x}$	15 $y=-\frac{5}{x}$	16 $y=-\frac{27}{x}$	17 $y=\frac{8}{x}$
18 ④			

07 $xy=-3$에서 $y=-\frac{3}{x}$이므로 y가 x에 반비례한다.

08 (시간)$=\frac{(거리)}{(속력)}$이므로 $y=\frac{50}{x}$

09 (정사각형의 둘레의 길이)$=4\times$(한 변의 길이)이므로
$x=4y$에서 $y=\frac{x}{4}$

10 (전체 떡의 무게)=(떡 한 조각의 무게)×(조각의 수)이므로
$200=xy$에서 $y=\frac{200}{x}$

11 (물통의 들이)=(매분 넣는 물의 양)×(걸리는 시간)이므로
$8=xy$에서 $y=\frac{8}{x}$

12 (전체 학생 수)=(여학생 수)+(남학생 수)이므로
$30=x+y$에서 $y=-x+30$

13 $y=\frac{a}{x}$라 하고 $x=1$, $y=4$를 대입하면
$4=a$
따라서 $y=\frac{4}{x}$

14 $y=\frac{a}{x}$라 하고 $x=-2$, $y=2$를 대입하면
$2=\frac{a}{-2}$, $a=-4$
따라서 $y=-\frac{4}{x}$

15 $y=\frac{a}{x}$라 하고 $x=5$, $y=-1$을 대입하면
$-1=\frac{a}{5}$, $a=-5$
따라서 $y=-\frac{5}{x}$

16 $y=\frac{a}{x}$라 하고 $x=3$, $y=-9$를 대입하면
$-9=\frac{a}{3}$, $a=-27$
따라서 $y=-\frac{27}{x}$

17 $y=\frac{a}{x}$라 하고 $x=-4$, $y=-2$를 대입하면
$-2=\frac{a}{-4}$, $a=8$
따라서 $y=\frac{8}{x}$

18 y가 x에 반비례하므로 $y=\frac{a}{x}$에 $x=2$, $y=-6$을 대입하면
$-6=\frac{a}{2}$, $a=-12$
따라서 $y=-\frac{12}{x}$이므로 이 식에 $x=-3$을 대입하면
$y=-\frac{12}{-3}=4$

06 반비례 관계의 그래프 그리기

| 147쪽 |

01 (1) -2, -4, 4, 2, 1 / 해설 참조 (2) 해설 참조
02 -2, -3, -4, -6, 6, 4, 3, 2 / 해설 참조
03 1, 2, 3, 6, -6, -3, -2, -1 / 해설 참조

01 (1)

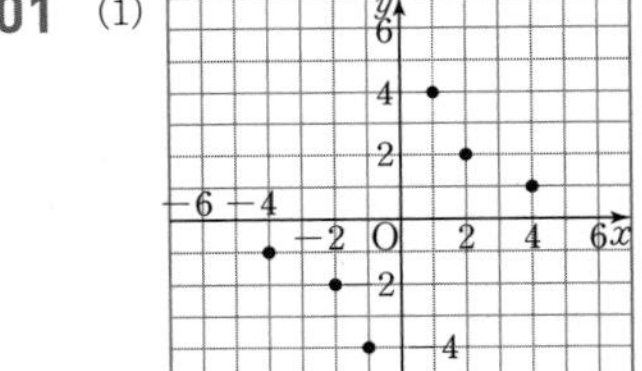

(2)

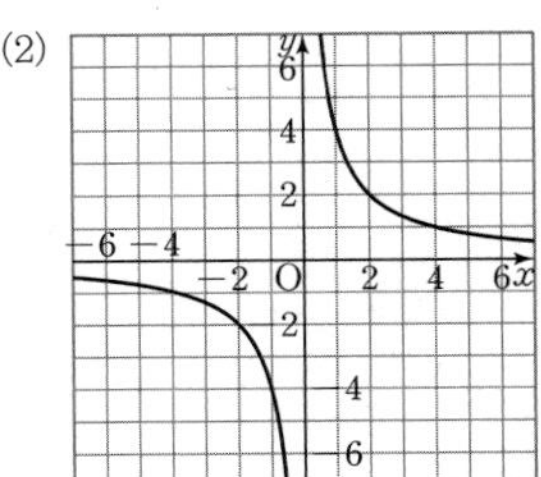

02

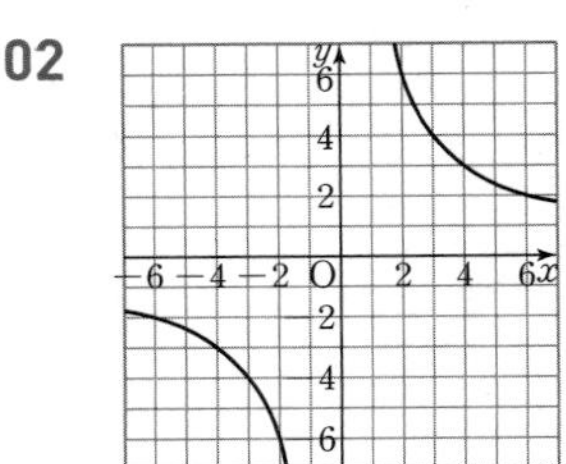

03

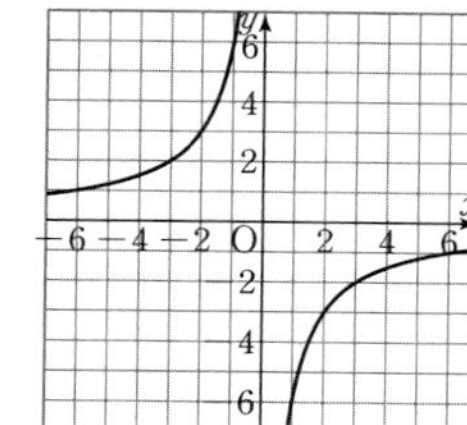

07 반비례 관계 그래프의 성질 | 148~149쪽 |

01 (1) 1, 3 (2) 감소 (3) 2
02 (1) 2, 4 (2) 증가 (3) 2
03 1, 3 04 2, 4 05 2, 4 06 1, 3 07 ○
08 × 09 ○ 10 ㄴ, ㄷ 11 ㄱ, ㄹ 12 ㄴ, ㄷ
13 ㄹ, ㄷ, ㄱ, ㄴ 14 ②

07 $y=\frac{a}{x}$의 그래프는 $a>0$일 때, 제1사분면과 제3사분면을 지난다.

08 $y=\frac{a}{x}$의 그래프는 $a<0$일 때, 제2사분면과 제4사분면을 지난다.

09 $y=\frac{a}{x}$의 그래프는 $a>0$일 때, x의 값이 증가하면 y의 값은 감소한다.

10 $y=\frac{a}{x}$의 그래프는 $a>0$일 때, 제1사분면과 제3사분면을 지난다.

11 $y=\frac{a}{x}$의 그래프는 $a<0$일 때, x의 값이 증가하면 y의 값도 증가한다.

12 $y=\frac{a}{x}$의 그래프는 $a>0$일 때, x의 값이 증가하면 y의 값은 감소한다.

13 $y=\frac{a}{x}$의 그래프 $|a|$가 클수록 원점에서 멀어진다.
ㄱ. $|-3|=3$ ㄴ. $|1|=1$
ㄷ. $|5|=5$ ㄹ. $|-7|=7$
$|-7|>|5|>|-3|>|1|$이므로 그래프가 원점에서 먼 순서대로 기호를 쓰면 ㄹ, ㄷ, ㄱ, ㄴ이다.

14 ② $y=-\frac{10}{x}$에서 $x=-5$일 때, $y=-\frac{10}{-5}=2$이므로 점 $(-5, -2)$를 지나지 않는다.

08 반비례 관계 그래프 위의 점 | 150쪽 |

01 × 02 ○ 03 × 04 × 05 ○
06 × 07 4 08 −3 09 20 10 −2
11 −2

01 $y=-\frac{18}{x}$에 $x=-1$, $y=-18$을 대입하면
$-18\neq-\frac{18}{-1}$

02 $y=-\frac{18}{x}$에 $x=-9$, $y=2$를 대입하면
$2=-\frac{18}{-9}$

03 $y=-\frac{18}{x}$에 $x=-6$, $y=4$를 대입하면
$4\neq-\frac{18}{-6}$

04 $y=-\frac{18}{x}$에 $x=3$, $y=-3$을 대입하면
$-3\neq-\frac{18}{3}$

05 $y=-\frac{18}{x}$에 $x=-12$, $y=\frac{3}{2}$을 대입하면
$\frac{3}{2}=-\frac{18}{-12}$

06 $y=-\frac{18}{x}$에 $x=9$, $y=-\frac{1}{2}$을 대입하면
$-\frac{1}{2}\neq-\frac{18}{9}$

07 $y=\frac{a}{x}$에 $x=2$, $y=2$를 대입하면
$2=\frac{a}{2}$에서 $a=4$

08 $y=\frac{a}{x}$에 $x=-3$, $y=1$을 대입하면
$1=\frac{a}{-3}$에서 $a=-3$

09 $y=\frac{a}{x}$에 $x=-4$, $y=-5$를 대입하면
$-5=\frac{a}{-4}$에서 $a=20$

10 $y=\frac{a}{x}$에 $x=-8$, $y=\frac{1}{4}$을 대입하면
$\frac{1}{4}=\frac{a}{-8}$에서 $a=-2$

11 $y=\frac{a}{x}$에 $x=3$, $y=-\frac{2}{3}$를 대입하면
$-\frac{2}{3}=\frac{a}{3}$에서 $a=-2$

09 정비례와 반비례 관계의 활용

| 151쪽 |

01 (1) 6, 9, 12 (2) 3 (3) 45 L
02 (1) $y=0.4x$ (2) 4.8 cm
03 (1) 60, 40, 30 (2) x, y, $\frac{120}{x}$ (3) 15일
04 (1) $y=\frac{150}{x}$ (2) 2시간

01 (3) x와 y 사이의 관계식 $y=3x$에 $x=15$를 대입하면
$y=3\times15=45$
따라서 물통 안에 들어 있는 물의 양은 45 L이다.

02 (1) (줄어드는 양초의 길이)=(매분 타는 양초의 길이)×(시간)
이므로 $y=0.4x$
(2) x와 y 사이의 관계식 $y=0.4x$에 $x=12$를 대입하면
$y=0.4\times12=4.8$
따라서 줄어드는 양초의 길이는 4.8 cm이다.

03 (3) x와 y 사이의 관계식 $y=\frac{120}{x}$에 $x=8$을 대입하면
$y=\frac{120}{8}=15$
따라서 책을 모두 읽는 데 15일이 걸린다.

04 (1) (시간)=$\frac{(거리)}{(속력)}$이므로 $y=\frac{150}{x}$
(2) x와 y 사이의 관계식 $y=\frac{150}{x}$에 $x=75$를 대입하면
$y=\frac{150}{75}=2$
따라서 휴양림까지 가는 데 걸리는 시간은 2시간이다.

확인문제

| 152쪽 |

01 ② **02** ③ **03** ③ **04** ㄹ **05** ②, ⑤ **06** −3

01 ① $x+y=30$에서 $y=-x+30$
② (거리)=(속력)×(시간)이므로 $y=2x$
③ (평행사변형의 넓이)=(밑변의 길이)×(높이)이므로
$45=xy$에서 $y=\frac{45}{x}$
④ $x+y=24$에서 $y=-x+24$
⑤ $xy=5$에서 $y=\frac{5}{x}$
따라서 y가 x에 정비례하는 것은 ②이다.

02 정비례 관계 $y=ax(a\neq0)$의 그래프는 a의 절댓값이 클수록 y축에 가깝다.
$|5|>|-3|>\left|-\frac{7}{4}\right|>|-1|>\left|\frac{1}{2}\right|$이므로 그래프가 y축에 가장 가까운 것은 ③이다.

03 $y=-\frac{2}{3}x$에 $x=a$, $y=-2$를 대입하면
$-2=-\frac{2}{3}a$에서 $a=3$
$y=-\frac{2}{3}x$에 $x=6$, $y=b$를 대입하면
$b=-\frac{2}{3}\times6=-4$
따라서 $a+b=3+(-4)=-1$

04 $y=-\frac{4}{x}$의 그래프는 제2사분면과 제4사분면을 지나는 한 쌍의 매끄러운 곡선이다.
또 $x=-4$일 때 $y=-\frac{4}{-4}=1$이므로 점 $(-4, 1)$을 지난다.
따라서 구하는 그래프는 ㄹ이다.

05 각 점의 좌표를 $y=\frac{12}{x}$에 대입하면
① $3=\frac{12}{4}$ ② $6\neq\frac{12}{-2}$ ③ $-12=\frac{12}{-1}$
④ $\frac{3}{2}=\frac{12}{8}$ ⑤ $-\frac{5}{6}\neq\frac{12}{-10}$
따라서 $y=\frac{12}{x}$의 그래프 위의 점이 아닌 것은 ②, ⑤이다.

06 $y=\frac{a}{x}$라 하고 $x=1$, $y=-6$을 대입하면
$a=-6$
따라서 $y=-\frac{6}{x}$에 $x=k$, $y=2$를 대입하면
$2=-\frac{6}{k}$에서 $k=-3$

수학
마스터
중학 수학의 기초력 강화
연산 ε
엡실론